三浦悦子の世界〈19〉

［まなざし］

人形作家は目玉の入れ方を意識します。
瞳を真ん中にいれると心が空っぽで純粋な表情になります。
瞬きもしないロボットの様にも見えます。
逆に瞳を端によせればよせるほど人形に意志がでてきます。
目だけで相手の心を読み取るのが得意な日本人から、
現代の人形が産まれてくるのは自然な事かもしれません。

四方山幻影話 46

●写真・文：堀江ケニー
モデル：浜崎容子（アーバンギャルド）

その昔、人物と廃墟をメインで撮っていた時代がありました。当時は人のアップ、顔はほとんど写さないスタイルでした。が、それから時が経ち、人をメインで撮るようになると、撮影スタイルもガラリと変わって来ました。

人物の写真を撮る時は、目が最大のポイントとなるわけです。人をアップで撮ったときはなおさら、ほとんどの人はまずその人物の目、視線に目が行く。ということは絶対、ピントが目に合っていないと写真自体がダメになってしまう。それと視線も重要ですねー。上を見てるとか下を見てるとか左右とか、視線の先にたとえ何も写ってなくても、見る側に想像させることが大切だと思うのです。

ちょっと話はズレますが、動画は流れで見せるもの。写真はその一枚の前後を想像させるもの。視線も、見る人に想像させることにおいてはとても大切なポイントです。

そんなわけで、目にピントが来ていない人物写真はかなり気になってしまうのです。まぁ、あえてハズす場合ってのも、むろんあるにはありますが。

そして、目にピントを合わせるとかの技術的なこともさることながら、被写体の人物が目に力のある人なら、それだけで魅力的な写真になる。インパクトがデカイのです。ちなみに目力って、自分が思うには、目を閉じてる時にでもあったりするんですよねー。目力を感じるのは、決して目をキリッとしている時だけではないと思うのです。

さて、スタイルの良い人、雰囲気が素敵な人はいても、目力がある人はさほど多くはないと思う。そう考えて、今回のテーマは目力に決定。これは本当にモデルさんが重要、と言うか全てと言っても過言ではない。で、一体誰にお頼みすれば良いものか?と、考えていたところ、目に止まりましたはアーバンギャルドのニューアルバム、「アバンデミック」。ビビビと来ました！ これですね！ これは浜崎さんにお頼みするしかないです、浜崎さん目力がとてもおありになります、はい。

と、言うことで、今回はアーバンギャルドの浜崎容子さんをモデルに、目にポイントを置いて撮ってみました！ 如何でしょうか〜?!

辛しみと優しみ〈43〉

人形・文＝与偶
doll & text by Yogu

視界の先に見えるのは真実か幻か…今まで生き抜いて視野に飛び込んできたものは凄惨なものばかり

しかし、凝視して見つけたものは全てが目を背けたくなるものだけではない

喧騒の世界の中に見えてくるほんのわずかな希望、それを見つけ出すために、それに近づくために命を注ぎ目を凝らすのだ

嘆いているようで魔を捉え見据える…そして戦いを挑む

撮影◎サト・ノリユキ / SATOFOTO

泥方 陽菜

HIJIKATA Haruna

目、瞳は何を語る？

◉文＝沙月樹京

写真家・田中流は、数多くの人形作家の作品を精力的に撮影し続けている。展覧会場で撮るのはもちろん、絵になるロケーションを探してそこで撮影することも少なくない。そうした写真をまとめたのが、写真集「Dolls」だ。総勢28人、さまざまなタイプの球体関節人形を目にすることができる。

そして、その「Dolls」のサブタイトルを、田中は「瞳の奥の静かな微笑み」とした。そう、「瞳」なのだ。シンプルなタイトルを補足し写真を特徴づける言葉として、田中は「瞳」を選んだ。

それは充分に納得できることだろう。人形を鑑賞する場合、やはり一番見つめる時間が長いのは目なのではなかろうか。目を覗き込み、視線を合わせようとする。目を合わせることで、人形と心を通わせようとする。絵画や彫刻を見るときは、そんなことはしない。人形と対峙するときだけの儀式であり、そこが人形と彫刻との差異であると言えるかもしれない。

「Dolls」の表紙を飾っているのは、泥方陽菜の人形だ。その目は、こちらを射るのでも、誘惑するのでもない、寂しげに虚空を見つめる諦念の目だ。すべてを

★泥方陽菜《lu-na（神様の月曜日）》2020年／写真：田中流（左頁の写真も）

★泥方陽菜
（右）《lu-la》2020年
（左）《lu-lu》2020年

虚空を見つめる諦念の日

★泥方陽菜人形展「pneuma」
2021年3月20日（土）～3月28日（日）会期中無休
入場料展示室AB共通：800円（オンラインチケット制）
場所／東京・銀座 ヴァニラ画廊 A室
12：00～19：00（土・日・祝は～17：00）
Tel.03-5568-1233 http://www.vanilla-gallery.com/

神宮字 光

JINGUJI Hikaru

悟って終末をまさに受け入れようとしているかのような目。泥方が今度開く個展のタイトルは「pneuma」という。精霊とも訳され、聖なる呼吸、霊気のようなものだ。そうした聖性が形をなしたものとしての人形。逆に言えば、今にも霊気のように目に見えない存在に消え去ってしまう儚さが泥方の人形にはある――目を閉じている人形は、まさに存在を消し去ろうとしている瞬間なのだろうか。

＊　＊

一方、より生き生きと振る舞う人形を生み出しているのが、例えば、神宮字光である。昨今は3Dプリンタを用い、巧みに造形された多くの関節を持つ人形を制作しており、そうした関節の工夫によって、その人形はさまざまなポーズを自由に取らせることができる。自然なポーズは今にも動き出しそうなリアルさだ。それゆえ神宮字は、まるで童話の世界のような場面を演出して、自身で写真におさめたりもしている（そのミラクルな写真の数々は、作品集『Cocon』をぜひ御覧あれ）。

そして、そうしたリアルさを求めるなら、瞳も、より生き生きとしたものにしたいと考えるのは当然だろう。神宮字は長いキャリアの中でグラスアイなども自作して来たが、より鮮烈な輝きを持つものを求めて、3Dプリンタを使って試行錯誤を繰り返しながら、金に輝く〝金目〟

★（この見開きの写真はいずれも）神宮字光《少年》2020年、ビスクドール・ビスクアイ

意思があるかのように輝く瞳

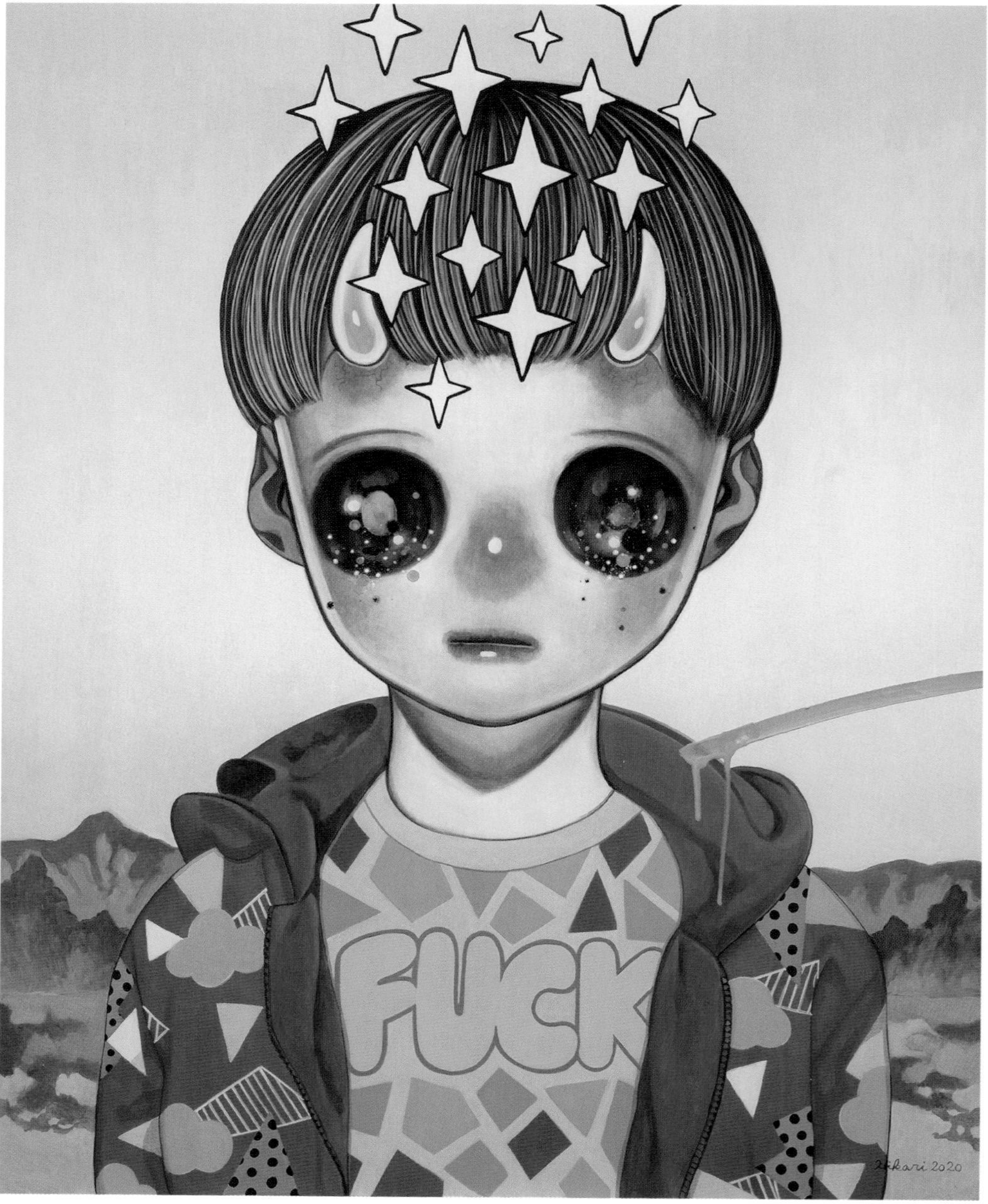

★下田ひかり《存在の肯定#3》2020年、910mm×727mm、パネルに綿布・油彩

下田 ひかり

SHIMODA Hirari

目からあふれる
臆して語らない者の願い

★下田ひかり《この宇宙に存在する全てを#2》2020年、
970mm×1303mm、パネルにキャンバス・アクリル絵の具・油彩・メディム・ステッカーなど

を生み出した。ここに掲載した写真は、いずれも金目を装着した人形である。

その輝きを、「黄昏の水面が輝く様に光る」と神宮字は表現しているが、単に光を反射するのではなく、その瞳は意思があるかのように、揺らめくような光を放つ。その存在感は人間を超越し、人間では表現し得ない奥深さを湛えている。

＊　＊

さて、絵画においてそのように瞳が特徴的な作品は何があるだろうかと考える。少し以前の少女マンガのようなキラキラした瞳？ ルドンや、またはつげ義春の『ねじ式』のひとコマのようなトラウマティックな目？ あるいは瞳を描き込まないモディリアーニのような目？

だが中でも、より目を象徴的に描いている絵画として、ここでは下田ひかりの作品を見てみよう。

下田ひかりは、子供をモチーフに絵を描き続けている。その子供は可愛らしいが痛々しく、孤独で、傷ついている。この世の中で生きていくために、傷つきながらも戦いを挑み続けなければいけない宿命を背負っている。

下田の描く子供は、２０１０年頃までは、目は横長の楕円で、その大部分を黒い瞳が占め、モディリアーニのように無表情なものだった。それがその後、ほぼ正円の目を描くようになる。耐え忍ぶような内向きの目から、無表情さは変わらず

★下田ひかり《神様のゆくえ#37》2020年、
727mm×727mm、パネルに綿布・油彩

とも、対象に対して開かれた目になった。

下田は言う。ネガティブなものもポジティブなものも含め、「人の中に存在するあらゆる感情を肯定する事から理解と対話が生まれる」「あらゆる事象、存在、それら全てを肯定する事で次の道に進める」。「人は多くの言葉にできないものを抱えている。それらは尊重されなくてはならない」。「人は、アイデンティティーや属性に関係なく存在そのものが肯定されるべき」（以上、下田のツイッターより）。

「肯定」「尊重」――それを強く願うからこそ、目が真ん丸に見開かれるのではないか。目から星屑のようなきらめきが溢れ出ている。それこそ、臆して語らない者が放つ願い、希望の表象なのではないか。下田もこう言っている。「人はその表情で、目で、多くを語るでしょう。踏み込まれる事を拒絶しても、理解されたいという願いはあるのだと思っています」。

目は口ほどに物を言う、ということわざがある。しかし下田の作品は、それ以上に目で語らせている部分が大きいように思う。顔だけ、もしくはバストアップで正面を向いた肖像を描くことが多いのも、目によってその存在を物語らせようとしているからではないか。

あなたはその無垢な視線を、どう受け止めるだろう。

立体画家 はが いちようの世界《第31回》

吉原遊郭角海老楼

角海老は吉原最大の遊郭だった。何回も火災にあうがその都度再建され、昭和三十一年に売春禁止法が施行されるまで遊郭の王として君臨した。その後現在はソープランドチェーンや、宝石(角海老宝石)や、ボクシングの世界(角海老ジム)で有名だ。本作はその角海老グループのオーナー婦人から依頼され、二〇〇九年に制作した作品である。花《おい》魁《らん》人形を並べるためのステージとしても使われるため、人形にあわせた七分の一という縮尺率が用いられている。

制作にあたっては、各種資料を読み込み、角海老跡地(台東区千束四丁目)を視察し、更には明治村など、様々な施設へもでかけたが、一番役に立ったのは江戸東京博物館だった。制作中は何度も足を運んで江戸の風雅をアタマに叩き込んだ。

夕ぐれどきになると格子のうしろに遊女たちが並び、客が手前から品定めをした。電気のない時代ゆえ明かりは行燈《あんどん》のみ。したがって火事も多かった。実際は巨大な建造物だったが、本作はそのムードのみを伝える想像の産物だ。

完成後ただちに角海老オーナー宅へ納入され、以後一度も見ていない。

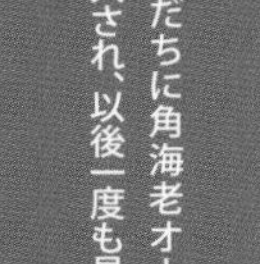

芳賀一洋(はが・いちよう) https://ichiyoh-haga.com/

1948年、東京に生まれる。1996年より作家活動を開始し、以後渋谷パルコ、新宿伊勢丹、銀座伊東屋などでの作品展開催や、各種イベントに参加するなど展示活動多数。著作に写真集「ICHIYOH」(ラトルズ刊)などがある。

赤木 美奈

AKAGI Mina

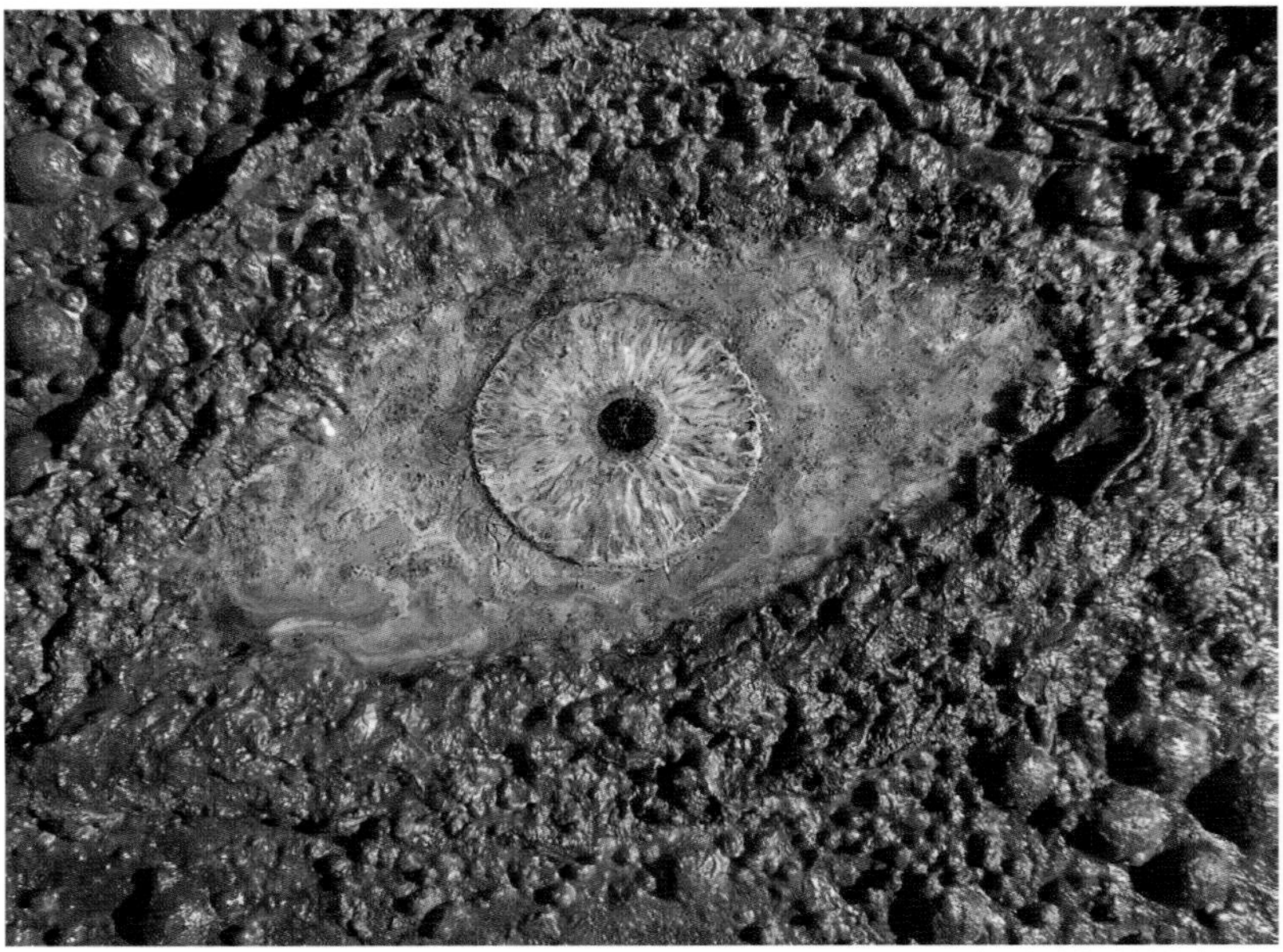

★《邪視核臓図 The evil eye -aggregate belief-》2020.9

★《ニルヤ、まさてちよわれ。》2018.4

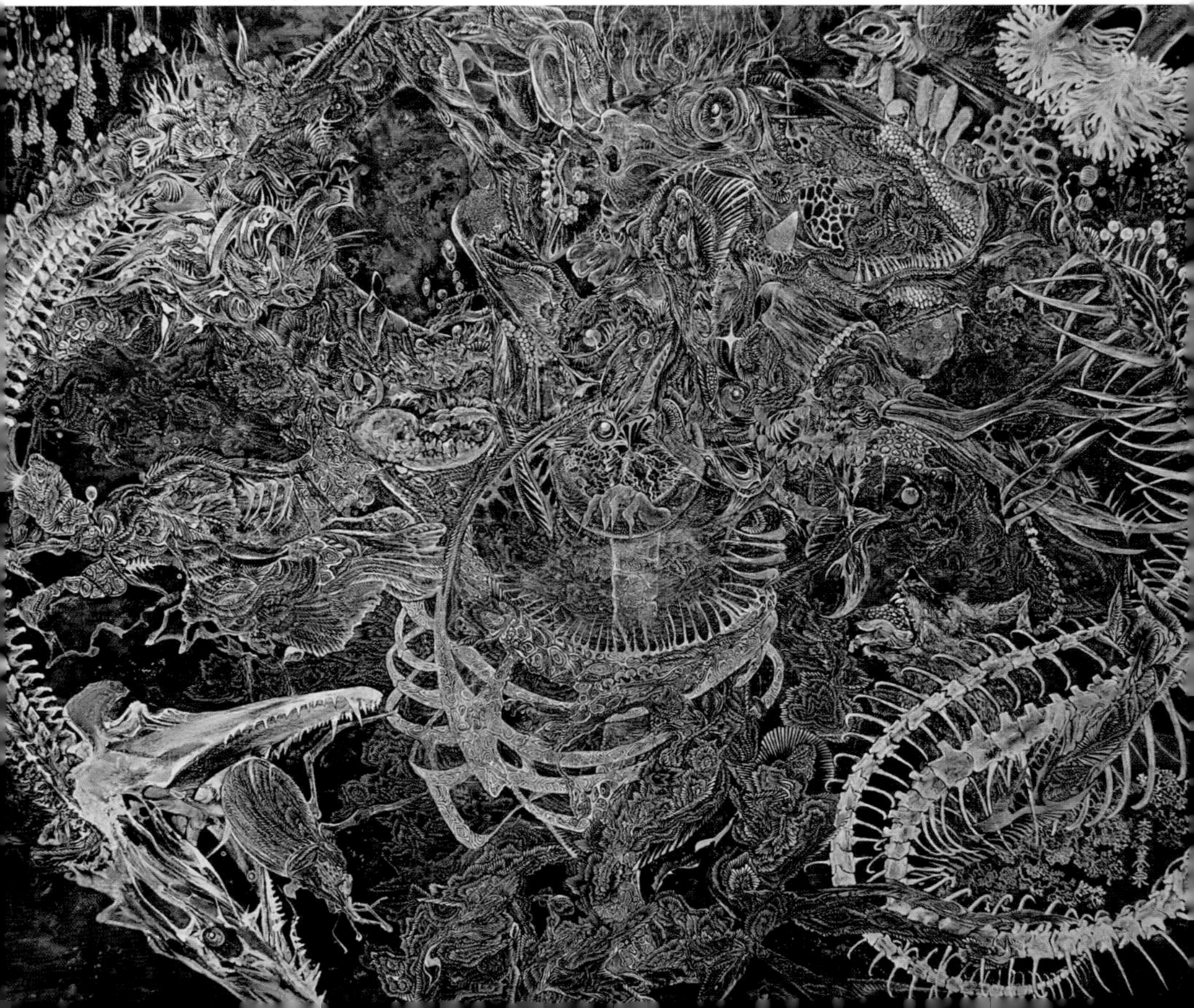

赤木美奈は、民俗学や粘菌の研究を独自におこないながら、そこで得たヴィジョンを再構築して絵画を描いている。非常に細密で緻密な作品には、われわれが肉眼では見ることのできないような宇宙が投影されている。

その赤木は同時に「眼」に惹かれ、たびたび作品の題材としてきたが、昨年11月、正面から「眼」をテーマに据えた個展「邪視—南方熊楠に奉ずる—」を開催した。南方熊楠の随筆「蛇に関する民信と伝説」を契機にして「白墨彫画技法」で描かれた濃密な作品の数々は、生命の原初を目撃しているような感覚をわれわれにもたらした。またその個展に際してnoteにまとめられた「邪視随筆」は、邪視についての民俗や神話を解題したもので、赤木の作品世界を知る恰好のエッセイにもなっているので、ぜひ一読されたい。(沙)

※この「邪視随筆」を小誌の特集に合わせて再構成したものを106頁に掲載。

★《連作 粘膜 -人寰- Cycle Mucous Membrane The society «Shape of Spites»》2020.10

南方熊楠に捧げた〝邪視〟の絵画

★展示風景

※赤木美奈 個展「邪視—南方熊楠に奉ずる—」は、2020年11月20日〜28日に大阪・淀屋橋の乙画廊で開催された。

箱絵本7

こやまけんいち絵本館 no.43

昨年12月後半から今年1月始めまで、青山のビリケンギャラリーさんにて、このところ毎年恒例となっている絡繰りオルゴール展を開催させて頂きました。ちょうど、コロナ第三波が着々と増えていく中での展示でした。

作品はオルゴールの動力を使って、色々な仕掛けをつくって動かす絡繰りボックスアートのような物。ネジを巻くと、オルゴールの曲が流れてそれに合わせて色々と動くので、音と動く絵とで、何となく得した気分になれる作品です。ビリケンギャラリーさんの雰囲気にも似合っています。そんな絡繰りオルゴールをつくり始めて8年くらいになりました。

しかしここ数年、思うように制作時間が取れなかったりして、満足いく作品を出展出来ないのが申し

右から、「BAR」「小部屋」「街路A」「マスク」「病室」「本棚」

訳ないというか悔しいというか。全然別のつくりたいものが幾つもあるのに、まったく形にならないでいます。次回はもう少し自慢できる展示がしたいなぁ。陶芸家が壺を割るみたいに厳選して、やりたいことは全部やりました！って展示をしてみたいです。それは芸術家の仕事で、絡繰りオルゴールはどちらかというと職人寄りなのかもしれませんが…。とにかく色々反省したり考えたりした展示でした。そしてTH連載用の絵などが3点あって助かったのでした。前号のは表紙にも使って戴けているし！

女の子にかけられた
幸せの魔法を、より強く

珠かな子はセルフポートレイト写真を発表することから写真家としてのキャリアを始めた。最初に個展を開いたのは2012年のこと。そのセルフポートレイト作品は、2019年に写真集『いまは、まだ見えない彗星』としてまとめられている。そしてそのころから、女性モデルの撮影を積極的に手がけるようになる。今度開かれる写真展もそうした作品で構成される。

この誌面に掲載したのは、珠が昨今試みている多重露光写真だ。珠は、女の子には「幸せの魔法と呪い」がかけられているのだと言う。「幸せの魔法が強くなるようにと季節の花をそっと託す」――多重露光された花には、そのような意味があるのだろう。珠は、セルフポートレイト写真を通して女の子に強くあってほしいと願った。同様にモデルを撮影した写真にも、女の子に対するエールが込められているのだ。(沙)

★珠かな子 写真展
「蜜の魔法」

2021年2月5日(金)～14日(日)
会期中無休
13:00～19:00 入場無料
場所/東京・神保町 神保町画廊
Tel.03-3295-1160
http://www.jinbochogarou.com/

★珠かな子 写真集
「いまは、まだ見えない彗星」

B5判・ハードカバー・64頁
定価税別2700円 好評発売中!
発行・アトリエサード/発売・書苑新社

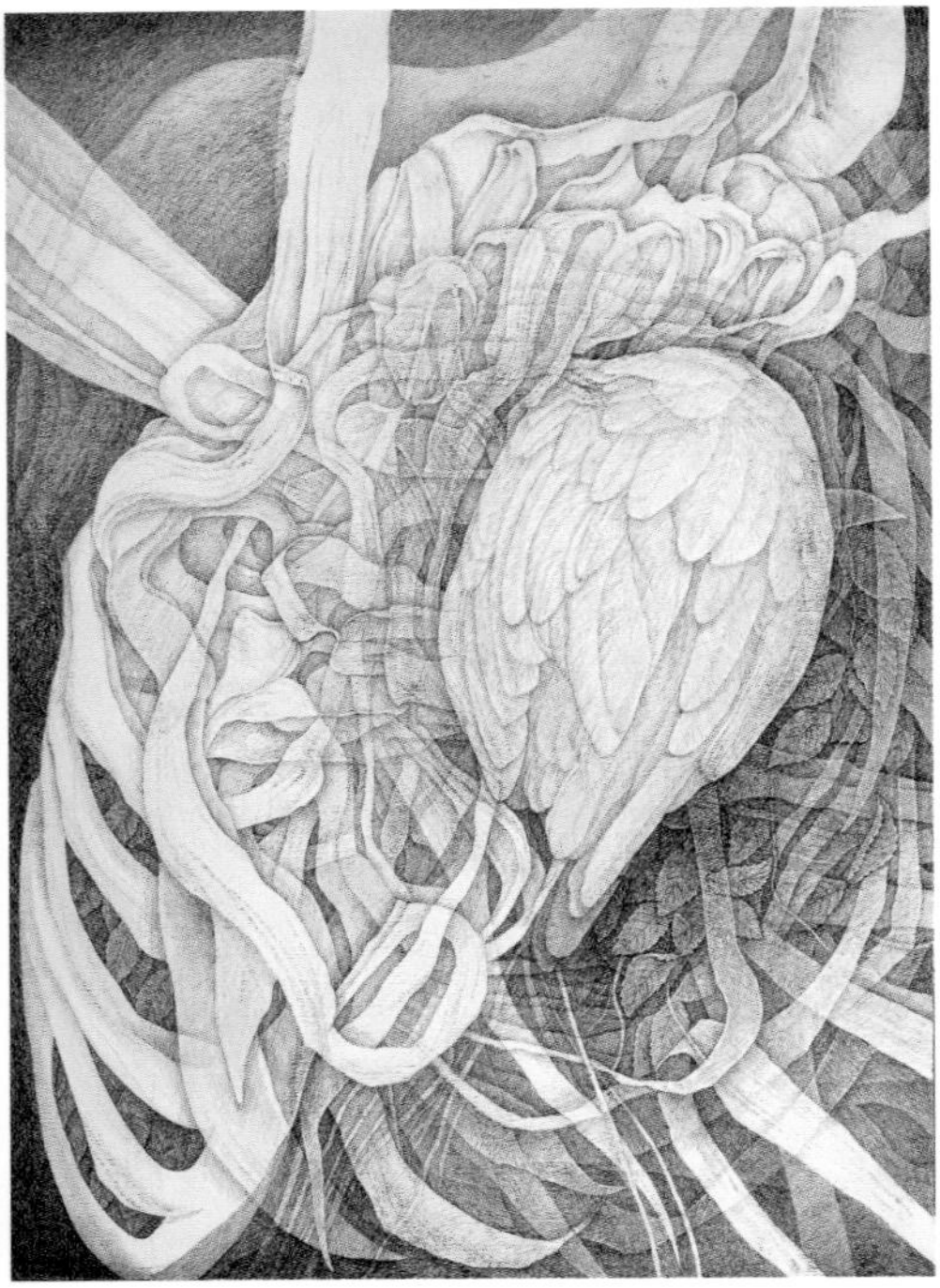

山村まゆ子は言う──「私の中はからっぽで、その空洞には鳥を飼っていた」「やがて鳥は飛びたって、帰らなかった」「巣の中に残った卵を、私はずっと抱いている」。そして、鳥が帰るのをずっと待っているのだと言う。

緻密な線で描かれた画面には卵があり、それを優しく包むような白い羽を見出すことができる。花も咲いていたりする。ここ数年、山村は、そのような情景を繰り返し描いている。よく見れば肋骨のようなものを見ることが出来、卵をそっと抱くように手が描かれていることもある。

卵は孵化するのだろうか。それともすでに死んでいるのだろうか。窺えることはただ、卵が大切な存在であろうこと。そして、そのような卵を──大切かもしれないが得体のしれない何物かを──自身の中に秘め続けているということ。不安と希望が、繊細な画面に凝縮されている。（沙）

★山村まゆ子 個展「─鳥のかえる場所─」

2021年2月18日（木）～28日（日） 火・水休
13:00～18:30（最終日は～17:00） 入場無料
音楽：Ryogo Kobata
場所／東京・曳舟 gallery hydrangea
Tel.03-3611-0336
https://gallery-hydrangea.shopinfo.jp/

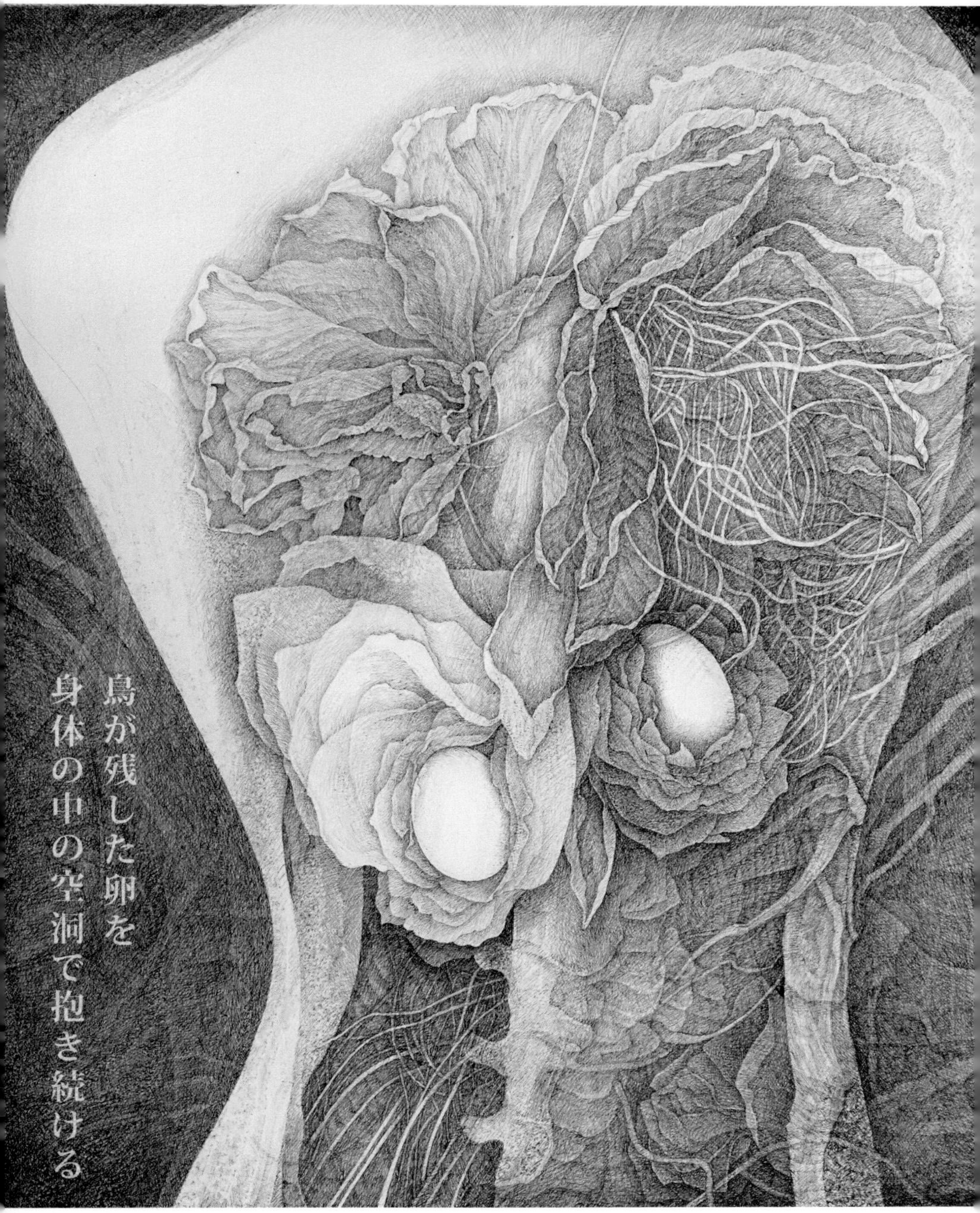
鳥が残した卵を
身体の中の空洞で抱き続ける

★《鳥の住み処》2020年

★（右頁右上）《永遠をあげたいとか》2020年
（同左上）《こころのかたち》2020年
（同右下）《君はここにいる》2020年

「僕の父は炎。母は土」陶器の精霊が誘う陶磁器の歴史

人類と陶磁器の歴史をひもとくドキュメンタリー。2万年かけて、人類が器に込めた思いをたどる物語だ。

動物と人が違うところは、言語と火と道具を使うことだと子供の頃の教わった。もちろん最近の研究で、道具を使える動物は他にもいることはわかってきているし、言語にしても同様だ。しかし、器を使うとなると、未だ人類だけではないのか。

粘土をこねて焼いて器ができるその技術の変遷は、多くの謎にも包まれていて、紐解く作業はロマンではあるけれど、素材の粘土や窯で焼く作業そのものを追いかけていくことは、とてつもなく地味な作業だ。

けれど、その地味な作業で紐解れた器たちの多彩で華やかなこと。そして、器を使った日本の四季や行事を想う、食文化の美しさ。

時には「エジプシャン・ファイアンス」のように器は残っているけれど、制作の技術が失われ

てしまっていたものもある。そんな技術すらも、復元しようとする情熱。

　さまざまな器の技術の歴史史を、この映画は、陶王子という精霊が時間と空間を彷徨い、ひとつのエレガントな回答としての物語を紡いでいく。器の精霊は新しい技術が生まれるたびに、その姿を変容していくのだ。

　この陶王子に物語を語らせるアイデアは、柴田昌平監督が、中国の耿雪《ゴン・シュエ》による陶磁器人形アニメーション「海公子」を観たところから得たという。

　映画の中でもその「海公子」の映像が一部使用されているが、糸あやつり人形の技法で演じられる陶人形には、陶器の精霊の実在を思わせるほどの表現力が込められていた。このアーティストを採用できたのも、人類学を学び、中国に留学した経験をもつ柴田監督のリサーチの確かさとインスピレーションの素晴らしさなのだろう。

　器の歴史を紐解くことは、日本と中国の文化の交流を顧みることだと思う。器に継がれる人々の思いを映像がまた、人々に届けてくれる力を信じている。（め）

★「陶王子　2万年の旅」
2020年1月より全国上映中！
劇場情報等は下記公式サイトを参照
http://asia-documentary.kir.jp/ceramics/

『寺山修司少女詩集』から生まれた
アーティスティックなガールズフィルム

2021年2月28日～3月14日の映画祭開催中は、ノミネート作品のオンライン上映も予定。詳細は公式サイトを参照のこと。

「ねぇ、知ってる？　海の起源は、たった一しずくの女の子の涙だったのよ」――少女たちは囁き合う。その言葉の元はもちろん、あの寺山修司の詩だ。

『寺山修司少女詩集』は、巧みなイメージの混交や換喩などを通して、少女という存在を、ほんのりと甘く、だが物悲しく少々頽廃感もある幻想でまぶした詩集である。言葉の魔術によって少女の深層にうごめくものを、痛みも含めて静かに炙り出す。

「赤糸で縫いとじられた物語」は、その『少女詩集』をモチーフにした映画だ。四姉妹と、身勝手で浮気性な継母を中心に、四姉妹のお伽話のような空想と、彼女らを取り巻く無情な現実とを、美しい映像で描き出す。

企画・制作は、松下ユリアとエリカの姉妹アーティストを中心に、愛媛県において子供たちが出演する映画や舞台を生み出し続けているTORANOKO Performing Arts Company。2011年から寺山修司の少女詩集を元にした舞台制作を開始し、その活動の一環として今回の映画を完成させた。松下ユリアが監督を、松下エリカが衣装・プロデューサーを務めている。

愛媛の美しい自然や情緒ある町を背景にしながらも、四姉妹の住む家や暮らしの様子なども含めて、現実を少々異化した光景の中で物語は展開する。その空気感は、しばしば挿入される野外舞台でのパフォーマンスシーンとともに、寺山的幻想世界を見事に表現しえていると言えるだろう。

松下ユリアは本作品を通じて「大人へ向けた少女たちの反逆のメッセージを伝えたい」という。その視線が、単なるお伽話ではない、観る者に響くアーティスティックな映画を生み出した。まだ国内での公開は未定だが、ぜひ心に留めておきたい。（沙）

★「赤糸で縫いとじられた物語」
詳細は下記公式サイトを参照
https://www.filmredthread.com/

※「赤糸で縫いとじられた物語」は、グラスゴーの「グローバルインディフィルムフェスティバル」オフィシャルセレクション部門にノミネート!

死体写真家・釣崎清隆による四半世紀前のAV作品が海外初リリース！

◉文＝釣崎清隆

このほど私釣崎清隆が今を遡る四半世紀前の一九九四年に監督したアダルトビデオ作品『PARANOID GRADEN／制服の俘虜』のDVDが米マサカービデオよりリリースされることになった。

私の映像作家としてのキャリアの原点は自主映画でありAVであった。私がヒトの死体を被写体に世界中を飛び回ることになる以前、シネマジックというSM専門のAVメーカーに所属していた。『制服の俘虜』は、私がシネマジックで撮った本編デビュー作である。

この作品は大東亜戦争末期における軍人一家の物語である。

夫が戦死した後も一家の元を去りがたい未亡人が、脱走兵をかくまう義妹を、家名を守るために拷問し、自決にいたる。テーマは「忠誠」である。

九〇年代は自由な時代だった。業界に経済的余裕があった。当時二十七歳の私を含め、キャスト、スタッフの大半が二十代という若々しい現場であった。

当時のポルノ業界は映像にしろ紙媒体にしろ、我が国において若い表現者にとってはメインストリームへの登竜門であり、才能を育む揺りかごとして機能していた。とはいえ当時はまだまだニューメディアであったAVの世界に飛び込む若い才能は、ピンク映画界の門を叩く者に比べれば極めて少数であった。六〇年代から世界的な映画監督を輩出してきたピンクに比べ、AV出身で一般映画に進出した監督は当時まだ皆無であり、フィルムがビデオを差別していた時代であった。

当時私はAVこそが日本映画の未来を拓くという信念を持っていた。事実ピンク映画は斜陽にあり、またAV業界には既に頭の固いフィルム主義者にはない新感覚をもって表現の可能性に挑戦するメーカーが現れていたのである。その筆頭がV&Rプランニングである。

私が所属したシネマジックはV&Rとは対照的に、伝統緊縛の巨魁、濡木痴夢男を顧問に迎えた保守的なSMビデオメーカーであり、外注の演出家、スタッフの多くはピンクの仕事だけでは食えなくなったフィルム出身者であった。

私は学生時代に『オレンジ通信』（東京三世社）、『アップル通信』（三和出版）といったAVの紹介雑誌でレビューを書く仕事を始め、年間に数百本のAVを観賞していた。そしてAVの未来を確信するにいたり、V&Rで『女犯』シリーズを監督してセンセーションを巻き起こすことになる同年代の作家、バクシーシ山下を発見してしまった。

私は大学卒業時、シネマジックかV&R、二社のうちどちらかの門を叩こうと決心していた。シネマジックは映画界と交流があり映像制作の専門技術を学ぶには格好のメーカー、一方のV&Rには表現の枠にとらわれないタブーに挑戦するパワーと自由がある。

そんな中、当時付き合っていた彼女が私に言った。

「V&Rだけはやめて！ あんな反人権的な作品をつくる会社には行かないで！」

私はシネマジックを選択した。そこにはこんな思いもあった。V&Rとはどうせ将来的に縁があるに違いない。果たせるかな、実際にそうなった。

V&Rが一般作として制作していた死体ビデオ『デスファイル』シリーズの新作に関わってほしいというオファーを受けたのである。結果的に私がコロンビアで撮影したゴアのフッテージは、ビデ倫の圧力による『デス

ファイル』企画自体の頓挫でお蔵入りし、その後『死化粧師オロスコ』（一九九九年）という劇場版長編ドキュメンタリー映画に結実することとなる。

私は死体写真家になっていた。一九九四年に『制服の俘虜』をリリースしたその年の夏に、二年間所属したシネマジックを去っていた。

その理由のうち最も大きなものは、性器表現の不自由である。当時は今では考えられないほど巨大なモザイクのケシが性器を覆っていた。そして現在でも、たとえそれがいくら薄くなったとしても、ケシは厳然と存在しているのである。その表現規制がどうしても我慢できなかったし、今でも憎み続けている。業界の表現者自身がそれを容認している事態にいたたまれなかった。

『死化粧師オロスコ』は性器表現を含んだ作品であるが、国内においても一切ケシを施さずに劇場公開し、現在もリリースし続けている。そこにはメイプルソープ裁判で芸術作品としての性器表現の自由を勝ち取った配給会社アップリンクの協力も大きい。

今回の『制服の俘虜』は米国リリースとあって、ノーカット版を期待している方も多いであろう。しかしそれは叶わなかった。著作権者であるシネマジックがそれを許可するはずがなく、私としても制作当時の時代の証言という意味であえて是とした。

さらに、ポリコレ旋風吹き荒れる中、以前と異なって世界はモザイクを不自然と認識しない時代になってしまった。なんとも不気味なことである。

本作品は一九九四年の発売当時、決して売れなかったわけでもなかったが、毎月数百本も量産されるAV市場の中に埋もれてしまい、話題にもならなかった。しかし私は改めて『制服の俘虜』を誇りに思う。当時二十七歳、駆け出しの表現者だった私の姿勢が、四半世紀を越えた現在にいたって、いささかも変節していないことに勇気づけられる。

『PARANOID GARDEN／制服の俘虜』をこの機会にご覧いただきたい。

★1994年に発売されたVHS

★『PARANOID GARDEN 制服の俘虜』
監督／釣崎清隆　制作著作／シネマジック
発売／MASSACRE VIDEO http://massacrevideo.com/site/

★アボリジニの戦士

オーストラリア・メルボルンの
先住民アボリジニ博物館

西洋文化と遭遇したとき、まだ石器時代だったアボリジニの世界観

◉文・写真＝ケロッピー前田

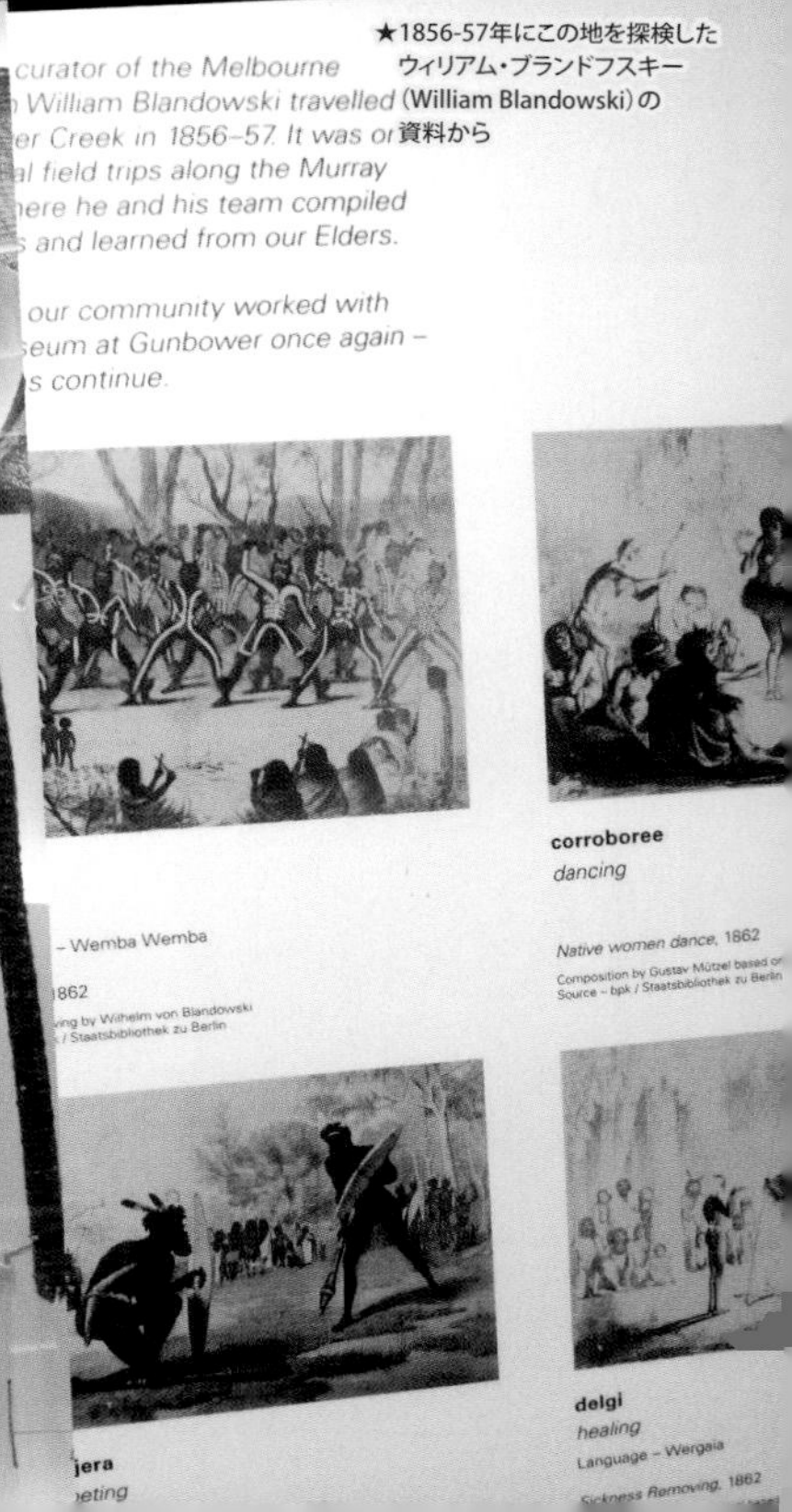

★1856-57年にこの地を探検したウィリアム・ブランドフスキー(William Blandowski)の資料から

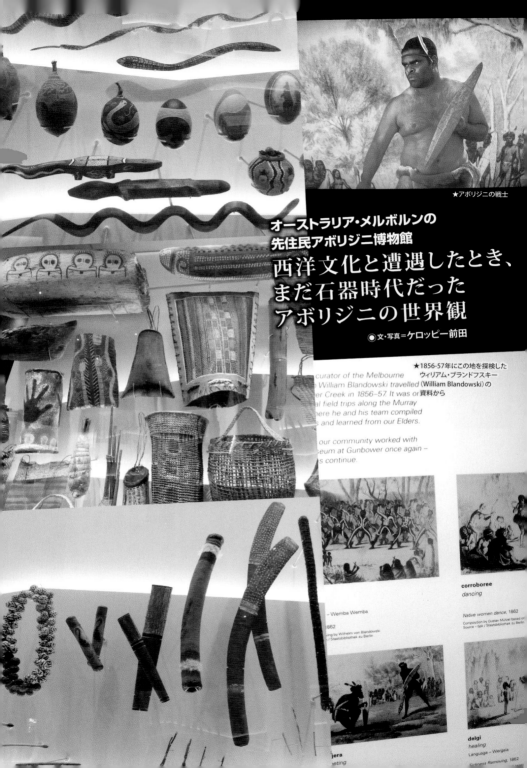

オーストラリアに行ったのは、2019年のことだ。メインの取材であったタスマニアの『ダークモフォ』については、本誌No.79でレポートしている。

今回は、シドニーに次ぐ大都市メルボルンの旅を報告したい。ここでの大きな目的は、メルボルン・ミュージアム内にある先住民アボリジニに関する資料を展示するブンジラカ・アボリジニ・カルチャー・センターを訪ねることだった。

世界各地で、先住民といわれる人た

★(見開きの写真)道具や装飾品が5つに分けて展示されている。そのなかでも「アイデンティティ」に分類された戦士の盾の文様が素晴らしい。

★（上および下左）アボリジニの現代アーティスト、ピーター・ウェイプルズ-クロウの作品

★現代のアボリジニの作品

★アボリジニの死後の世界

ちの文化の復興が盛んになっている。そのような潮流はカウンターカルチャーを追ってきた筆者にとっても新しいカルチャーを生み出す起爆剤となり得るものである。

そんななかでもアボリジニは、石器時代同然の状態のまま西洋人と接触し、最も過酷な虐殺と不理解に直面し、現在ではアボリジニはオーストラリアの全人口の2％ほどという。西洋人とアボリジニの遭遇による悲劇の歴史についてはタスマニアの取材記事でも触れているので、ここではアボリジニの世界観を探ってみたい。

メルボルンにあるブンジラカ・アボリジニ・カルチャー・センターは、世界で最も重要なアボリジニ文化コレクションを保存していることで知られている。名前にある「ブンジ（Bunjil）」とは彼らの先祖であり、創作の精神を生むオナガ・イヌワシを意味し、この地域のもともとの所有者である「ブーン・ワルーマ族（Boon Wurrung）」と「ウォイウルング族（Woiwurrung）」の協力によって作られたという。

趣向を凝らした展示のなかでも特に印象に残ったのが、会場の中央部を占拠する巨大なガラス張りの展示棚群である。それらには道具や民具がずらりと並んでいたが、詳しくみていくと、それらの持ち物を通じて、アボリジニの世界観が少しは身近なものに感じられてくる。

その大きな展示棚は、5つのブロックに分けられている。アボリジニの人たちの生活は非常に簡素なため、それらの展示棚に並べられたものが彼らに必要な所持品のすべてといっていい。5つの分類は「アクセサリー」「バスケット（かご）」「道具（武器を含む）」「動物の彫刻」「アイデンティティ（それぞれの個人にカスタムメイドされた盾）」である。

「アクセサリー」は、ヘアバンド（髪飾り）、ネックレス、腕輪、スカート（腰蓑）などがあり、鳥の羽根や貝殻、藁や木などで作られている。また、「バスケット」には大小さまざまなサイズがあるが、基本的には持ち歩けるものを重宝していたようである。また、「道具」で基礎となるのは、スティック（木の棒）あるいはブーメラン、石器、火起こし板、石斧などで、スティックは非常にシンプルであるがゆえに武器としても使えるものである。さらに、動物の彫刻は造形の美しさもそうだが、実在の鳥や蛇などを模しており、多彩な種類の動物たちとともに生きていた様子がよくわかる。

そして、何と言っても感動させられたのが、「アイデンティティ」という名称で分類されたカスタムメイドの盾である。そこには、黄、赤、青、黒などのはっきりとした色彩の組み合わせで文様が施されている。文様のパターンは地域や部族ごとに決まりがあるが、視覚言語としての意味を持っており、それぞれの個人の出生や血統がすぐにわかるように熟練した専門家が仕上げている。その根底には「アイデンティティ」と呼ばれるべき、その盾を持って戦う者たちの力と誇りが刻まれているのだろう。

もうひとつ、アボリジニの世界観にとって非常に重要な概念にドリームタイムがある。つまり、夢の世界と現実とを区別しないというものである。たとえば、アボリジニ独特の楽器ディジュリドゥは夢の世界を再現して仲間たちに伝えるために使うもので、音階はないが自然音の模倣や動物の鳴き声等を表現することができる。

また、彼らの死生観についての展示は、先祖の魂と交流する様子を白塗りのボディペインティングしたアボリジニたちで表現した。

会場では、アボリジニが自分たちのカルチャーを現代において復興し、オーストラリア社会に広く受け入れられるようになっていった歴史にも触れている。

ここまで見てくると、誰もが実際にアボリジニに会えないものだろうかと考えるかもしれない。

そんな質問をミュージアムスタッフに投げかけて教えてもらったのが、クーリ・ヘリテージ・トラストである。

ここはアボリジニ・コミュニティが運営する非営利団体で、オーストラリア南東部のアボリジニの生活文化の保護と維持を目的として設立されたものという。

結論から言っておくと、いきなりアボリジニと直接会うことは叶わなかった。しかし、ちょうどそこでは、アボリジニでクィア（LGBT）のアーティスト、ピーター・ウェイブルズ-クロウ（Peter Waples-Crowe）の個展「insideOUT」が開催されていた。

来日経験もあるようで、日本をテーマに神社を描いたり、アニメ、フィギア、ファッションからコンピューターグラフィックの映像作品まで、あゆある表現形式を混ぜ合わせているところが魅力だ。

2階には、かなり小ぶりだが民族資料の展示があり、セミナー用に巨大なテーブルや資料などが並んでいた。アボリジニと直接会って、体験的に彼らと文化交流することがこのセンターの大きな役割である。

さて、メルボルンに来たもう一つの理由に、現代アートのパフォーマー、ステラークの取材があった。彼は「第三の耳」を腕に埋め込んでおり、伝説のテレビ番組『クレイジージャーニー』にも登場してもらっている。

★ステラーク

彼は、ギリシア出身のオーストラリア人で、70年から88年まで日本に住み、宇宙時代の人間を先取りし、無重力体験を地球上で再現するために身体にフックを刺して吊り下げるボディサスペンションをいち早く実践した人物でもある。

彼によれば、田中泯らの舞踏家からも大きな影響を受け、同時に日本のロボット技術を駆使して「第三の手」を作っている。特に日本に惹かれたのは、ハイテクノロジーと土着的な原始性が同居していたからという。

ところで筆者は、タトゥーアーティストの大島托と縄文タトゥーの復興プロジェクト「縄文族 JOMON TRIBE」を主宰している。ここでも重要となるのが、土器や土偶に施された文様である。僕らはそれらの縄文の文様はタトゥーとして人間の身体に彫られていただろうと考えている。そのことからすれば、アボリジニの盾に刻まれた文様がその所有者のアイデンティティであることもすんなりと理解できる。さらにステラークが指摘するようにテクノロジーと原始性が同居する感性が日本にあるとするなら、そこにも新たなプリミティブ・カルチャーの可能性があると思うのだ。

ブンジラカ・アボリジニ・カルチャー・センター Bunjilaka Aboriginal Cultural Center／クーリ・ヘリテージ・トラスト Koorie Heritage Trust
ステラーク STERAC http://stelarc.org

根橋洋一の久々の個展が開催される。根橋の作品の特質は、まず何よりも、少々豊満な少女像であり、その白く平滑な肌が、非常に緻密に描き込まれた背景の中に浮かび上がる。ここに掲げた作品《新しいルールで》《絵解き》では、その妖艶な姿を覗き見るかのように、背後からいくつかの目が覗いている。描かれているのはおそらく、少女だけの秘密の場所での秘密の遊戯。観る者も、コラージュのように積み重ねられた少女の心象の隙間から、少女の遊戯を盗み見るのだ。（沙）

★根橋洋一 個展「乙女座染色体」

2021年1月30日（土）～2月14日（日） 月・火休 12:00～19:00 入場無料

場所／東京・小伝馬町 みうらじろうギャラリーbis
Tel.03-6661-7687 http://jiromiuragallery.com/bis.html

★根橋洋一 画集「秘蜜の少女図鑑」好評発売中

少女の秘密の遊戯を盗み見る

★（左頁）《新しいルールで》（右頁上）《絵解き》（右頁下）《目に見えぬものの感触》

生き物の不可思議さを細密に描く

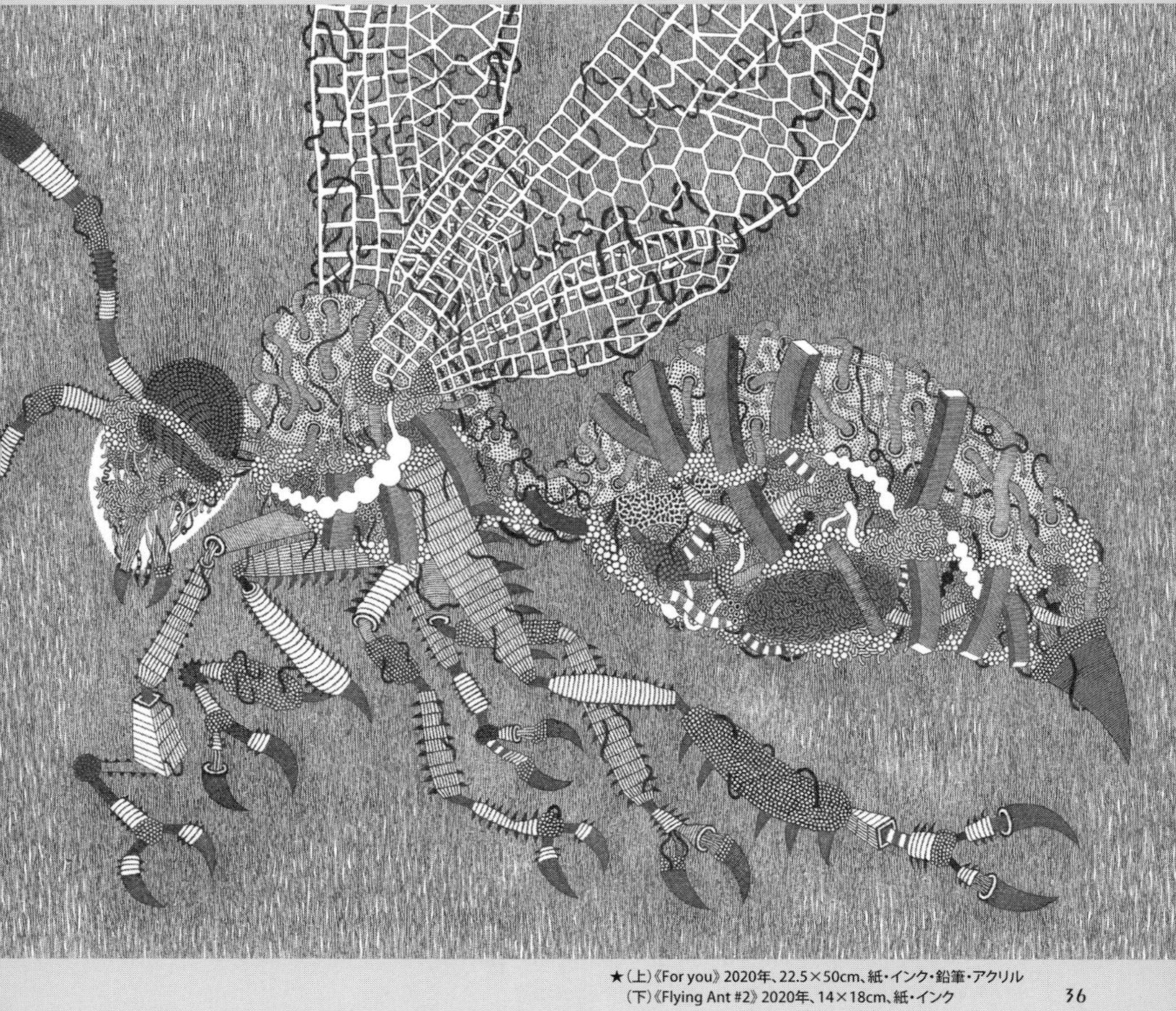

★(上)《For you》2020年、22.5×50cm、紙・インク・鉛筆・アクリル
(下)《Flying Ant #2》2020年、14×18cm、紙・インク

★《Scorpion》2019-2020年、60.6×72.7cm、紙・インク

★《Cute tail》2020年、14×18cm、紙・インク

南花奈は、高い密度で引いた細い線によって昆虫などを描く。それは離れて見るとちぎり絵のようにも見えないこともなく、実際細部を観察するとさまざまな形の組み合わせで昆虫などの姿を浮かび上がらせている。一方、かわいらしい動物を描いた作品もあるが、それも空想世界で遊ぶ存在。いずれも生き物の、不可思議さを垣間見させてくれるような作品だ。(沙)

★《Mirror》2020年、19×15cm、紙・インク

★南花奈 個展「Closed Room」

※2021/1/16～2/6に開催予定だったが、新型コロナウイルス感染拡大防止のため延期に。開催時期は下記ギャラリーHPを参照のこと。

場所／東京・日本橋 MASATAKA CONTEMPORARY
Tel.03-3275-1019
http://www.masataka-contemporary.com/

※南花奈は、ExtrART file.24に作品を掲載しています。

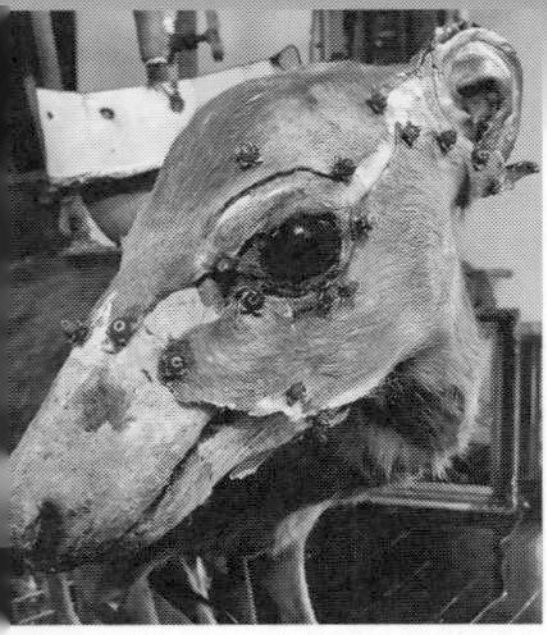

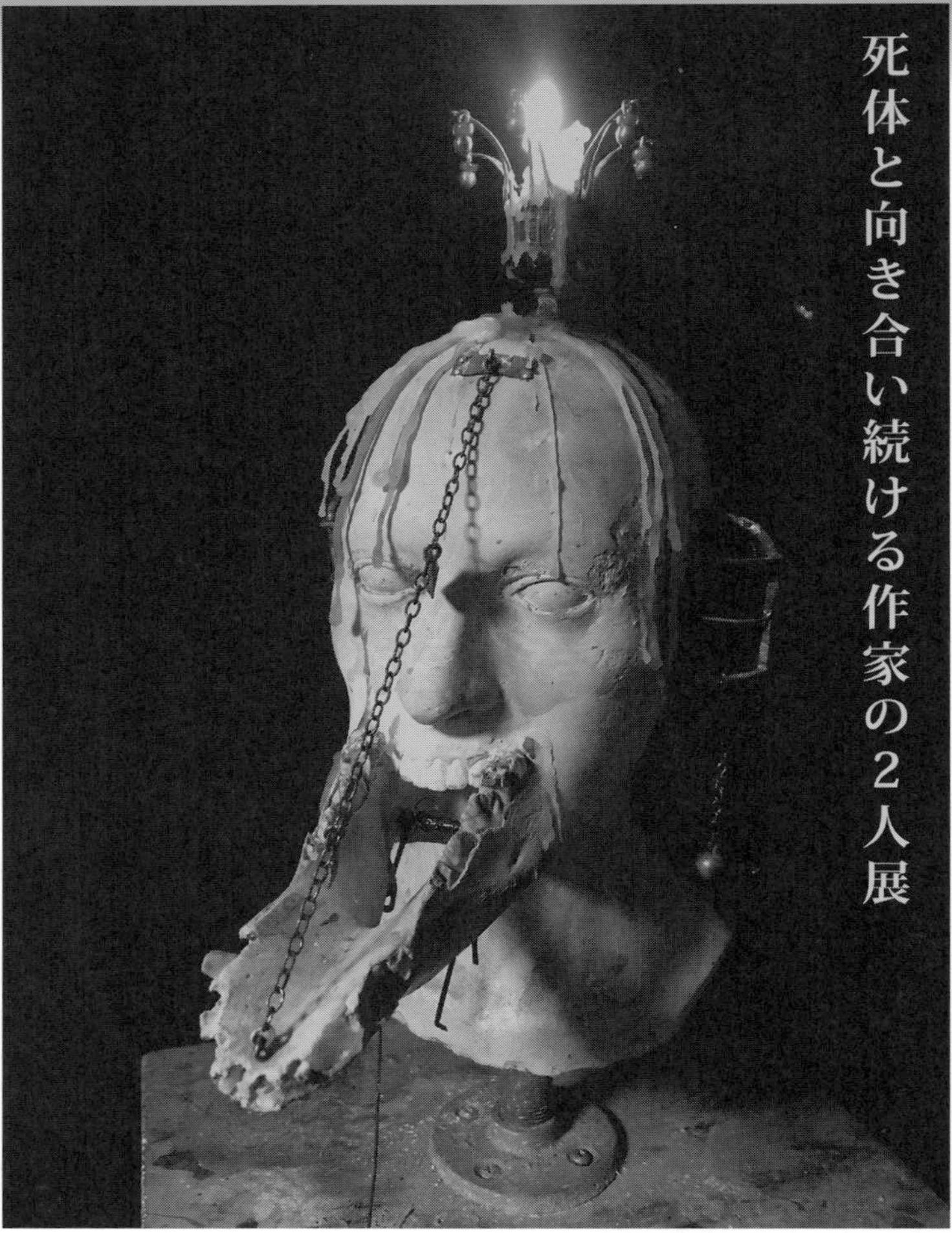

死体と向き合い続ける作家の2人展

「願わくば私は腐乱する死体でありたい／顎は溶け落ちて／眼窩には／もう僅かな神経の残滓をみるだけである／そこかしこに羽虫が飛び交い／だがそれこそが侵入を阻む兵力であり／干からびた神経が燃え残った電線のように私と他者を隔てる結界となるだろう／そうやって私は死の中に立て篭るのだが／夜になると／また／月下で死を考え／汚れた機械に脂を刺すのだ」

「私は死の中に立て篭る」――その言葉が象徴的だ。マンタムとNeQroは、死体と向き合いながら作品を制作している。マンタムは腐乱し滅していく過程に心寄せながら、骨や剥製などを用いて、自然の摂理を逸脱したオブジェを創出する。一方NeQroは、ホルマリン漬けや剥製など、死そのものを提示してその姿を永遠の時間の中に封じ込める。

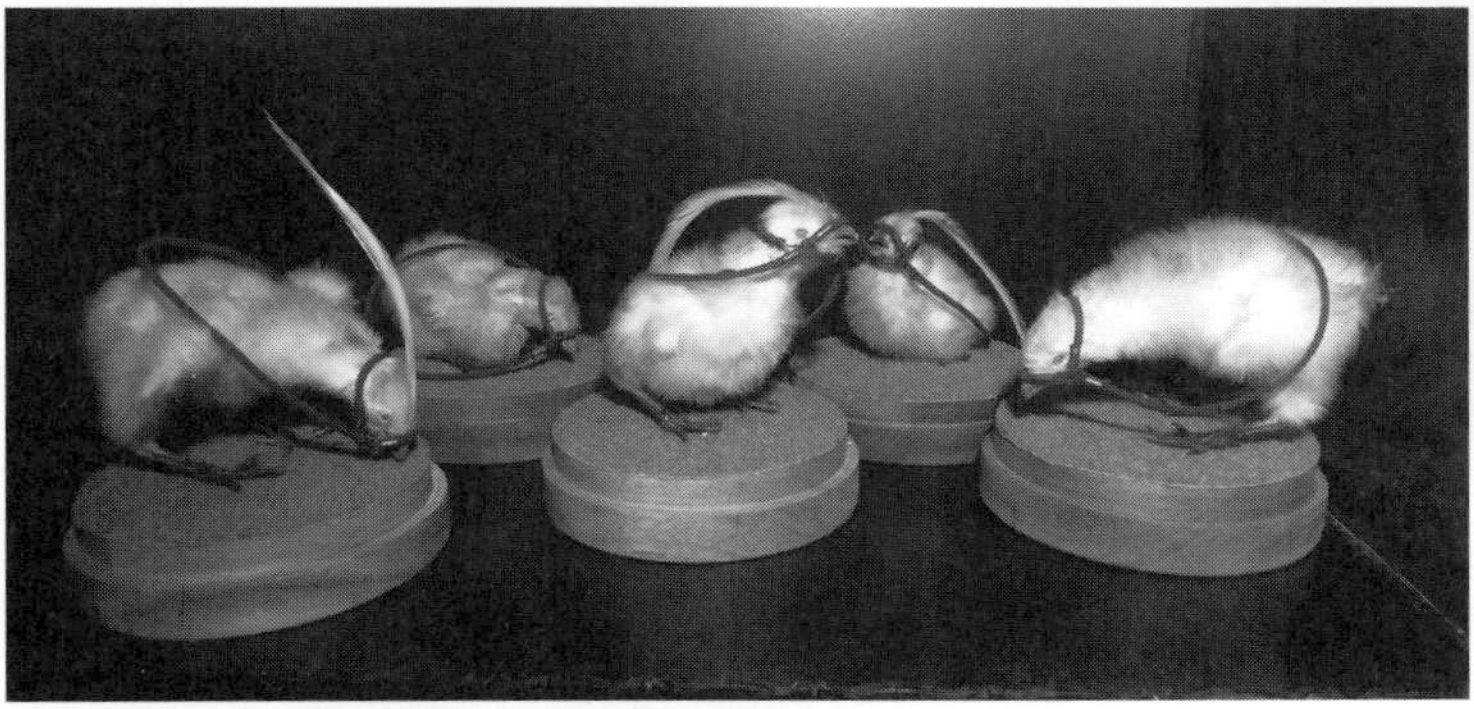

いずれの作品も、死に敬意を払い、死から生のあり方を照射するものだ。
　今回の2人展では、2階画廊ではマンタムのインスタレーションの中に2人の作品が展示され、1階喫茶ではアウトローブラザーズ骨董市、外側小部屋にNeQroの液浸標本が並ぶ。死に彩られた迷宮を彷徨いたい。（沙）

★右頁はマンタムの、左頁はNeQroの作品

★マンタム+NeQro 二人展
「死者の王」

2021年2月4日（木）～13日（土）会期中無休
13:00～19:00（最終日～17:00）
2階は画廊、1階は喫茶
場所／東京・初台 画廊・珈琲 Zaroff
Tel.03-6322-9032
http://www.house-of-zaroff.com/

自分との葛藤を写す

「25年生きてきて、ようやく「私」という化物を受け入れることができました」──ゆうきたまはそう綴っている。自分の顔を撮るのが嫌だった。普通の人間になりたかった。だが、普通の人間にならなくていいと悟って「ようやく受け入れた化物の顔」。それを、ファインダーを覗かずに撮影する。葛藤が垣間見られるセルフポートレイトだ。(沙)

★ゆうきたま個展「化物を受け入れた私へ」
2021年4月16日(金)〜24日(土) 日曜休
12:00〜17:00 入場無料
場所/大阪・淀屋橋 乙画廊
Tel.06-6311-3322
http://oto-gallery.jpn.org/

ポオの短編に触発された世界

★光宗薫

★山下和美

0・7ミリのボールペンだけを使い独学で絵を描き続けている光宗薫が2年ぶりの個展を開催する。今回のメインテーマとなるのは、ポオの短編「メロンタ・タウタ」。気球で旅する無力な主人公と自分を重ね合わせ、その世界や架空の生物たちを描く。ヴァニラ画廊では他に、漫画家カネコアツシへのトリビュート展や、山下和美の原画展なども。(沙)

★カネコアツシトリビュート展

★光宗薫 個展「メロンタ・タウタ」 A&B室
2021年2月6日(土)〜3月4日(木) 会期中無休
入場料/オンライン予約800円、当日券1000円(残枠がある場合のみ発売)

★カネコアツシトリビュート展「LOCO! LOCO! LOCO!」 A&B室
2021年3月6日(土)〜18日(木) 会期中無休
入場料/オンライン予約800円、当日券1000円(残枠がある場合のみ発売)

★「山下和美 画業40周年記念原画展」 A&B室
2021年3月30日(火)〜4月18日(日) 会期中無休
入場料/オンライン予約800円

場所/東京・銀座 ヴァニラ画廊
12:00〜19:00(土・日・祝は〜17:00)
Tel.03-5568-1233 http://www.vanilla-gallery.com/

自然物が見せる意外な表情

ミホリトモヒサが近年取り組んでいるのは、物理の法則を引用しながら、時間や空間、光、波など、いわゆる広義の自然物の思いもよらない表情を浮かび上がらせることだと言っていいだろうか。人はみな、そのような自然物に、日頃なんの疑問もなく接して暮らしており、その性質に関してまったく無頓着だったりする。だがミホリの手にかかると、そこから意外な情景や効果が浮かび上がる。その効果は決して暮らしに有用なものではないかもしれない。しかしだからこそ、ミホリの作品は自然の本質を問いかけてくるのだ。(沙)

★ミホリトモヒサ個展

2021年2月23日(火)～3月7日(日) 水曜休
12:00～19:00(最終日は～17:00) 入場無料
場所/東京・外苑前 TOKI ART SPACE
Tel.03-3479-0332
http://tokiart.life.coocan.jp/index.html

愛らしい猫のアート展

猫はいつも、かわいらしい表情・仕草などでわれわれを魅了する。特に、コロナ禍で先行きの見えない昨今はなおさら、猫などのペットに癒やしを求めている人は多いかもしれない。

その猫を愛らしく描いたアート作品を集めた展示「猫せとら」が阪神梅田本店7階の阪神美術画廊開催される。参加作家は、『MELANO MUSEUM』などの画集でも人気の目羅健嗣、『FAIRY CATS』の中島祥子、『ネコの日常・非日常』の森環、ナイトランド叢書の装画も手がける中野緑のほか、高根沢晋也、戸川五十生、エマーニ、野口雅史、児玉えり子、森ゆだね、雪兎、星響子。ラブリーでユニークな猫の数々。お気に入りを見つけてみよう。(沙)

★「猫せとら2021」

2021年2月3日(水)～9日(火) 会期中無休
10:00～20:00(最終日は～17:00) 入場無料
場所/大阪・梅田 阪神梅田本店 7階 阪神美術画廊
Tel.06-6345-1201
詳細は美術散歩WEBへ
https://www.hanshin-dept.jp/dept/e/bizyutsusanpo/

アトリエ・マウリ

目羅健嗣 Information

猫絵師。

千葉県勝浦市出身、同県袖ヶ浦市在住。現在までに描いた猫の数2000匹以上。毎年、各地で個展を開催。都内カルチャーセンター他約20箇所で猫の絵を描く教室も開催している。近年は狂言とミュージカルの紙芝居上演も各地で開催している。円谷プロダクションクリエイティブジャム（TCJ）参加作家。

主な著作に、「メラノ・ジャパネスク～MELANO MUSEUM collection」「MELANO MUSEUM～イタリニャ大公国、猫の名画コレクション」（アトリエサード）、「新装版 色えんぴつでうちの猫を描こう」「新装版色えんぴつでうちの犬を描こう」（以上、日貿出版）。2016年4月には、舞台「ロロとレレのほしのはな」に、やぎのおじいさん役で出演。

目羅健嗣HP http://www.a-third.com/melano_museum/

絵画教室

絵画教室情報～猫を描いてみよう!

猫絵師目羅が教える、猫の絵教室です。

参加条件は「猫が好きなこと」それだけです。

今まで絵を描いたことが無くてもOK!

詳しくはHPへ! http://www.a-third.com/melano_museum/
※**オンライン教室を始めました!** 詳しくは上記HPをご覧ください!

イベント情報

イベントは中止・変更になる場合もあります。
Twitter「目羅健嗣NEWS」@melanomuseum
などでご確認ください。

●ねこ展～ねこ・猫・ネコ アート＆グッズフェア
2021年 1月30日（土）～2月8日（月）
【会場】東武百貨店池袋店 8F催事場（1番地）
（東京都豊島区西池袋1-1-25）

●猫せとら2021
2021年 2月3日（水）～9日（火）
【会場】阪神美術画廊
（大阪府大阪市北区梅田1-13-13）

●第17回 Catアートフェスタ
2021年 2月10日（水）～23日（火）
【会場】丸善丸の内本店 4Fギャラリー
（東京都千代田区丸の内1-6-4 丸の内オアゾ）

●ねこ展～ねこ・猫・ネコ アート＆グッズフェア
2021年 3月3日（水）～8日（月）
【会場】小田急百貨店新宿店 本館11F催物場
（東京都新宿区西新宿1-1-3）

●「ネコマチ商店街」
2021年 3月11日（木）～20日（土）
【会場】東急ハンズ名古屋店 10F催事スペース
（愛知県名古屋市中村区名駅1-1-4
ジェイアール名古屋 タカシマヤ内）

●ねこ展～ねこ・猫・ネコ アート＆グッズフェア
2021年 3月27日（土）～ 4月5日（月）
【会場】GINZA KABUKIZA 地下２階 木挽町広場
（東京都中央区銀座4-12-15）

目羅健嗣の本 好評発売中!!

「MELANO MUSEUM
～イタリニャ大公国、猫の名画コレクション」
★古今東西の名画に猫を描き加えた、
ユーモアとウィットに富んだ画集!!

（A5判・128頁・カバー装・税別2500円）


「メラノ・ジャパネスク」
★卓越した画力で本物そっくりに描かれた、
誰もが知る日本の名画の猫パロディ画集!!

（A4判・48頁・並製・税別1000円）


「メラノ・フェルメーラX/35+」
★フェルメールの他、ルノワールやゴッホなど、
皆が知る名画の猫パロディ画集!!

（A4判・48頁・並製・税別1000円）

「ニャンタフェ猫浮世絵
《最強猫doll列伝》コレクション」
★浮世絵や錦絵を題材に、昨今のアイドルを
猫で表現したユーモアたっぷりの画集!

（A4判・48頁・並製・税別1000円）

陰翳逍遥《第41回》……志賀信夫

鎌倉で小津、日夏を見る

鎌倉は、鎌倉幕府以来の歴史ある町で、史跡や寺院も多く山と海が近くて、東京から小一時間でたどり着くため、寺巡り、ハイキングから海水浴まで観光地として絶大な人気を誇る。同時に文学の町でもある。多くの文学者が別荘や住居を構え、戦後すぐの鎌倉アカデミア（一九四六〜五〇年）の活動など、一つの文学・文化圏を形成しているといえる。

★鎌倉文学館

東京育ちの私にとって、鎌倉は手軽なデート地でもあり、まさに最初のデートで行った記憶がある。以来、県立近代美術館を訪れることが多く、若い頃、鎌倉に住む友人と鎌倉花火を見て、海水浴をした記憶が蘇る。

今回、鎌倉文学館で小津安二郎展、同時に小さい日夏耿之介展をやっているので、久しぶりに訪れた。

JR鎌倉駅から江ノ電で一〇分、そこから徒歩一〇分。小高い丘にあがっていく。ここは旧前田侯爵邸で、敷地内に切り通しもあり、自然豊か。薔薇園が有名だが、銀杏や椎（スダジイ）や椰子などの巨木があちこちにある。一九三六（昭和一一）年、二・二六事件の年に、渡辺栄治の設計で建てられた歴史的建造物と庭園で、八〇年以上の年月で木々が育ち、周囲は森のような雰囲気を醸し出している。

建物は三階建て、展示は一階、二階で、入口は二階にある。展示室に入ると鎌倉ゆかりの作家たちの居住地を示した大きな地図。現在も多くの作家・文学関係者が鎌倉近辺に住んでいる。展示には、作家たちの自筆原稿や初版本などが並ぶ。そして、日夏耿之介《ひなつこうのすけ》のコーナーがあった。

現在、日夏耿之介を知る若者はまれだろう。一九五五（昭和三〇）年生まれの私も、熱心な読者ではない。ただ日夏特有の擬古文の美麗な文体と、神秘思想を含めた彼の美学に惹かれるのだ。

日夏耿之介の美学

日夏耿之介（一八九〇〈明治二三〉年〜一九七一〈昭和四六〉年）は、詩人で文学研究者、翻訳家である。詩人としては、『転身の頌』（一九一七年）、『黒衣聖母』（二一年）、『黄眠帖《こうみんちょう》』（二七年）、『咒文《じゅもん》』（三三年）の四冊で詩作をやめ、以降は翻訳や文学研究に専念し、早稲田大学教授、青山学院大学教授などを務めた。難解な漢字にルビを振った、ゴシック・ロマン的な詩を追求した象徴派の「学匠詩人」といわれる。『明治大正詩史』（二九年）などの文学研究から、悪魔学《デモノロギア》研究にも手を染め、澁澤龍彦は「魔道の先達」といったが、三島由紀夫も日夏の詩や翻訳を愛し、自分の舞台には、日夏のオスカー・ワイルドの翻訳『院曲 撒羅米《サロメ》』を指定した。翻訳としては、エドガー・アラン・ポーの『大鴉』、そしてモンタギュー・サマーズ『吸血妖魅考』なども知られる。

日夏は詩と詩人について次のように述べている。

詩人は、「悟性に超絶して神の眞理の心的理解に信念を置く」凡ての通性により、悉く神祕の詩人である。それでなければならぬ。それでない何ものがあるか。

詩集『轉身の頌』序

また、そこでは、詩は「媒霊者のない自動記書（オートライティング）である」ともいっている。さらに次のように述べる。

私の詩には、人間心性の赫耀たる遍照も、眼ざましい飛躍もない。あるものは、ただ荒涼たる曠野に低迷する暗雲のやうな力無き蠢動である。暗室に瞑目して妄想する病僧のあはれむべき狐疑である。

詩集『黒衣聖母』

日夏の第一詩集『轉身の頌』から詩を二つあげる。

「吐息せよ」

吐息《といき》せよ
巨いなる靭《つよ》き怡悦《よろこび》にて
幺《ちひ》さき悲哀《かなしび》の坩堝《るつぼ》のなかふかく
おんみの身《かたち》しつらへ
祭壇のもと　跪坐礼拝《きざらいはい》して

あらゆる爾《おんみ》とともどもに吐息せよ

「うるはしき傀儡なれど」

うるはしき傀儡なれど
みにくかる生存なれど
わが右手の脈搏を相應く亂調せしめ
わが小むねの赤き血汐を溷濁せしめ
わが青春の光ある肌膚を窘蹙せしめ
つひにわが肉體より
力と美とを驅り落し
すべて
まことわが心を壓死せしむ
うるはしき傀儡なれど

次は、ウィリアム・ブレイクの訳詩である。

「病める薔薇《さうび》(The Sick Rose)」

あはれ薔薇よ、おん身病めり矣。
咆哮《はうかう》の嵐のなかを
夜《よ》の闇を翔《か》けりてゆく
睹《み》えざる蠕虫《はむし》
お身が緋の耽楽《たんらく》の臥蓐《ふしど》をこゝに
見出でたり。
夫《か》の黒色極秘の愛の
お身がいのちをぞ毀《こぼ》つなる。

日夏耿之介と鎌倉の関係だが、日夏は一九一六(大正五)年、鎌倉坂ノ下(長谷)で喘息の療養生活を送っていた。そして避暑中の芥川龍之介と交流し、さらに、海岸際にあった「海月楼」で療養中の萩原朔太郎と親交を結んだ。そのころ朔太郎は第一詩集『月に吠える』を執筆・編集しており、翌一七年に刊行したが、日夏も同じ年に第一詩集『轉身の頌』を出版した。日夏の鎌倉在住は一年ほどで、朔太郎は三カ月ほどだが、その間に二人が交流して、それぞれが重要な第一詩集を刊行したことは、文学史的にも大きい。そのとき、日夏は七歳年上の芸妓と最初の結婚をしており、七、八年つきあい二年間暮らした妻にそこで先立たれたため、鎌倉を離れたということらしい。

なお、朔太郎はその『月に吠える』の原稿を東京の出版社に届けようとしたが、その前に飲んで酔ってなくしてしまった。親友の室生犀星からもらった序文もなくした。詩のほうは備忘のノートがあったからよかったが、犀星には再度書いてもらったという。さらに、出版するやすぐに発禁となり、朔太郎は田舎にいたので、犀星が警察に出頭したというエピソー

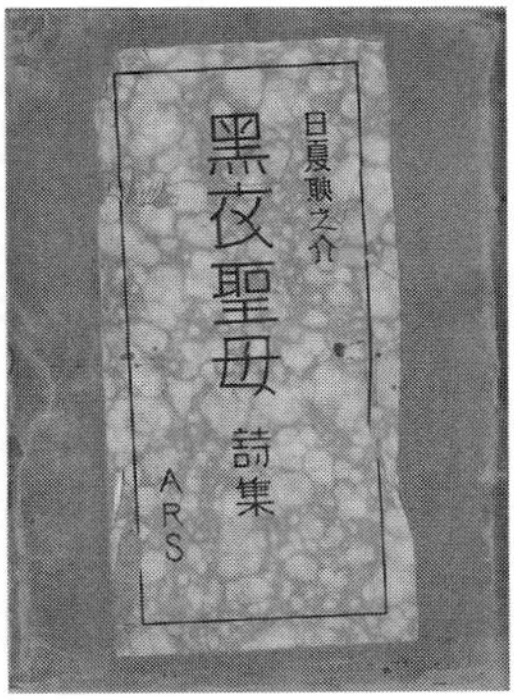

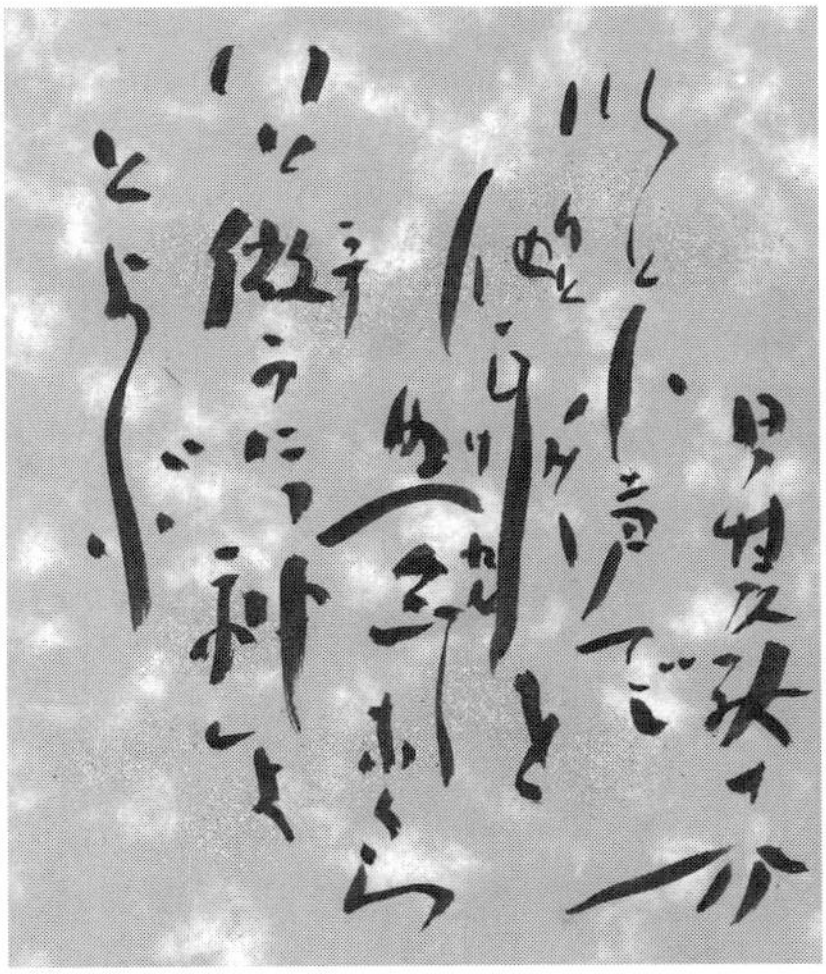

★(右上)日夏耿之介『黒衣聖母』
(左上)日夏耿之介色紙「いと小声で…」
(下)日夏耿之介自筆原稿
「しかし笛の音はない夜の事」

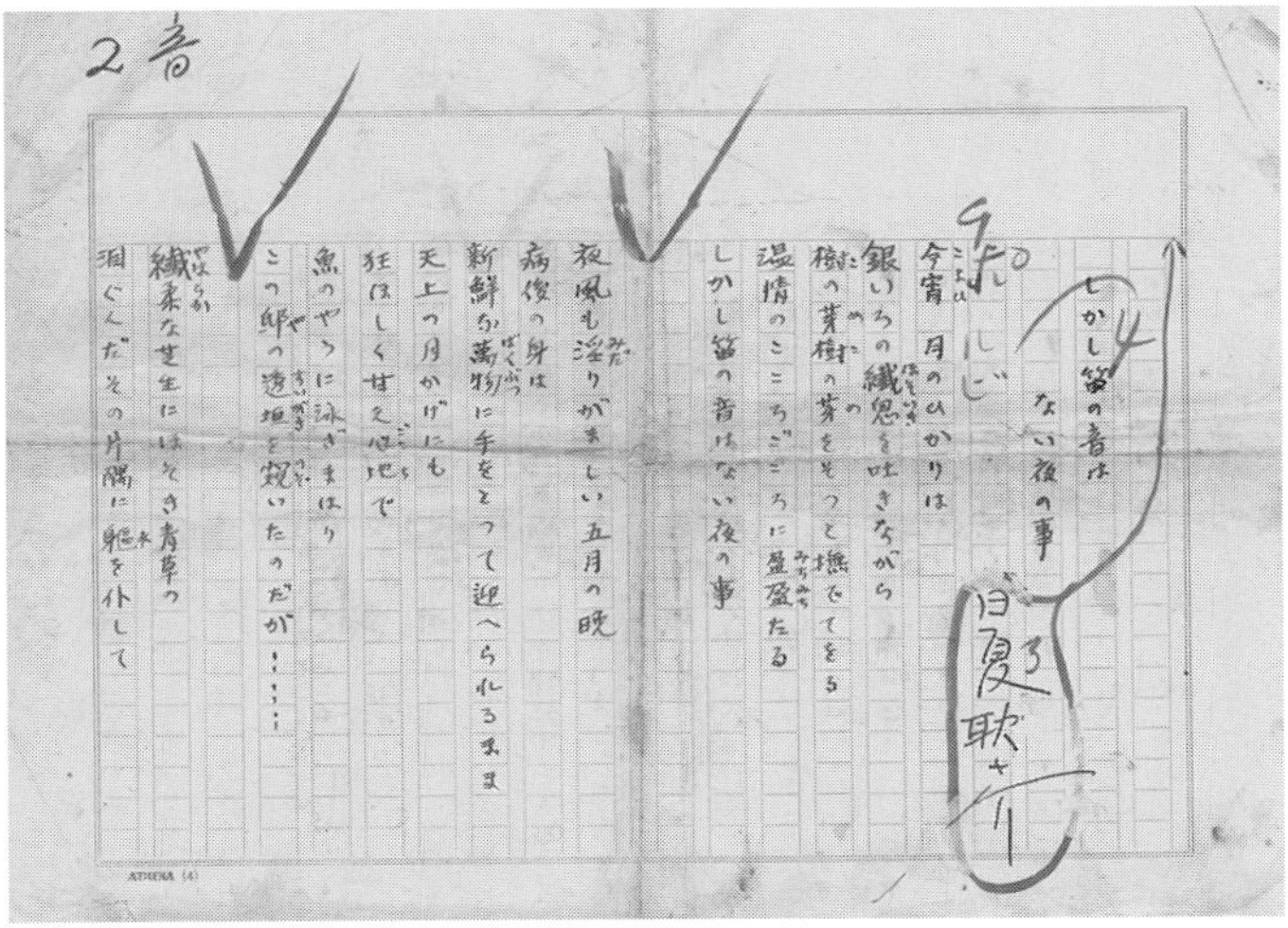

ドも、朔太郎が自ら記している。また、朔太郎は後に、一九二五年にも妻の療養のため、一年ほど再び鎌倉に暮らしている。『月に吠える』から、朔太郎が鎌倉で書いたであろう詩を記しておく。同じ年に出された日夏の「ゴシック・ロマン」的詩との違いがわかるだろう。

「およぐひと」

およぐひとのからだはななめにのびる、
二本の手はながくそろへてひきのばされる、
およぐひとの心臓《こころ》はくらげのやうにすきとほる、
およぐひとの瞳《め》はつりがねのひびきをききつつ、
およぐひとのたましひは水《みづ》のうへの月《つき》をみる。

日夏の展示は一コーナーだが、有名な『黒衣聖母』、そして、日夏との交流から、多くを装丁した版画家長谷川潔による美麗な『轉身の頌』の復刻版などの書籍、『黒衣聖母』所収の「しかし笛の音はない夜の事」と「手抄のたしなみ」の自筆原稿が展示されている。「しかし笛の音はない夜の事」には、「夜風も淫《みだ》りがましい五月の夜／病後の身は／新鮮な萬物《ばむぶつ》に手をとって迎へられるまま／天上の月かげにも／狂ほしく甘え心地《ごこち》で／魚のやうに泳ぎまはり」と見える。さらに、書が三つある。

一つは大きい軸で、「金剛杵を さきにつけたる 古鈴鐸は 居然として一座の 厳山に似たり」で「夏道人」と署名がある。これは、「金剛杵を」が中央にあり、「さきにつけたる」「古鈴鐸は」と左に二行、残りが右に二行という配置で左右対称に書かれているのが面白い。

色紙は、「いと小声で 他耳《ひとみゝ》を 懸念しながら いと微《かす》かに『神』とよぶ」と、日夏の神秘思想やキリスト教のイメージを感じさせる。これは、「黒夜」という詩の最後のようだ。また、西脇順三郎の『あんばるわりあ』（一九三三年）の「（覆された宝石）のやうな朝／何人か戸口にてささやく／それは神の生誕の日」も類推される。

短冊は、「明哲保身の術は如何にそやと考えてみたる秋のかはたれ」とあり、「黄眠」と署名されている。澁澤や三島などの異端的文人に愛された日夏耿之介だが、ゴシックブームや文学のコミック化などで、今後注目されてもいいのかもしれない。

小津安二郎の世界

そして一階に降りると、そこは小津安二郎（一九〇三（明治三六）年～六三（昭和三八年））の世界。七〇年代までは、小津はいまほどの人気はなかった。『東京物語』（一九五三年）は有名だったし『秋刀魚の味』（六二年）なども知られていたが、あまり知られていない作品まで熱心に見るのは、よほどの映画ファンだった。当時は海外で知られる日本の監督も、溝口健二と黒澤明が二大巨匠だった。

それを覆したのは、蓮實重彦ではないか。フランス文学者で、東大学長までつとめた蓮實は、映画批評、文芸批評で有名だ。彼のフランス留学時代のヌーヴェルヴァーグやゴダールから、五〇年代のアメリカ映画、そして現代までの日本映画について、独特の表現で映画ファンを惹き付けた。

蓮實の専門はフロベールだが、六〇～九〇年代に流行したヌーヴェルクリティック、構造主義、記号論、ポストモダンなどの思想の紹介者でもあった。卓越したフランス語力とともに、古今東西の映画を渉猟しながら語る映画批評は、八〇年代以降の日本の映画界に大きな影響を与えた。東大以外にも立教大学で映画論を教え、教え子から周防正行、黒沢清、青山真治、塩田明彦などの優れた映画監督が育っている。

その蓮實が溝口、黒沢以上に小津を絶賛したことで、当時の映画ファンは認識を新たにしたのだ。もちろん以前から映画界での評価は高く、上映当時『キネマ旬報』で上位を占め、日本在住の批評家ドナルド・リチーは早くから小津論を刊行して海外に紹介している。だが、国内では個別の作品評価にとどまっていた。それが現在は溝口よりも、そしておそらく黒沢よりも高く評価されるようになったきっかけは、やはり蓮實の影響が大きいと考えている。

小津安二郎は、『晩春』（一九四九年）と『麦秋』（五一年）は鎌倉を舞台に撮った。そして、一九五二（昭和二七）年、大船撮影所の火事で焼け出されてから六三年に亡くなるまで、母親と北鎌倉に住んだ。浄智寺の参道のトンネルを左に抜けたところだった。小津の墓は円覚寺にある。また、小津映画の主演女優だった原節子も、小津が亡くなった一九六三年に引退し、一九六四年から二〇一五年まで、余生を鎌倉でおくった。

今回の「小津安二郎展」で、まず目を引いたのは、小津の文机である。小津が自らデザインしたもので、左右対称でそれぞれ六つの引き出しがついている。朱漆でなんともおしゃれ、チャーミングだ。その上に、虎のぬいぐるみ、デスクライト、煙草缶の切手入れ、オノトの万年筆など

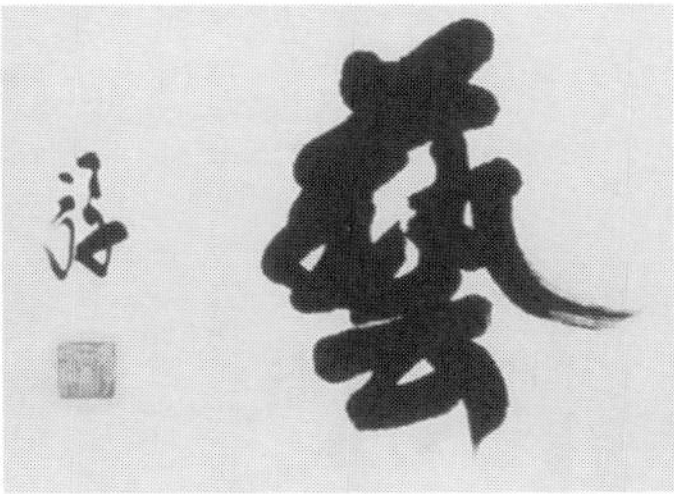

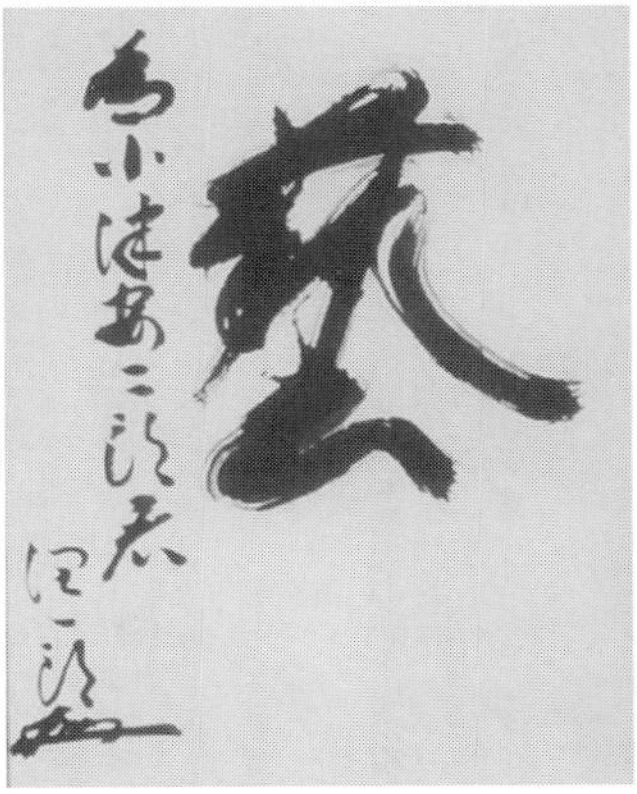

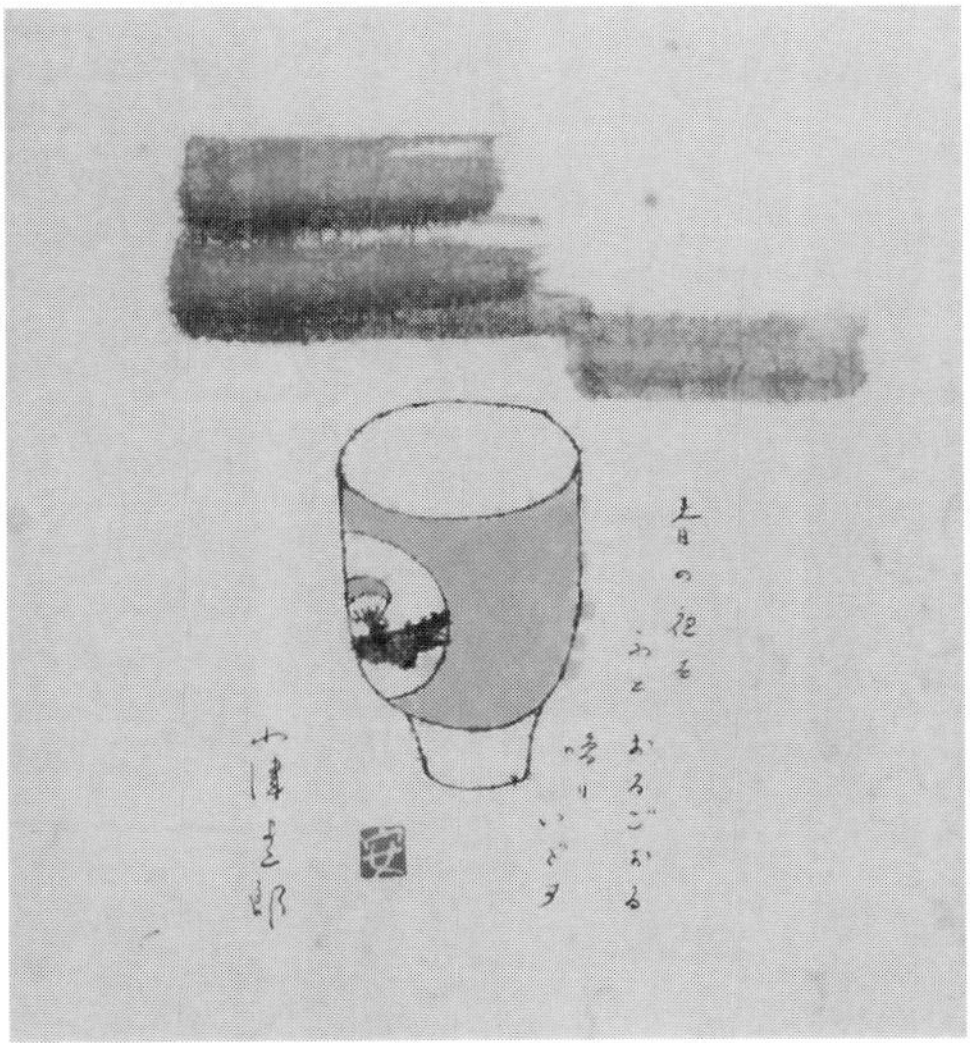

★（上段右から左へ）小津組の三脚（カニ足）、特注ストップウォッチ、白いピケ帽
（中段右から左へ）谷崎潤一郎の書『藝』、里見弴の書『藝』、「燻屋鯨兵衛」の葛籠
（右下）「燻屋鯨兵衛」の万祝
（左下）小津安二郎の色紙「春の夜を…」

が並んでいる。近年、『小津安二郎全日記』が出版・公開されているが、日記や多くの文章をここで小津が書いていたイメージが浮かび上がる。その文机の上には、訪れた先のスタンプの押されたその日記もあり、とても感慨深い。一九三五年四月三一日のページが開いてあった。

さらに撮影時の映画キャメラ・ミッチェル用の三脚。高さ四〇センチくらいという低さは、小津映画の特徴であるローアングルの室内撮影を物語っている。鎌田の鉄工所に特注し、赤く塗られているため、「カニ足」と呼ばれていた。塗装が剥げるたびに塗り直した。ちなみに映画の場合、カメラでなくキャメラというのが通例だ。そのため、撮影者もキャメラマンである。

そしてストップウォッチ。これは映画撮影用の特注で、「カチッ」という音がしないもので、外周に赤くフィルムのフィート数が記されている。カットごとにキャメラマンの厚田雄春《あつたゆうはる》と時間をはかっていたそうだ。そのために特注で二つつくったという。

また、三つの書も興味深い。谷崎潤一郎、里見弴《とん》、そして小津。同じ『藝』の文字を書きながら、それぞれの個性が見える。小津は谷崎、里見、志賀直哉の文章を高く評価していたという。

小津はヘビースモーカーだったため、「燻屋《いぶしや》鯨兵衛《げいべえ》」というペンネームを持っていた。その「鯨」の文字が入った漁師の大漁を祝うコート、万祝《まいわい》が展示されていた。空に鶴、海に亀、そして蛸と鯛というダイナミックな構図も、小津が自らデザインしたという。葛籠《つづら》にも、「鯨」と「燻屋」の文字が入っている。

そして、小津の姿を象徴する白い帽子。ピケ帽と呼ばれるもので、小津は少汚れると自宅で洗い、買うときはダース単位で発注していた。考えてみると、昔の日本人はよく帽子をかぶっており、記録映像を見るとサラリーマンが揃ってソフトをかぶっている。小津も戦前はソフトかハンチング、戦後は夏のロケも多く、ピケ帽と白シャツだった。野外ロケには、帽子が必需品だったのだろうが、小津はスタジオでもかぶっている。

小津はデザイン能力も優れていたが、書画も味がある。目にとまったのは、色紙の「春の夜をふと おるごおる 鳴りいだす」。もちろん小津映画の写真なども展示されており、小津の愛した鎌倉の地で、小津の世界に思いを馳せる、静かで豊かな時間だった。

鎌倉文学館から坂を下りてきて、大通りに突き当たった右手の小花寿司は、女優、夏目雅子と夫の作家、伊集院静が贔屓にしていたことで知られる。また、文学館からは長谷寺の大仏も歩いてすぐである。駅から数分で、鎌倉の森の雰囲気を味わえ、昭和初期の歴史的建造物にも親しめる、なかなかいい場所なのだ。

鎌倉は、文学の町であるとともに、美術の町でもあった。私にとっては、神奈川県立近代美術館（通称、鎌倉近代美術館、カマキン）を目的に鎌倉を訪れることが多かった。一九五一年に開かれたこの美術館は、坂倉準三の代表的な建築で池とともに美しく、国内外の前衛を含めた美術を紹介してきた。だが、一駅先の逗子の海岸に葉山館ができ、鎌倉館は美術館として機能を失い、建物の一部を残すのみとなった。著名建築家の作品であり、歴史的建造物であるこの美術館が失われたことは、非常に残念だ。

市川街歩き

市川に住んで三〇年以上たつ。最初は京成電車の国府台駅近くに住み、次に北総線の松飛台駅、それからJRの市川大野駅と松飛台駅の間に住んでいる。そのため市川という街への関心と愛着が徐々に高まっている。

市川は、永井荷風の街という印象が強い。というのは、しばらくバスからJRの本八幡駅を利用していたが、荷風の終焉の地がその近く、京成八幡駅のそばだったからだ。ここは荷風のテレビ番組があると、よく登場している。

三〇年以上、自由が丘で社会人向けの読書会指導をやってきた。それは、毎月小説を一つ読んで話すというものだ。参加者が高齢になって減ったため、近年は奇数月となっていたが、コロナの影響で終わることになった。その会で一〇年以上前に、荷風の足跡を辿ったことがある。といっても、有名な『濹東綺譚』（一九三七年）の私娼街玉の井、向島付近から終焉の地、市川までだった。そして、荷風が最後に食べていたという、大黒家のカツ丼も何度か食べたが、残念ながら店はなくなった。市川市文学ミュージアムでは、荷風の資料を収集し、たびたび展覧会やイベントを開催している。また、二〇一九年には嶋田直哉の『荷風と玉の井「ぬけられます」の修辞学』（論創社）を企画編集したことで、そこで行われたトークも聴きにいった。

こういった徐々に目覚めた地域への関心のなかで、Facebookにより「市川街歩きの会」の存在を知った。コロナで活動が延期されていたが、復活するというので、参加してみることにした。

二〇二〇年一一月七日、北総線の矢切駅に集合する。京成電鉄から乗り入れて千葉ニュータウンに向かう電車だ。歌謡曲で有名な「矢切の渡し」が近い駅。ここから市川駅を目指す。

まず、駅前に、水上勉の碑があった。水上勉といえば、映画『飢餓海峡』（内田吐夢監督、一九六五年）などの原作で知られるが、私には中学生のころに読んだ『耳』が印象的だった。その後、里子に出し行方不明だった水上の息子、窪島誠一郎が見つかり、長野県で戦没者たちの美術館、無言館をやっていることを新聞で読んだ。そして、彼がそれ以前から明大前の劇場キッドアイラック・アートホールのオーナーであると知って驚いた。当初、甲州街道沿いにあり、駅近くに移転し、たびたび足を運んだが、地下の喫茶には村山槐多の絵があった。二〇一六年に閉じることになったが、そのスタッフが現在、成城学園でアトリエ第Q芸術を運営している。

作家、水上勉が一〇年の沈黙後、直木賞候補になった『霧と影』を書いたとき、ここに住んでいた。現在はなにもない駅前広場だ。参加者一行は、古い水道タンクが見える丘の上に向かう。その先が「矢切」の由来の場所だ。

解説者の岡田公治さんが語り出す。一六世紀に北条氏と里見氏の合戦があり、多くの住民が犠牲になった。そのため、弓矢を呪って、矢喰い、矢切という意味で、この地名が生まれ、平和を祈り庚申塚がつくられた。庚申塚は、六〇日に一日の庚申の日、体内の三種の虫、三尸《さんし》が暴れるのを防ぐために、徹夜で飲食する「庚申待」に由来している。すぐ近くにある国府台城址、里見氏に由来する里見公園は、桜の名所としても有名だ。

ここからさらに、伊藤左千夫『野菊の墓』（一九〇六年）の記念碑のある場所に向かう。坂を上った高台で眺望台があるが、この下の谷間が主合戦場だった。ここは自然の地形を生かした小さい城だったようだ。すぐ近くを流れる江戸川を越えてくる北条軍と里見軍が争い数千人の死者を出したというから、相当な規模の合戦で、歴史に残っているのだ。

近くには万葉集にも歌われた手児奈霊神堂があり、付近は国府台という名前のとおり、地域の首都、国府が置かれた。そして、七四一（天平一三）年、聖武天皇が仏教による国家鎮護のため、全国に国分（僧）寺・国分尼寺を置いた一つが、この地であった。

そこに向かう前に、愛宕神社の参道の二本の大銀杏をみる。日本神話で、イザナミとイザナギの息子カグツチが、生まれるときに母イザナミを焼死させたこと

★（上段から右→左の順に）
水上勉旧居跡の碑
野菊の墓文学碑
二本の大銀杏と愛宕神社参道
下総国分寺の仁王門と本堂（奥）
下総国分寺の奈良時代の瓦
国府台駅近く江戸川土手に上がるところの水神さま
江戸川から見たスカイツリーと夕日と京成電車

から、「仇子」が「愛宕」となり、防火の神となったのだ。銀杏の葉は水分を含み燃えにくく、防火対策として植えられることが多かった。そのため、各地の愛宕神社には銀杏が植えられ、防火の神として参拝されている。

　庚申塚や馬頭観音、愛宕神社は各地にあるが、いずれも由来を聞くとおもしろい。例えば銀座の小さな神社でも、由来を検索してみると、その土地の歴史が見えてくる。

　国分尼寺は現在、礎石のみで公園となっているが、下総国分寺は現在も残っている。建物は再建されたものだが、奥の本堂は一九二五（昭和元）年、岸田日出刀の設計。時折出土する奈良時代の瓦が無造作に置かれている。丸い鐙瓦には蓮花文様、平たい宇瓦《のきがわら》に法相華文《ほうそうげもん》の唐草文様があり、中東から意匠がシルクロードを伝わり、中国を経て日本に入った歴史を示している。寺を護る阿吽の仁王像の阿は、室町時代の建造だ。ほかにも、薬師如来を祀る玉王山寳珠院寺の大薬缶などを見ながら南下して、市川駅方向に向かう。

　その途中の京成線国府台駅近くで、江戸川の土手に上がると、鉄橋とスカイツリーが夕日に美しい。そして近くには真間川の取水口がある。ここから真間川は船橋まで、西から東に流れているのだ。付近には小さな水神が祀ってある。ここから五分ちょっと歩いて、市川駅北口で解散した。

　終わって感じたのは、街歩きには解説者が重要ということだ。何もない十字路、ふだん歩く道にも歴史がある。それが語られ、教えられることで、「意味」が生じる。その情報は覚えなくても、その場かぎりで、ちょっとした感動を生むだけでも幸せな気持ちになれる。

　以前は、どこでも、祖父母など家族や年長の親類が、家族の歴史や地域の歴史などを、正月や何かの折りに語っていた。若いうちは関心を持たないで聞き流すが、それでもかすかに記憶に残る。だが、そういう機会がなくなった現在、街の歴史を知ることは意味がある。知らなかったことを少し知るだけで、自分の周囲、地域の見方が変わってくる。それについて話す相手もできるかもしれない。つまり、発信やコミュニケーションにつながるのだ。実際に、この街歩きの会に参加したことで、知り合いが増えた。

　そして、文字で読む知識と語られる知識は違う。講談やナレーションのようなプロの語りではなくても、そのときの語り方、雰囲気などとともに記憶される。それは、言葉が生きるということだろう。

　今回の街歩きは大きな発見だった。解説者は相当な時間をかけて、資料を整理して、解説を準備している。記事にするために、一部、検索して補ったが、彼の解説によってとても充実する街歩きとなった。こういった体験は、多くの人にお勧めしたいと思っている。

ダダカン一〇〇歳記念展

▽**「ダダカンの「殺すな」展」**／20年11月13日～21年1月31日、泉岳寺 カフェ・ゴダール

　ダダカンこと糸井貫二（一九二〇〔大正九〕年～）は、二〇二〇年一二月に一〇〇歳となった。伝説的なパフォーマンスアーティストとして知られ、全裸でのパフォーマンスやメールアート、男根をモチーフにした切り絵など、特異な活動で知られる。現在、仙台に住んでいるが、元々は全裸生活を基本とし、高齢になっても、訪問者には全裸逆立ちなどのパフォーマンスで出迎えたという。近年は、都築響一、竹熊健太郎などがレポートしている。

　ダダカンの活動は一九五〇年代に遡る。元・未来派美術協会の普門暁《ふもんぎょう》に師事し、当初、本名の糸井貫二で絵画作品などを読売アンデパンダン展などに発表していたが、六〇年代から全裸パフォーマンスを行い始めた。当時はハプニング、アクションといわれたパフォーマンスが、米国のアラン・カプローや、一九五七年に来日したフランスのジョルジュ・マチウのアクションペインティングなどの影響で、日本でも多く行われるようになっていた。そのなかで、中島由夫らのアンビートや秋山祐徳太子とも行動を共にし、反万博のアピールなどで、全裸のアクションを行った。一九六四年には、東京オリンピックに喚起され銀座通りを全裸疾走、一九七〇年には、大阪万博で「目玉男」が籠城する太陽の塔の下で全裸パフォーマンスを行ったことは有名である。

　一九六七年四月三日、米国の『ワシントンポスト』紙に掲載されたベ平連のベトナム反戦意見広告に岡本太郎が「殺すな」の文字を書いた。そして一二月には、エスペランティスト、由比忠之進が日本の北爆支持などに抗議して焼身自殺を行う。ダダカンは、一二月にそれに賛同して「クロハタ」の松江カクが行った「ベトナム反戦儀式」に参加する。そして、一九七〇年、批評家のヨシダヨシエが仙台に来た際に、ダダカンが「殺すな」の紙を貼った歩行、仙台路上儀「殺すな」を行い、写真家の羽永光利が撮った。それが、一九七一年の『少年サンデー』に掲載される。

　「殺すな」の文字は、二〇〇三年のイラク戦争の反戦行動の際に取り上げられて、再び広く知られるようになった。六〇

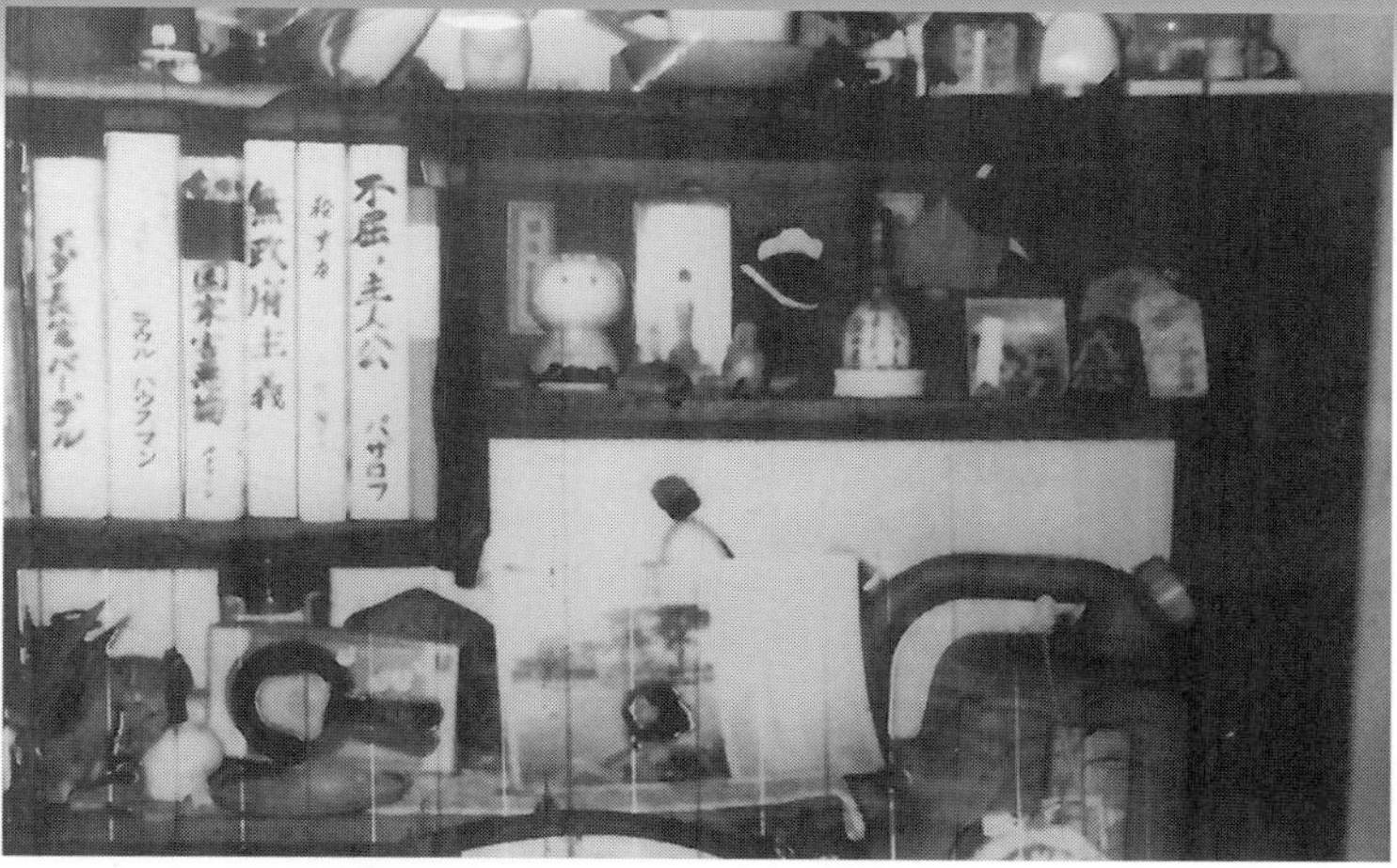

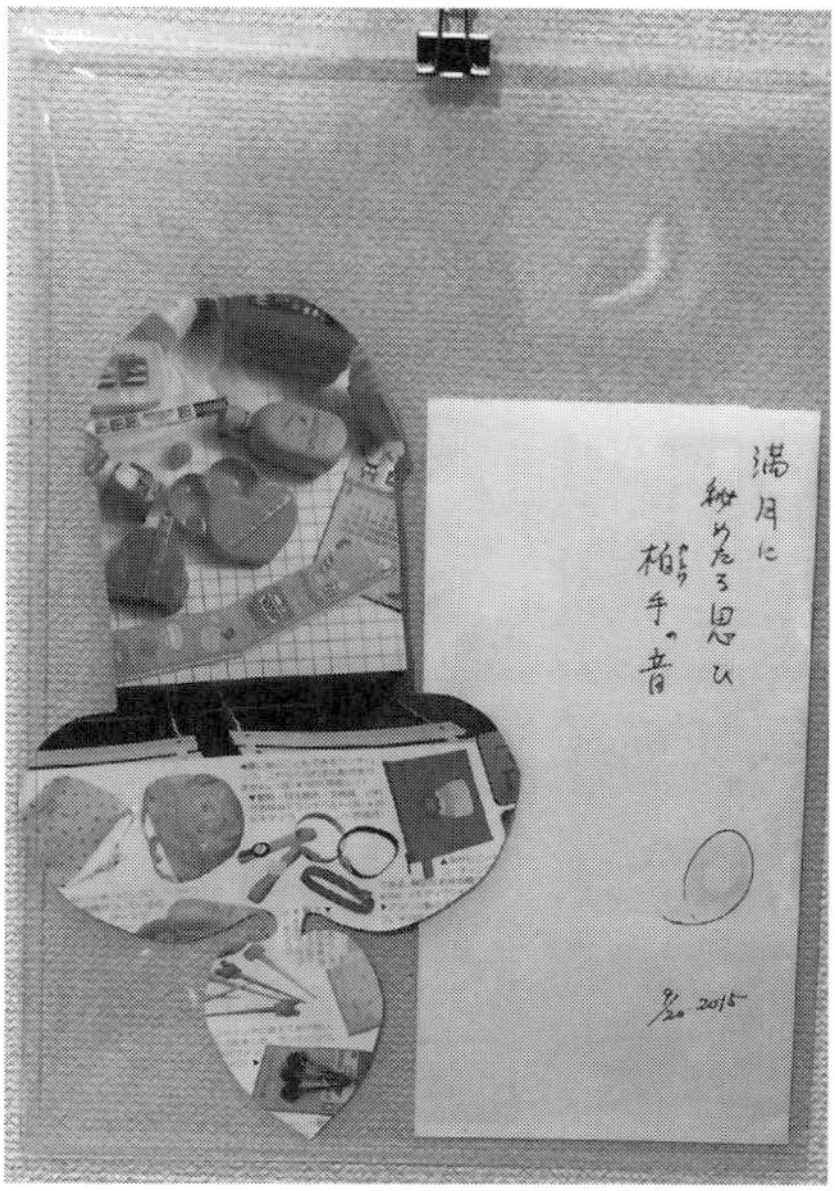

★（上）「ダダカンさんの本棚」並ぶのは空箱に紙を巻いてタイトルをつけたオブジェ。1985年。撮影：小坂真冬

（右下）「殺すな」のバンダナ

（左下）2015年9月20日のメールアート。「満月に秘めたる思ひ柏手の音」の句と男根の切り抜き

年、七〇年安保時代に、美術家が声を発し、美共闘などが生まれたが、新左翼の敗退、連合赤軍事件などとともに、政治と美術を切り離す風潮が蔓延したなかで、9・11とイラク戦争、3・11などで美術家が社会的発言を再び初めて、社会運動、デモなどに参加するようになったからだ。

つまり、半世紀たって再び芸術家と社会という関わりが浮かび上がってきた。その文脈のなかで、ダダカンという存在を再評価する必要があるのではないか。その名前はもちろんダダイズムを意識したものだ。だが、ダダっ子貫ちゃんの略だとも自称している。五〇、六〇年代の前衛美術家たちは、ダダイズムとシュルレアリスムが既にあり、さらに前述のアクションペインティングなど、表現主義の影響を受ける。ダダはすべてを否定する言葉であり、その意味でも「ダダっ子」という言葉は、糸井にしっくりきたのだろう。

ダダカンは現在、一〇〇歳になって、病院にいるが元気である。一二〇歳までがんばるそうだ。ダダカンは膨大なメールアートを行っているが、ネオダダやフルクサスを源流ともされるメールアートは、ダダカンとともに、見直すべきときかもしれない。

018　こやまけんいち絵本館43●こやまけんいち
015　立体画家 はが いちようの世界31〜吉原遊郭角海老楼●はが いちよう
124　M氏の暗黒日記III●最合のぼる

020　TH RECOMMENDATION
オーストラリア・メルボルンの先住民アボリジニ博物館
〜西洋文化と遭遇したとき、まだ石器時代だったアボリジニの世界観●ケロッピー前田
珠かな子写真展「蜜の魔法」〜女の子にかけられた幸せの魔法を、より強く
山村まゆ子個展「―鳥のかえる場所―」〜鳥が残した卵を、身体の中の空洞で抱き続ける
「陶王子 2万年の旅」〜「僕の父は炎。母は土」陶器の精霊が誘う陶磁器の歴史
「赤糸で縫いとじられた物語」〜『寺山修司少女詩集』から生まれた、アーティスティックなガールズフィルム
死体写真家・釣崎清隆による四半世紀前のAV作品が海外初リリース！●釣崎清隆
根橋洋一個展「乙女座染色体」〜少女の秘密の遊戯を盗み見る
南花奈個展「Closed Room」〜生き物の不可思議さを細密に描く
マンタム+NeQro二人展「死者の王」〜死体と向き合い続ける作家の2人展
ゆうきたま個展「化物を受け入れた私へ」〜自分との葛藤を写す
光宗薫個展「メロンタ・タウタ」他〜ポオの短編に触発された世界
ミホリトモヒサ個展〜自然物が見せる意外な表情
「猫せとら2021」〜愛らしい猫のアート展
陰翳逍遥41〜日夏耿之介、小津安二郎、市川街歩き、ダダカン一〇〇歳記念展●志賀信夫

154　TH FLEA MARKET
カノウナ・メ〜可能な限り、この眼で探求いたします／第42回 WW20^2●加納星也
パリは映画の宝島〈番外編〉／アジアフォーカスで特集されたタイの前衛映画〜民族のアイデンティティを探る作品群●友成純一
よりぬき［中国語圏］映画日記／秋の映画祭に描かれた香港〜『デニス・ホー』『The Crossing』『七人楽隊』●小林美恵子
ダンス評［2020年11月〜12月］／身体の挑戦〜深谷正子、ひびきみか、勅使川原三郎、笠井叡、今貂子●志賀信夫
「コミック・アニメ・ゲーム」×ステージ評／VR能『攻殻機動隊』、スタミュ、ハイスクール奇面組！●高浩美
作家にしてBURST創刊編集長ピスケンとは何者か？〜コロナ禍で彼の頭に舞い降りた言葉を綴った処女詩集●ケロッピー前田
「天才は狂気なり」という学説を唱え、犯罪人類学を創始した奇矯な精神病理学者 チェーザレ・ロンブローゾの思想とその系譜〈39〉●村上裕徳
山野浩一とその時代（14）／企業のPR映画と、劇団表現座への参画●岡和田晃
弦巻稲荷日記／映画「陶王子 2万年の旅」との出会い●いわためぐみ
オペラなどイラストレビュー●三五千波
TH特選品レビュー

表紙＝写真：堀江ケニー／モデル：浜崎容子（アーバンギャルド）
All pages designed by ST

★白隠慧鶴「半身達磨図」

CONTENTS

008 目、瞳は何を語る?●沙月樹京
008 泥方陽菜～虚空を見つめる諦念の目
010 神宮字光～意思があるかのように輝く瞳
012 下田ひかり～目からあふれる、臆して語らない者の願い
016 赤木美奈～南方熊楠に捧げた〝邪視〟の絵画

001 三浦悦子の世界〈19〉[まなざし]
002 四方山幻影話46●堀江ケニー／モデル:浜崎容子(アーバンギャルド)
006 辛しみと優しみ43●人形・文＝与偶

054 うたかたの夢～眼力理論と正四面体宇宙●友成純一
106 「眼」の潜在意識能力～邪視にまつわる民俗史●赤木美奈
116 眼球考～ルドンの絵から●志賀信夫

058 窃視者の恍惚と不安～『裏窓』『トゥルーマン・ショー』『LOOK』など、映画から考えた覗き見の功罪●浦野玲子
064 「屋根裏の散歩者」の愉悦～無人格の視座のもどかしさが生む快楽●待兼音二郎
066 網膜の記憶～犯罪捜査方法「法医学オプトグラフィー」と、そこから派生した物語の数々●浅尾典彦
070 見世物の映画史～見世物小屋の「まなざし」をめぐって●梟木
074 いったい何を「いま見てはいけな」かったのだろう?～ニコラス・ローグ監督『赤い影』●松本寛大

076 モノ化する視界～機械の眼と人間の眼のあいだ●馬場紀衣
078 嘘か真か夢か現か知らねども～「見えること」の恩恵と呪縛●阿澄森羅
082 不可視の可視～千里眼事件のお話●べんいせい
087 目ン玉飛び出る! 奇天烈眼球譚●日原雄一

090 穿たれた穴から太陽を覗け～『ジャガーの眼』を通して唐十郎が寺山修司に捧げたもの●大岡淳
094 「肉体植民地」から『盲人書簡』へ～寺山修司への敬意と、唐十郎『ジャガーの眼』●岡和田晃

138 〈少年の眼〉の逆襲～ヘルマン・ヘッセ「少年の日の思い出」を読む●宮野由梨香
142 窃視というタブーをめぐって●並木誠
144 眼を潰せ! そして、眼を開け!～〈現実〉をめぐる戦場としての網膜●石川雷太
148 街角からはじまる不条理～panpanyaが「見る」世界●高槻真樹
151 二人称単数●本橋牛乳

097 《コミック》DARK ALICE 36. 伊由●eat
112 〈写と真実9〉肖像と語る●写真・文＝タイナカジュンペイ
105 一コマ漫画●岸田尚

128 Review
乙一「暗黒童話」●安永桃瀬
安部公房「箱男」●梟木
「猫に裁かれる人たち」●日原雄一
「ブラック・スワン」●さえ　ほか

うたかたの夢
——眼力理論と正四面体宇宙

◎文＝友成純一

怪盗ジバコと眼力

中学生の頃、〈ドクトルまんぼう〉シリーズの北杜夫に熱中した。六〇年代半ばだったが、デビット・リーンの「ドクトル・ジバゴ」という映画が大ヒットし、北杜夫がこれを頂いて「怪盗ジバゴ」というピカレスク・コメディを書いた。これもベストセラーになって、私も読んで大笑いした。

この本の一節に、〝眼力〟のエピソードがあった。

美術館には裸婦の絵画もたくさん展示されているが、これらの絵は、ある特定の部分の絵具が薄くなっている。特定の部分——どういう部位か、賢明な読者でなくとも見当が付くと思う——アソコとか、アソコとか……なぜそうなるのかと言うと、眼力によるのだと言う。

★北杜夫『怪盗ジバコ』（文春文庫）

人間の目には、科学ではまだ解明されていないある力があって、物を見る時には眼球からその力線が放射される。普通に目を向けるだけなら対象に影響を及ぼすことはないが、感情を込めて凝視すると、影響が現れる。裸婦画像のアソコやアソコが摩滅するのは、この眼力によるものだと。

眼力光線！

目は口ほどに物を言う——強力な一睨みに、相手は怯む。勝負師は眼力で勝ちを招き寄せるし、ヤクザは眼力で相手を震え上がらせる。怪獣や妖怪の類いが目から破壊的な光線を発射するのは、映画ファンにとって当たり前の光景であろう。香港とか東南アジアの格闘技映画でも、達人や猛者は眼力を目から放射して、相手を吹き飛ばす。実にバカげたシーンだが、観客がそれを「おおお」と感心しながら見てしまうのは、目にはそうした形而上学的な力が宿っていると、所与の事実として受け入れているからだろう。

ここ数年、八〇年代インドネシアのＢＣ級ホラーや格闘技映画をまとめて見ているのだが、〝眼力光線〟は当たり前の技として、どの映画にも登場する。目には多かれ少なかれ、対象を破壊する力が宿っているので、格闘技の猛者がそうしているように、鍛えることによってどんどん強くなるのではないか。睨み付ける練習を、私もしてみようかなどと思ったりするが、困ることが一つある。

私は原稿書きで、しかも理性でなく気合いで書くタイプだ。気合いが籠もって心がアッチの世界に入ってしまうほど、原稿に説得力が出て面白くなる——とすると、原稿に集中すればするほど、強力な眼力光線をラップトップのスクリーンに浴びせることになるのではないか。ついには、壊してしまうのでは。

紙で書いているなら、眼力光線の強さは問題ではない。四百字ごとに、原稿用紙をどんどん捲って行くから。が、ラップトップのスクリーンは捲られることなく、書き始めて書き終わるまで、ずっと強力な眼力光線を浴びることになる。

同じことは、読書にも言える。数年前から、電子書籍も読むようになり、今では紙の本よりもたくさん読んでいるのではないか。特にマンガは、全部電子だ。

私は本を読む時も、登場人物や出来事に感情移入して切歯扼腕したり小躍りしたり、笑ったり怒ったり泣いたりする。活字を追う目にはそれだけ気合いが籠り、まるでレンズの焦点が合うみたいに眼力をその箇所に浴びせている。紙の本であれば、そのページのその箇所に眼力が当たるのはほんの一瞬、面白ければ面白いほどどんどんページを捲って行く。本のページが焼き切れることはない。

電子書籍だとどういうことになるか……スマホないしタブレットで読むわけだが、ページをどんどん捲っても、スクリーンは同じだ。強力な眼力光線が、一面しかないスクリーンに照射され続ける。スマホないしタブレットは所有者の激しい気力に驚き狼狽え、慌てふためき、怯えて縮こまり、ついにシャットダウンしてしまうのではないか。

私はアレクサンドル・デュマとかドストエフスキーとか、アルフレッド・ベスターとかノーマン・スピンラッドとかの、力技で書かれた大ロマンが好きだ。これらの本を読む際には、眼力はひときわ強くなると思われる。対して、ヌーヴォロマンとか本格推理とか、気合いでなく理性で、知識で読む類いの本なら、眼力は籠もらないから、最新の精密電子機器に優しいのだろうなあ。

そんな風に考えると……ゲーム・マニアのパソコンやスマホなど、悲惨な目に遭っているのではないか。

私はコンピュータ・ゲームを全くやらないからよく分からない。いや、今から三十年以上前の八〇年代半ばに、ほんの一時期ハマったことがあった。「ウィザードリィ」とか「ウルティマ」とか、「ザナドゥ」だったか何だったか名前を忘れてしまったが単純なアクションを繰り返すが故に罠に掛かったみたいに止められなくなるゲームとか……人生で最も原稿依頼の集中した時期だったが、それを放り出し、一晩置きに徹夜をして、キーボードを叩きまくったものだった。指先に気合いが入り過ぎて、スクリーンより先にキーボードがダメになり掛けた。こんなことを続けてはゲーム中毒になってしまう。せっかくアル中から立ち直ったのに、今度はゲーム中毒か――いかん、もう止めよう――以来、コンピュータ・ゲームには全く触れなくなった。格闘技ゲームとか、物凄い眼力を伴うと思う。RPGってのは、どうなのかな。気力より頭を使うのだと思うが、やはり強力な眼力を伴うのだろうか。

不幸を忘れる方法

大学生になるかならないかの頃、七〇年代の前半から半ばに掛けてのこと。牧神社とか薔薇十字社とか、三一書房とか桃源社とか、ケッタイな会社がいっぱいあって、今や何処も出さないであろうケッタイな本がどんどん出ていた。筑摩書房とか白水社とか現代思潮社とか、ちゃんとした出版社からもマニアな本が出ていた。それらを、片っ端から仕込んで読んだものだった。

そんな中の一冊に、松永延造の「夢を喰ふ人」ってのがあった。厄介な病気で寝た切りの生活をしていた作者が、自分自身の体験とか思いを小説として綴っていた。私小説ファンタジーとでも呼ぼうか、お気に入りの一冊だった。

★松永延造『夢を喰う人』(桃源社)

やはり"眼の力"にまつわる一節があって、感銘を受けた。〈不幸を滅却する方法〉、そんな風に名付けられた一節だったと記憶する。

もし悲しいこと、辛いこと、苦しいことがあったら、何でも良いから目の前のどこか一点をジッと見詰める。周囲に見えるすべてを、その一点に向かって縮めて行く。押し潰し、固めて、点にしてしまう。それに成功した時には、不幸も消えている——とか何とか。重い病いを患って寝た切りだった松永ならではの、方法論であろう。

これも、大変に重要な眼力の使い道なのではないか。この本を読んで以来、私も時折り実行してみる。が、修行が足りないのだろう。一点に固める前に癇癪を起こしてしまって、なかなか上手く行かない。

幻想の視覚

そんなこんな、北杜夫の「怪盗ジバゴ」によって〝眼力〟に興味を持って以来、眼にまつわるエピソードがあると、メモを取るようになった。

大学生の時、〈眼力理論〉の構築を思い付いた。眼力がいかに人間の生活に、生き方に大きな影響を与えているかを、古今東西の歴史を振り返って証明しようというもの。さすが無知蒙昧で世間知らずの大学生、古今東西の知識をまとめようなんて、厚かましいことを思い付くものだ。古事記日本書紀からギリシャ神話、ウパニシャッド哲学、ギルガメシュ叙事詩、ポポルブフ……錬金術や黒魔術、秘密結社……中世の文学や近代文学……読める限りの本を読み（日本語しか判らんが）、己が体験も振り返り（子供のくせに）、眼力にまつわるエピソードを集めれば、面白い〝原理〟なり〝法則〟なりを発見できるのではないか。

この作業を続けていたら、カルト的にバカげた、トチ狂って面白い〝辞典〟みたいな本を作れたかもしれない。が、間もなくアルコール耽溺の方向に逸脱し、作業を中断してしまった。ノートにびっしり書き込みを作ってファイルし、相当の厚さになっていたが、家庭の事情で紛失。仮に家庭の事情がなくても、ロンドンに引っ越したりインドネシアに住んでみたり、そんな転々とした生活をしていては、失くなるのは時間の問題だった。

蛇足ながら、バタイユの「眼球譚」、あれなど眼力理論の格好の素材になりそうに思えた。当時読んではいたのだが、なぜか眼力理論には繰り込まなかった。なぜだろう——つい先日、電子書籍でこれを仕込んだので、数十年ぶりに再読。なぜ食指を唆られなかったか、納得が行った。あれは、〝目ん玉〟と〝金玉〟と〝玉子〟の相関関係の話だった。〝見る〟ことを重視してはいるが、目ん玉から放射されるバカバカしい眼力光線には、あんまり関係なかった。

眼力理論と並行して、思い付いていた理論がもう一つ。

「宇宙は球に内接した正四面体である」と、これを証明したかった。名付けて〈正四面体の宇宙論〉。

大学生当時の私は、宇宙論なるものに強い憧れを感じていた。ポーの「ユリイカ」とフーリエの「四運動の理論」が大好きだった。やはり大好きだった稲垣足穂が、ポーに対するオマージュで「僕のユリイカ」ってのを書いているのを読んで、自分も〝僕のユリイカ〟を作ろうと思い立った。そしてでっち上げたのが、〈球に内接した正四面体の宇宙〉だった。

球というのは、表面積を最小にして体積を最大にした形である（ホントかな）。表面積を最大にして体積を最小にしたのが正四面体である（同じく）。だったら、球に正四面体を内接させれば、そこに宇宙を封じ込められるのではないか。まあ、どっちがどっちに内接しても、どっちでも良いようなものだが、体積が最大になるのは球なのだから、球が外側の方がピンと来る。それに形として思い浮かべた時、球の中に正四面体があった方が〝絵〟になるし、コロコロ転がって面白いではないか——そんないい加減なことから思い付いたのだが、当時の私はベルグソン哲学の信奉者で、〈直感＝直観〉を思考原理にしていた。

　物事の本質は〈四〉であり、すべては〈四〉で説明される。が、本質が形を取って表出するときには〈三〉となる。どんな物事からでも〈三〉を抽出できるし、それの本質を探ると〈四〉が顕現する。そうならないものは、ただの虚妄であり存在しない。

　そう勝手に決めて、眼力理論の時と同じく、読んだ本とか自分の体験から、〈三〉と〈四〉にまつわる事例を片っ端からメモした。「四運動の理論」は題名からしてまさに私の宇宙論の根拠であるし、ヴィーコって哲学者の……何って本だったかな、〈世界の名著〉シリーズに収録されていた……そうそう、「新しい学」って本だった。目次を見ただけで〈三〉がこれでもかと並んでおり、私を狂喜させたものだった。

　キリスト教の三位一体は、本当は四位一体なのだと、何かのオカルト本で読んで、ただちに収集。エジプトのピラミッドの側壁は三角形だが、底面は四角形である。ヘーゲル弁証法によるなら、事物は〝正・反・合〟の三段階を繰り返すとされるが、それには〈螺旋〉という四番目の要素が必要で、それを加えたものがマルクス主義哲学である――そんな風に聞き齧ったりでっち上げたりして、エピソードを集めまくったものだった。

　そのファイルした分厚いノートも、眼力ノートと諸共に、「クダラナイ、馬鹿なことは書かないで。あなた、どうして、村上春樹や村上龍みたいなことを書けないのよ」と責められ、二回目の奥さんに捨てられた。

　昔、「幻影城」で原稿を書き始めた時、島崎編集長に「君も長編評論を書いてご覧」ってことで、「幻想の視覚」というタイトルの本を書くことにした。〝視覚〟という単語があるごとく、眼力を取り込んだ原稿だった。「幻影城」誌の広告ページにずっと近刊予告が告知されていたので、嘘ではない。

　私の大好きな〝変格〟作家を十二人――夢野久作とか国枝史郎、橘外雄、小栗虫太郎、蘭郁二郎、香山茂、久生十蘭……松永延造や村山槐多も扱った。彼らの作品群から〈三〉を見出しつつ、三人ずつ四つのグループに色分け、通して読むと〈正四面体の宇宙論〉になっている本だった。そして万物は〝線〟と〝色〟から成り立っているわけだが、そこから〝形〟を読み取るのは眼力によるとまとめた。

　原稿は、推敲に推敲を重ねて、二年か三年くらい掛けて完成した。五百枚になっていた。島崎さんは無言で受け取ってくれたのだが、幻影城が倒産したのはそれから二週間後だった。原稿がどうなったのか、私は知らない。

　何度も書き直し、ついには四百字詰め原稿用紙を切り貼りしていた。会社の内部事情など超新人の私などが知るはずはなく、原稿が失くなるなんて思いもしないから、コピーなど取ってない。そもそもコピー代もない。倒産と聞いてすぐに取り戻しに行く、そんな頭さえ回らなかった。

　しかし、ショックはなかったなあ。しょうもない、勝手な思い込みの原稿だと自分で判っていたのだろう。何より、すでに酒の世界にどっぷり嵌まり込みつつあり、原稿よりも酒の方がずっと大事になっていた。

　酒を断ち、十年後くらいに再び書き始めた時には、全く異なる原稿を書いていた。

　今回の特集テーマが〈目ないし眼球〉と聞いて、不意に昔のことを思い出したので、書いてみました。今も時々、あの宇宙論を、改めて作り直したら面白いかなと思ったりはする……勿体なかったかな、あのノート・ファイルと「幻想の視覚」生原稿……

窃視者の恍惚と不安
——『裏窓』『トゥルーマン・ショー』『LOOK』など、映画から考えた覗き見の功罪

◎文＝浦野玲子

見るために両瞼をふかく裂かむとす
剃刀の刃に地平をうつし
寺山修司

覗き見の秘かな愉しみ

フェルメールも使っていたという暗箱＝カメラオブスキュラの時代から、人類は他人の生活、プライバシーを覗きたいという欲求を強めたのではないかと思うことがある。

古典的な西欧絵画は神話や伝説などをテーマに描いたものが多いが、フェルメールの作品は「手紙を読む女」や「恋文」、「真珠の首飾りの女」をはじめ、若い女性が窓辺で手紙を読んだり、物思いにふけったり、室内での個人的生活を描いたものが多いような気がする。そんな物語性のある情景を「家政婦は見た」的な視点、構図で描いているようだ。

カメラオブスキュラは、遠近法や写実的な絵画技法だけでなく、暗箱のピンホールから特定の人物や光景を覗き見するという愉悦をもたらしたのではないだろうか？

★『裏窓』

カメラオブスキュラから発展した写真や映画の技術。その先駆者、エジソンが発明した「キネトスコープ」は、まさに覗き箱のような形状で、ひとりずつ覗き穴から動く映像を鑑賞するものだった。

だが、このスタイルでは効率や収益性が低く、リュミエール兄弟が開発した「シネマトグラフ」が映画の主流になった。大きなスクリーンに映写することで、一度に多くの人間が鑑賞できるようになったのだ。ただ、こちらは会場が暗くなければならない。映画とは、その暗がりのなかで他人の生活（フィクションと承知の上だが）や珍奇な見世物を覗き見する装置といえるではないか。

他人のリアルな暮らしぶりや生態を知りたい、覗き見たいという欲求は多くの人が持っている。その極端な例が「出歯亀」や「ピーピング・トム」だろう。だが、覗き行為は古今東西、（軽微かもしれないが）犯罪とみなされている。これだと、ポルノ映画の観客なんて全員「出歯亀」、総窃視者ということになってしまうかもしれない。

余談だが、出歯亀の語源は明治時代、女湯覗きの常習者が欲情し、入浴帰りの女性を強姦殺害した事件にあるという。その犯人が出っ歯の亀太郎という男だったため、以来、覗きや変質者のことを出歯亀と呼ぶようになったのだという（諸説あり）。英語圏のピーピング・トムも似たような由来だ。

江戸川乱歩の『人間椅子』や『屋根裏の散歩者』、『押絵と旅する男』などのヘンタイ的登場人物も出歯亀、ピーピング・トムのイレギュラーな形だろう。

サスペンス映画の巨匠、アルフレッド・ヒッチコックの『裏窓』は、ずばり覗き見をテーマにした作品として有名だ。

主人公はカメラマンのジェフ（ジェームズ・スチュアートが演じている）。彼は撮影中の事故で片足を骨折して車いす生活をおくっている。舞台は、まだエアコンが普及していなかった１９５０年代

ニューヨークのアパートの一室。ジェフは退屈しのぎに向かい側のアパートの部屋を眺めている。

エアコンがないから、いずれの部屋も窓は開けっぱなし。なかには、暑さのあまり非常階段の踊り場にマットレスを持ち出して寝ている夫婦がいる。また、毎晩、不特定多数の男たちを招いて「パパ活」をしている若いダンサーや新婚の夫婦、孤独な中年女、売れない作曲家などがいる。

そのなかに、毎日言い争いの絶えない中年夫婦の部屋がある。ある日、その妻の姿が急に見えなくなる。そして、夜中に夫がトランクを持ち、何回も出入りを繰り返す。翌朝、不審に思ったジェフが仕事道具の望遠レンズで夫婦の部屋を覗くと、夫は包丁やノコギリを新聞紙に包んでいる。また、浴室の壁を熱心に洗い流したりしている。

これが、ジェフと美しい恋人リサ（グレース・ケリー）、通いの看護師をまきこんだ恐怖の事件に発展する。ジェフの興味本位の覗き行為は殺人事件を暴き出すいっぽう、リサはもちろん、覗かれていることに気づいた犯人からジェフ自身が命を狙われてしまう。だが、最後は一件落着。ハラハラ、ドキドキしながらジェフたちの行動を見ていた私たちもカタルシスを得ることができる。

これは、映画の登場人物の覗き行為＝窃視を、さらに観客の私たちが覗き見しているという構成。観客は出歯亀を覗き見する、さらに罪深い窃視者であり、共犯者なのかもしれない。

映画の中でもジェフは看護師に「そんな出歯亀のようなことはおやめなさい。6か月の禁固刑よ」云々と諌められている。窃視はれっきとした犯罪。そのことを十分に心得たうえで、ヒッチコックは観客を巻き込んだ極上のエンターテインメントをつくり上げているのだ。

さらにいえば、『裏窓』は、映画の本質は窃視にほかならないということを伝える、皮肉屋ヒッチコックの「メタ映画」なのかもしれない。

メタ映画と言えば、マイケル・パウエル監督の『血を吸うカメラ』（原題は「ピーピング・トム」）も忘れてはならない。こちらはヒッチコック作品と違って、窃視者のダークサイド、罪深さをストレートに描いているようだ。ちなみに本作は、ヒッチコックの不朽の名作『サイコ』と同年（1960年）に公開された。それが災いしたか、それほどヒットしなかったという。

★『血を吸うカメラ』

『血を吸うカメラ』は、人間の恐怖心理を研究する父親のもとで、恐怖実験の被験者として幼時を過ごした青年の姿を描いたサイコスリラー。青年は映画の撮影カメラマンとして働いているが、その裏の姿はカメラ殺人鬼とでもいうべきものだった。

彼は、カメラの三脚台にナイフを仕込み、狙った女性を「モデルになってくれ」云々と言葉巧みに誘い出し、撮影中に刺殺する。そして、恐怖と苦痛のうちに死を迎える女性の苦悶の表情に恍惚し、性的エクスタシーに達するのだ。これぞ覗きの最高の快楽かもしれない。

この歪んだ性癖は、父親の実験対象となった幼児期のトラウマにほかならない。この父親の役を、マイケル・パウエル監督自身が演じている。

このことは、映画の窃視性、興味本位に殺人や戦争や恋愛やらを面白おかしく演出し、覗き趣味的映画ファンに供してきた自分への自己言及なのだろうか。また、セックス、スピード、バイオレンスと、しだいに覗きの欲求が過激化する観客への皮肉を込めたのだろうか。

そもそもマイケル・パウエルといえば、アンデルセンの童話をモチーフにした極彩色の『赤い靴』という作品が有名。靴作りの名人が精魂込めて作り上げた赤いトゥシューズを手に入れた踊り子。これを履けば名バレリーナになれるが、その代償として死ぬまで踊り続けなければならないという悲しい物語だ。

この『赤い靴』のヒロインを演じたモイラ・シア

ラーを、『血を吸うカメラ』では被害者の一人として起用している。美貌のバレリーナから小ジワの増えた中年のモイラ・シアラーの恐怖の顔をアップにして使うとは、なんて意地悪なんだ！

ミケランジェロ・アントニオーニ監督の『欲望』は、『裏窓』や『血を吸うカメラ』の系譜につながる映画だ。原題は「BLOW-UP」。これは、第一義的な「爆発」と、写真用語である「引き伸ばし」のダブルミーニングだろう。

主人公は人気ファッション・カメラマンのトーマス。50年以上前のファッション・カメラマンもいまと変わらずチャラいイメージで、「いいね、いいね」とかいいながら、若く美しいモデルたちを脱がせたり、エロティックなポーズをとらせたり、よろしくやっている。その中には若き日のジェーン・バーキンもいる。

トーマスは、ある日、深夜の公園で戯れる中年男と若い女性（ヴァネッサ・レッドグローブ）の姿を盗み取りする。これに女性が気づき、トーマスにそのフィルムを渡すよう懇願する。トーマスは、彼女に「ヌードを撮らせてくれたら渡す」と迫ると、彼女はあっさり脱いだ。それにこたえてトーマスはフィルムを渡すが、実は本物とすり替えた別のフィルムだった。

その後、本物のフィルムを現像して引き伸ばすと、そこには中年男の死体や、拳銃を構えた男の姿が映っていた。退屈しのぎの窃視や盗撮が、自業自得かどうか、不可思議な殺人事件に巻き込まれ、追い詰められていく…という不条理サスペンス映画だ。

余談だが、フランシス・F・コッポラ監督の『カンバセーション…盗聴…』という作品がある。これは視線や視覚ではなく、聴覚にまつわる物語。窃視、盗撮ではなく、盗聴を生業とする男の悲劇を描いている。

ジーン・ハックマン演じる主人公は、盗聴の依頼者にとって不都合な情報を盗聴したらしく、殺人事件に巻き込まれてしまう。そして、得体のしれない相手から自分の私生活が盗聴や監視されているのではないか？という疑念を抱き、しだいに狂気ともいえる被害妄想に陥っていく。

窃視や盗聴で他人のプライバシーを掌握し、その人より自分が上にいるような錯覚を抱いていたが、一挙に立場が逆転する恐怖。そんなことを考えると、どこの誰が覗いているかもしれないフェイスブックやツイッターやインスタグラムなど、ソーシャルメディアネットワークに自分のプライバシーをさらけ出す（加工はしているだろうが）人たちは大丈夫だろうかと老婆心で思ってしまう。

リアリティ番組とフェイクニュース

2020年のアメリカ合衆国大統領選挙は、なんだか安っぽいバラエティショーを見ているようだった。自分の国でもテレビのニュース番組（バラエティ化している）は、茶番というか詭弁というか、与野党問わず政治家の嘘くさく、受け狙いのコメントや答弁ばかりがピックアップされているようで、よそ様の国をあれこれ言い募るのは気が引ける。

だが、それにしてもアメリカ、とくにドナルド・トランプの下品さ、いい加減さ、俗悪さは目に余るものがあった。「消毒剤を注射すればコロナもイチコロ」なんて発言したときは、失笑どころか腰を抜かしてしまった（日本でもイソジンでうがいすればコロナにかかりにくい云々と言った知事もいたが）。こういうのを「悪目立ち」というのだろうか？

このトランプを熱烈支持する人々もずいぶんと多いようで、「自由の国アメリカ」（幻想にすぎないかもしれないが）の政治や人々も劣化が進んでいるのだろうか？と首をかしげてしまう。

不動産屋上がりのトランプは、いわばディール（取引・駆け引き）の天才的な狡猾さで超大国アメリカの大統領にまで上り詰めたのだろう。

その要因のひとつは、トランプがリアリティ番組『アプレンティス』の司会者として人気を集め、一挙に知名度を高めたことといわれる。「おまえはクビだ！」という決めゼリフは流行語にもなった。彼は、この『アプレンティス』でテレビの視聴者を手玉に取るスキルを熟知したのだろう。

さらにトランプの得意技は、他人の意見や報道を「フェイク」呼ばわりすること。彼自身がツイッターなどでフェイクニュースを垂れ流しているような気もするが、自分に都合の悪いことはすべてフェイクニュースと断じる。「真実なんてもはやどうでもいい。とことん、相手を罵り、でっちあげであっても言い募ったほうが勝ち」というようなセリフが、『グッド・ファイト』というアメリカの弁護士もののテレビドラマにあった。リアリティとフェイクは紙一重か?

もちろん、価値観はひとそれぞれ。完全無欠の客観性などはなく、だれもがある種の偏見、バイアスをもってこの世界を見ている。だからこそ、猫も杓子も「エビデンス、エビデンス、エビデンス!」と口を酸っぱくして言うようになったのだろう。

テレビのリアリティ番組は手を変え品を変え、世界中で量産されているようだ。たとえば、1970年代のロックバンド「ブラック・サバス」のジミー・オズボーンが21世紀の若者にも知られているのは、『オズボーンズ』というリアリティ番組で、家族のハチャメチャな日常生活をさらけ出したからだろう。

日本でもつい最近『テラスハウス』という男女の疑似恋愛リアリティ番組の出演者の一人である女子プロレスラーの言動が炎上し、ついには彼女が自殺してしまうという悲劇も起きた。

リアリティショーは、古くは「白黒ショー」という男女の性交実演を覗き見るという趣向のお座敷芸(もちろん違法行為)までさかのぼるのかもしれない。いまはすっかり老婆役が板についた桃井かおりも、50年前は『あらかじめ失われた恋人たちよ』(清水邦夫脚本・田原総一朗監督)という映画で、無理やり白黒ショーをやらされる若くピュアな聾唖女性を演じていた。

さて、トランプが一躍有名になったテレビのリアリティ番組。その功罪を問うかのような映画が1998年公開の『トゥルーマン・ショー』ではないかと思う。

★『トゥルーマン・ショー』

監督はオーストラリア出身のピーター・ウィアー。少女たちが岩山で謎の失踪を遂げる『ピクニックatハンギングロック』、怪しい水道配管工が日ごとに家を破壊していく『プラマー』、アーミッシュの人々との絶望的なディスコミュニケーションを描いた『刑事ジョン・ブック 目撃者』など、不条理感漂う映画作りに定評がある。

『トゥルーマン・ショー』の主役、トゥルーマンを演じたのは『マスク』などのコメディ映画で知られるジム・キャリー。本作は、彼が演じるトゥルーマンという青年の日常生活をひたすら映し続けるリアリティ番組という設定だ。

トゥルーマンの誕生から成人するまでの記録を24時間365日、リアルタイムで放映し続け、はや30年。これがドキュメンタリー番組ではなく、彼が住む町も妻も隣人もその他大勢の市民もショッピングセンターもオフィスもすべて虚構、芝居の装置ということ。それを知らぬはトゥルーマン本人だけだ。

話はそれるが、NHKで『7年ごとの記録』というドキュメンタリーが数年前まで放映されていた。これは、イギリスのある放送局が1960年代に始めたテレビ番組にならったもの。イギリス版では、労働者階級から上流階級までさまざまな生育環境の少年少女たちを対象に、物心のつく7歳から7年ごとにその成長の過程を追っていく。

視聴者は、あどけない少年少女たちがちょいワルになったり、結婚して母親になったり、ホームレスになったり、勤勉な労働者になったりする姿を7年ごとに確認する。

だが、長じるにつれ、シリアスな実人生のせいか、他人にプライバシーを覗き見されるのがいやになったのか、撮影の対象になることを拒否する人たちが多くなったようで、記録はある時期打ち止めになった。

それから何年かたって『56歳になりました』とし

て復活し、日本でも放映された。彼らと同世代の筆者は、それぞれ人生の荒波をくぐりぬけ、老境にさしかかった彼らの姿を自分の人生と重ね合わせ、感慨深いものがあった。

ＮＨＫの『7年ごとの記録』のメンバーには、いまやテレビにラジオにひっぱりだこの歌舞伎役者、尾上松也もいた。7歳、14歳、21歳、28歳まで続いていたが、28歳編には松也は出ていなかったようだ（芸能活動が忙しくなったのか、それとも一重瞼がいつのまにかくっきり二重になっていた不自然さを隠ぺいするためか?）。

かくいう私も気の長い視聴者で、20年間、彼らの成長の記録を見て来た。他人の生活の覗き見ではあるが、わが子の成長を見守るような気持ちもあり、人は年齢や生育環境によって、どんな表情や仕草や言語を習得していくかといった経年変化を観察するような楽しみもあった。

さて、『トゥルーマン・ショー』の主人公は、あるとき自分以外、すべて作り物の世界にいることに気づく。さらにアメリカ全土にその姿が放映されていることに驚愕する。アイデンティティ・クライシスに陥る。もはや何がリアルで、何が虚構＝フェイクであるか区別がつかない。

その姿すら、視聴者にとっては（ひまつぶしの）鑑賞＝窃視の対象にすぎない。いや、それ以上に「他人の不幸は蜜の味」、他人の生活を覗き見することで、わずかばかり優位性を感じたり、神の視点に立ったりすることができるかもしれない。

大きく目をつぶれ

フィリップ・K・ディックの短編が原作の『マイノリティ・リポート』という映画がある。主演はトム・クルーズ、監督はスティーヴン・スピルバーグ。そのせいかどうか、仕掛けは仰々しくエンターテインメント性たっぷりだが、なんだか底が浅く思える。

たとえば、網膜スキャンによる人物認証を阻止するため自分の目玉をくりぬいて他人の眼球を移植したり、抉り出した眼球（ビニール袋入り）をごろっと網膜スキャンにかけ、それが難なく認証されたりする。素人でも「生体認証ちゃうんかい！」とかツッコミたくなるではないか。

とはいえ、ディックの原作で描かれた「犯罪予防システム」が現実化しつつある現在の監視カメラ社会を先取りするような内容ではあった。

『マイノリティ・リポート』では、「プレコグ」という超能力者が幻視するいわば「予知夢」により犯罪予防システムが運営されている。おかげで犯罪は未遂だが、未来の殺人犯と予知された人物は問答無用に逮捕され、有無を言わさず投獄される。カフカの『審判』さながらに理不尽であり、不条理な世界だ。

シカゴ市警など、アメリカの一部の警察ではこの犯罪予防システムもどきの「犯罪予測プログラム」が導入されているという。それはプレコグではなく、ＡＩ（人工知能）やビッグデータを活用したもの。監視カメラや過去の犯罪データを収集・分析し、犯罪が起こる可能性のある地域を重点的にパトロールする。その結果、犯罪発生率が減少したという。

現代の監視カメラ社会をドキュメンタリー風に描いた『LOOK』（アダム・リフキン監督）という映画もある。これは全編、実際の監視カメラで撮影されたという。

女子高生や教師、スーパーのマネージャー、コンビニ店員などの日常生活を監視カメラで隠し撮りしたという体で、同時多発的にいくつものドラマが展開するロバート・アルトマンばりの群像劇だ。

登場人物たちの行為はエロ・グロ・ナンセンス。何年か前に問題化したSNS上の「バイト・テロ」や

★『LOOK』

「自撮り猥褻画像」や同僚教員を苛める様子をスマホ撮影していた「パワハラ教師」などにも通じるものだ。

『LOOK』は十数年前の作品だが、そこに登場する女子高生やコンビニ店員や殺人犯でさえ、もはや監視カメラの存在を気にしていないように見える。それどころか、監視カメラの前であえて万引きをやったり、暴力をふるったり、ロックスターばりにポーズをとったり、やりたい放題。もう、監視カメラがどこにでもありすぎて、当たり前すぎて、監視社会や管理社会のディストピア性といった概念さえすっ飛んでしまい、モラルの底が抜けてしまったようだ。

これは、監視カメラを視る人間、さらにはこれらの愚行を窃視者のように興味本位で眺めている私たち観客への揶揄や挑発なのだろうか?

最後に、筆者が超リスペクトする映像作家のひとりスタンリー・キューブリックが手掛けた『アイズ・ワイド・シャット』について書き留めておきたい。

キューブリックは、『2001年宇宙の旅』や『時計じかけのオレンジ』、『シャイニング』、『バリー・リンドン』など、実験的でスタイリッシュなカメラワークや撮影テクニックで観客を刮目させてきた。

彼は『Look』というアメリカのグラフィック誌の若き専属カメラマンとしてキャリアをスタートさせた。もともと突出した「カメラ・アイ」(というゴダールの映画もあった)の持ち主だったのだ。

★『アイズ・ワイド・シャット』

そのキューブリックの遺作が1999年の『アイズ・ワイド・シャット』なのだ。主演はトム・クルーズとニコール・キッドマン。ふたりは倦怠期を迎えた夫婦という役柄。彼らは撮影当時、私生活でも実際の夫婦だった。

個人的にはキューブリックらしからぬ冗長な感じの映画だったと思う。サバトもどきの秘密の儀式を経て行われる各界セレブたちの乱交パーティや、当時は死に至る不道徳な病とされていたエイズの恐怖が取り上げられたりしていた。だが、なによりもトムとニコールというハリウッドセレブの私生活、セックスの様子を覗き見するようなミーハー的欲求がヒットの要因だったのではないかと思う。ただ、彼らは美男美女の理想的カップルなので、隠微で俗悪な官能性は減じてしまったような気もする。

本作は端的にいえば、妻が浮気しているのではないか、ほかの男に抱かれているのではないかと疑念を持った男の地獄めぐりのような物語。原作は、退廃的な世紀末ウィーン文化の影響を受けたオーストリア人作家シュニッツラーの『夢小説』という。

「アイズ・ワイド・シャット」=目を大きくつぶれというタイトルは、「アイズ・ワイド・オープン」=目を大きく見開いて(真実を視よ)的な慣用句のもじりという。そこには、夫婦の浮気をはじめ、日々の些細な事柄、多少のことは余計な詮索をせず、あえて見過ごせといった意味が込められているのかもしれない。

たしかに、世の中は目に余ることや目を覆いたくなる事柄があふれかえっている。これらにいちいち目くじらを立てていては心身が消耗するばかりだ。そういえば、法をつかさどる「正義の女神」も目隠しをされているではないか。

何がフェイクで、何がリアルか。正邪の見分けもつかないこの世界をなんとかやり過ごすために、そうだ、今こそアイズ・ワイド・シャット!

★正義の女神

「屋根裏の散歩者」の愉悦

——無人格の視座のもどかしさが生む快楽

◎文＝待兼音二郎

★江戸川乱歩『屋根裏の散歩者』（春陽堂書店・江戸川乱歩文庫）

★ゲイ・タリーズ『覗くモーテル 観察日誌』（文春文庫）

路線バスの信号停止でふと頭をめぐらし、沿道の飲食店や商店の奥のほうまでが見通せることにはっとした経験はないか？ バスの窓は位置が高いので斜め上から見おろす形になり、覗かれているとはつゆ思わぬ人々の日常がたまゆら垣間見える。この視座にいささかでも愉悦をおぼえたなら、あなたにも窃視者の素質があるのかもしれない。

ならば窃視の愉悦とはなんだろうか？ すぐに浮かぶのは出歯亀やピーピングトムのような性的興奮である。これを扱ったエンタメ小説で手に取りやすいのはやはり江戸川乱歩の諸作品で、「パノラマ島奇談」や「蟲」などに窃視の性的快楽が描かれている。けれども、覗き行為そのものを主題としたことで群を抜くのが、「屋根裏の散歩者」（一九二五年）ではないだろうか。

大正の末の東京で、犯罪への憧れを募らせた高等遊民の青年が、下宿屋の押し入れの天井板を外して天井裏の散策をすることに退屈しのぎの愉しみを見いだす。そうして天井の節穴から虫の好かない歯科助手の男の寝姿を覗くうちに、青年は節穴を利用した完全犯罪を思い立ち、駆け出し時代の明智小五郎が登場して事件解決に至る。この短篇がベタな覗きネタでありながら今なお輝きを保っているのは、節穴ゆえの制約と、それを克服する犯人の苦心、それを克明に描くことに集中しているからではあるまいか。それが覗きの位置関係を立体視できる視座に読者を誘い、犯人の息づかいや胸の内までが身に迫ってくる心地がしてくる。

あえて窃視者の心理には深入りせずに、状況を描くことに集中する。それがかえって心理を濃厚に匂い立たせる効果を発揮する。これはひとつの鉱脈の発見とも言えそうだ。

そしてもうひとつ、指摘しておきたいのは、「屋根裏の散歩者」には性的な覗きの場面が一切描かれていないことだ。つまり、窃視の愉悦はエロ要素抜きでも成立しうるということであり、これもまた重要な発見である。

乱歩の短篇はもちろん創作だが、驚くなかれ、同様の覗きを実践した男の記録がノンフィクションとして刊行されている。『覗くモーテル 観察日誌』（ゲイ・タリーズ著、白石朗訳、二〇一七年文藝春秋刊）である。

ジェラルド・フースという既婚男性が一九六六年にアリゾナ州のモーテルを買い取ってから妻の協力も得て、天井の穴から長年痴態を覗きつづけた記録を、有名ノンフィクション作家が本人への取材も元にまとめたものだ。フースが三十二歳だった六六年から、四〇代半ばになった七〇年代末までの覗きの記録が収められている。

フースはモーテル経営者としてフロントに立ち、好印象のカップルや女性客が訪れるやそそくさと屋根裏にのぼって穴から覗いて息を殺し、眼下の性交や自慰行為が宴たけなわとなるやみずからも自慰にふけりつつ、メモに記録をとり続けた。

つまりは出歯亀行為の記録であり、明白な犯罪である。そんなものが出版されたのは、原著の刊行が二〇一六年と一連の覗きから少なくとも三十数年は経ており、しかも文章のみの記録で、窃視対象のプライバシーもかろうじて保たれてあることから、ぎりぎりセーフと著者が判断したことによる。

で、どんなキワモノかと身構えてページをひらくと、これが意外と読ませるのだ。まず詳述されるのは、見晴らし抜群でありながら決して気づかれない覗き穴の工夫だ。このあたりの記述には建築専門書の趣すらある。

くわえて、窃視記録の筆致もじつに客観的なのである。カップルの容姿や体格が身長体重の推定値とともに書き込まれ、会話やしぐさから読みとれる仲の善し悪し、ふたりの交際がこれからどうなるかの予測までもが添えられている。もちろん、肝心な性行為の描写もふんだんにあるが、対象に接近しすぎない抑制が筆致に一貫している印象がある（そこは著者タリーズの功績なのかもしれないけれども）。

ここに筆者は「屋根裏の散歩者」との共通点を感じるのだ。屋根裏の窃視者としての興奮に書き手が囚われすぎることなく、状況を描くことに集中する。それがかえって、窃視者の心理への読者の没入を深めてくれる。フースという男は性欲に駆られるうちに図らずも、江戸川乱歩と同じ鉱脈を掘り当てていたようだ。

ただしこちらはド直球のエロであり、その点で乱歩の短篇とは根本的に異なる。とはいえ読後感が紙一重であるのは、エロと非エロの境界をまたいだ共通項が窃視の愉悦にはあるということの証左だ。ではその共通項とはいったいなにか？

それは、言うなれば、神の視点とも形容すべき全知の視座に窃視者が身を置きながらも、息を潜めて声もださず、眼下でくりひろげられる場面になんら介入できないというもどかしさではないだろうか（「屋根裏の散歩者」では介入の試みが主人公の破滅を招いたことでこの制約がむしろ強調されている）。その構図において窃視者の眼差しは無人格のカメラのごときものにならざるをえず、その歯がゆさが逆転的な快楽をもたらすのだと思うのだ。

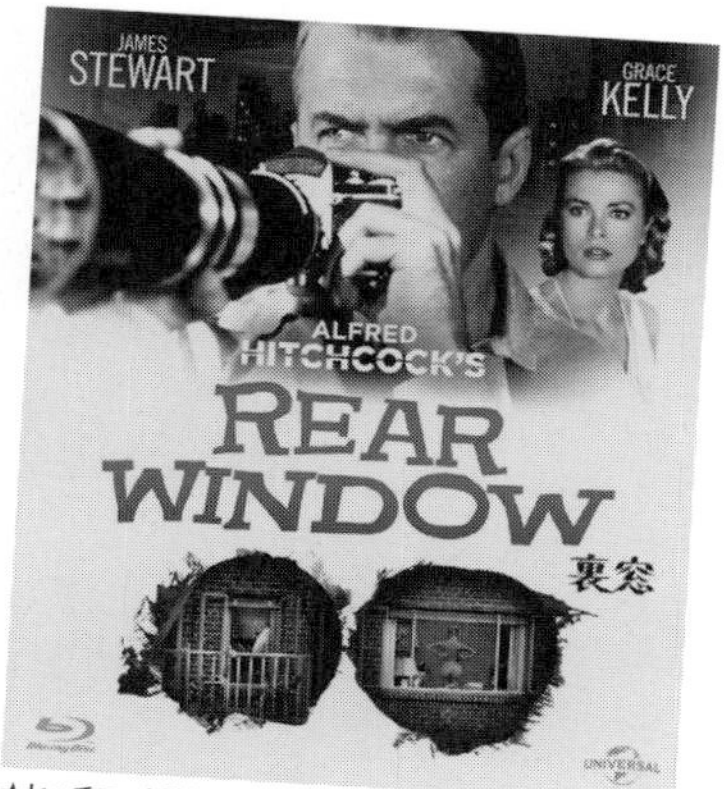

★ヒッチコック監督『裏窓』Blu-ray

窃視者が身を置くことになる無人格の視座。映像でそれを意識的に描ききって大当たりをとったのが、ヒッチコック監督の『裏窓』（1954）である。超有名作なのであらすじは省略するが、脚を骨折してギプスで固定され、部屋から出られないカメラマンの視座の制約を、カメラアングルを固定することで見事に表現している。この制約は「屋根裏の散歩者」や『覗くモーテル 観察日誌』と本質的に同一のものであり、その制約を克明に描くことが観客の没入とハラハラドキドキを高める表現上の鉱脈を掘り当てた点でも共通している。

主人公のカメラマンが裏庭越しのアパートに住む中年男性の挙動の不審さから妻の殺害を嗅ぎつけながらも、自分ひとりでは何もできないもどかしさ。それをグレース・ケリー演じる恋人を含めた協力者を通じて解消しようとしたことが主人公の身の破滅をもたらしかける点でも乱歩の短篇と共通しており、「屋根裏の散歩者」と『裏窓』は、窃視エンタメのあり方を考えるうえでテンプレートとなるべき古典と言えよう。

視姦という言葉があることからも、窃視は性暴力をもはらみうる行為だ。しかし攻撃性を奪われた無人格の視座が、エロ要素が仮になくとも愉悦をもたらしうるということは、銘記しておきたい発見である。

網膜の記憶
——犯罪捜査方法「法医学オプトグラフィー」とそこから派生した物語の数々

◎文＝浅尾典彦

ルドンの眼

ディロン・ルドンの「眼＝気球」（1878）は、彼の黒の時代の代表作だ。漆黒の平原からまさに浮かび上がったばかりの気球に、大きな目玉が一つ描いてある。

幼少のころ私はこれを見て衝撃を受けた。

この気球は何故作られたのか？

誰が乗っているのか？

どこへいくのか？

子供の私その魅力に取りつかれ、いつしか自身が目玉気球に乗ってルドンとともに空想の世界へ飛んでいた。それ以来、目に興味を持ち、また見る事で満たされるタイプの好奇心が大切にファクターとなっていった。

「ゲゲゲの鬼太郎」に出てくる〝バック・ベアード〟や「仮面の忍者・赤影」の〝無道一つ目〟にただならぬ魅力を感じたのもそれが原点かもしれない。目のイメージは大切になった。私の屋号「夢人塔」のシンボルマークは、アメリカの友人でアーティストのシーンが描いてくれたサイクロップスだが、このキャラクターの特徴も大きな一つの目なのである。「眼＝気球」は大人になってからニューヨーク近代美術館で本物を見た。

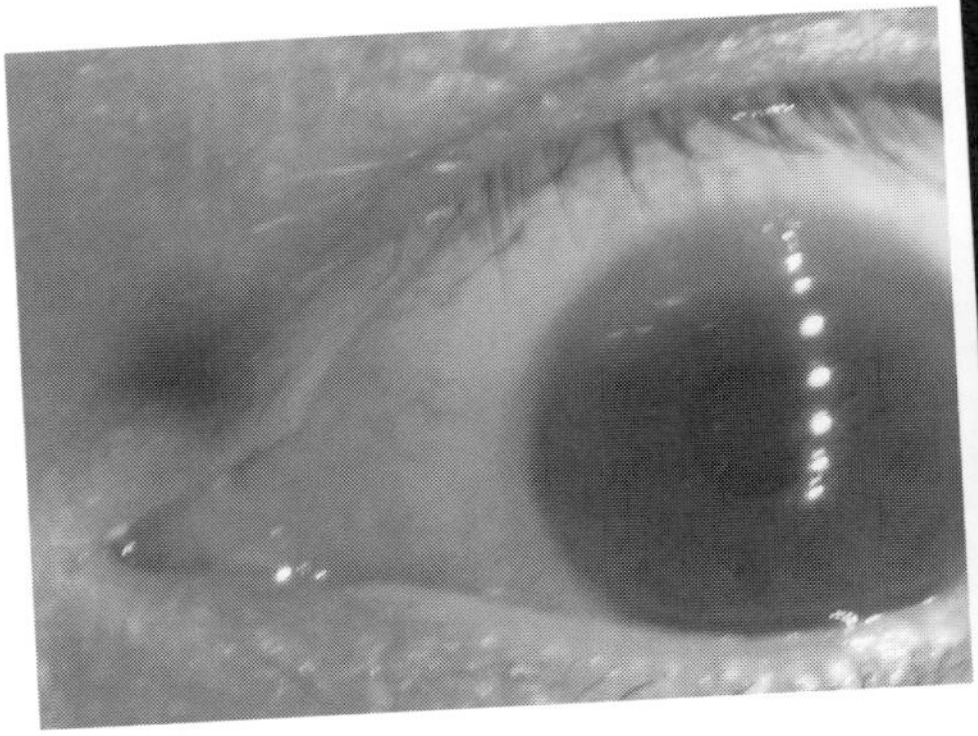

★「龍宮之使」

心の窓としての目

目は単に情報を収集するための感覚器官ではなく、本人の意思やメッセージ、生命の持つパワーが目から出ており、他人にそれを感じさせたりする。「目は口ほどにものを言う」と言うやつか。

人や動物を描く時にパワーを与えたければ、目玉を光らせる描写を入れることがある。映像では、役者を際立たせるため「アイライト」という別の光源を準備して目の中にわざわざ星を入れたりする（私の作った映画「龍宮之使」では人外女優の目に10ライトを入れた）。ウルトラマンや仮面ライダーなど日本のヒーローや怪獣には「電飾」と言って目を強く光らせるための電球が仕込んである。全て内在するパワーの表現としての目の光だ。

逆に弱さも目に出る。元気がなければ目力《めぢから》が落ち、視線も下がる。自身がなければ相手の目を見ようとしない。「映画監督がサングラスを掛けるのは威嚇ではなく撮影中の心の揺れが役者やスタッフに伝わらないようにするためだ」という説もある。

子供は目が澄んでいて、欲にまみれると目は濁ってくる。嘘をつく時人は目線をそらし、怒りも狂気も目に宿る。もちろん愛情も。

ソクラテスの弟子であり、アリストテレスの師匠でもある古代ギリシアの哲学者プラトンは言った『目は心の窓である。』と。

ものが見える医学的構造

目玉は、眼球という丸い構造の部分と視神経というひも状の部分で出来ている。奥行き約24ミリメートル、重さ約7グラムのわずか感覚器だが、この小さな器官二つで外部からの情報の80〜90%を取り込んでいるのだ。情報の窓口である眼。「見る」つまり視覚的情報が、ヒトが生きる上でいかに大きいかが知れる。

「ものが見える眼のしくみ」は、よく「カメラの構造」に例えられる。色、形、動きなど〝光〟として外部の情報がまず、眼球前部の角膜から目に入り、虹彩の中央部にある瞳孔で光の量が調節され、ピントをつかさどる水晶体を通り屈折し、透明なゲル状の硝子体《しょうし》を通過して、眼球後部の網膜にある黄斑に焦点を結び画像を浮かび上がらせる。主に網膜のことを眼底という。

網膜には光の明るさや色合いを感じとる視細胞が、1億個以上密集しており、そこに到達した光の情報は近くにある視神経で微弱な電気信号に変化させて、脳の中の後方にある視覚野に情報として伝達し、脳内で映像として再構築され認識し判断をするのだ。

カメラで言うと、角膜がレンズフィルターと凸レンズ、水晶体が中レンズ、虹彩（瞳孔）は絞り、像を結ぶ網膜（黄斑）がフィルムや撮像素子に、脳の視覚野は液晶モニターかプリントに相当する。さしずめ眼瞼《まぶた》はレンズキャップかシャッターか。これを生きて、起きている間はずっと続けているのである。

法医学オプトグラフィー

眼玉の構造がカメラの技術と似ていることから、19世紀にはオカルティックな犯罪捜査方法「法医学オプトグラフィー」が考案された。

1876年、ドイツの生理学者フランツ・クリスチャン・ボールが網膜で感知した光を脳に信号として送るのにロドプシン（視紅《しこう》）が関係することを発見した。ロドプシンに光が当たると一時的に色素がなくなり、しばらくすると再構築される。さらに酵素の命名者でもあるドイツの生理学者ウィルヘルム・キューネは、化学薬品でロドプシンの色素を修復できる方法を考案。ウサギやカエルの動物実験の結果、検体の網膜に写った「窓からの光」を網膜現像で再現させることに成功した（網膜光像という）。

つまり目玉の最後の記憶を取り出せるのだ。さすれば、殺された被害者の網膜に犯人の顔が焼き付いて写っていて、もしそれを捜査員が見ることができれば犯人逮捕に繋がる。「これが殺人事件の解決の決めてになるのでは」と、多くの人が期待を寄せた。

たしかに人間の眼球をカメラの撮影のように使うアイディアは面白かったが、しかし現実的には難しかった。網膜の残像（網膜光像）はすぐ消えてしまう。うまく再現させるには、死ぬ直前に明るい部屋で犯人の正面の顔を数分間見つめ続けなければならず、死後は眼球をすぐに取り出し、薬品につけて網膜の画像を定着させ現像する必要がある。それ以前に、死の瞬間に殺人犯の顔を見ているのか？写ったものがダイイングイメージなのか？という疑問もある。

しかし、センセーショナルなこの捜査方法は、新聞や小説で取り上げられ大流行する。眼球を潰す殺人者の事件も起きそうである。このアイディアは推理小説などに利用され、人々に現実のような誤解を与えたのだ。

ＳＦの先駆者ジュール・ヴェルヌは「法医学オプトグラフィー」により船長殺害の罪を免れる小説『キップ兄弟』（1902）を発表した。『ジャング

★ジュール・ヴェルヌ「キップ兄弟」

ル・ブック』で高名なジョゼフ・ラドヤード・キップリングなど何人かの作家たちも「法医学オプトグラフィー」をアイディアに使った。これは後に否定されるまで当時最先端の犯罪科学理論で、その影響は日本にも及んだ。

松本清張の短編集『草の径』(文芸春秋)に収録された「死者の網膜犯人像」の中に、江戸川乱歩が随筆集「幻影城」で紹介した「網膜残像」への言及があり、その理論に沿って、殺された男の眼球にホルマリン液を注射し、網膜に残っている"死"の直前に見た場面を固めて取り出すと写っていたのは……というものであった。

また東野圭吾は『ダイイング・アイ』(光文社文庫)で、交通事故の加害者の目に焼き付くハードサスペンスを書いている。発行部数が100万部を越え WOWOW でドラマ化もされた。

映画における「網膜の記憶」ギミック

「法医学オプトグラフィー」から派生した「網膜の記憶」を使うアイデアは、科学的論証に欠けると否定された後も映画の分野でもギミックとして使われ続けた。

★「瞳の中の訪問者」

邦画『瞳の中の訪問者』(1977)は、手塚治虫の漫画『ブラック・ジャック』の中の第167話「春一番」を原案に大林宣彦監督が映画化したもの。怪我で失明したテニスの選手千晶がブラック・ジャックに手術を依頼。無事視力を取り戻したがその代わり男の幻想が見えるようになる。角膜は殺された女性のものであった。千晶はいつしか幻の男を恋しはじめていく。脚本はジェームス三木だった。

フランスの『インストーラー』(2007)は、網膜スキャン技術で犯罪事件を解決しようとする近未来SF映画。ダビット刑事は、連続殺人事件の捜査で被害者の女性の網膜スキャンを試みるのだが、何故か彼女の眼から記憶が消去されていた……。

2016年公開の『秘密 THE TOP SECRET』は、第15回文化庁メディア芸術祭優秀賞を受賞した清水玲子の人気コミック『秘密―トップ・シークレット―』を実写映画化したもの。網膜からではなく、脳内の視覚情報を映像化する技術を使った近未来犯罪アクション。死者の脳内に強力な磁力による電気刺激を与えるMRI捜査法を駆使して、死者が見た映像を再現・解析し事件解決を試みる警察内特殊捜査機関・科学警察研究所 法医第九研究室、通称『第九』。刑事青木はこれを正式承認させるため、一家惨殺事件に挑むが、犯人とされた死刑囚の脳をスキャンすると、映っていたのは意外な真犯人だった。

ドイツ映画『ANON アノン』(2018)ではも

★「ANON アノン」

★「秘密 THE TOP SECRET」

★「4匹の蝿」

う一歩進んで網膜にナノマシンを埋め込む。全ての人類の記憶が記録・検閲されるようになった近未来。個人のプライバシーが失われ犯罪が不可能になったはずだったが、殺人事件が起こる。それには、個人を特定されない「記録のない女」の存在があった。

　懐かしいところでは、イタリア・ホラーの巨匠ダリオ・アルジェントの初期作はジャッロ映画（ジャッロはイタリア犯罪映画のジャンル）『4匹の蝿』（1971）。被害者の網膜にレーザーを照射し検出すると死ぬ直前に見た映像が浮かび上がるが、そこには4匹の蝿が映っていた。人気ロックグループのドラマー、ロベルトが犯罪に巻き込まれてゆく。

　最後におまけで大好物の珍作を紹介。スペイン・イギリス合作の超マニアックB級ホラー映画『ホラーエクスプレス　ゾンビ特急地獄行』（1972）。1902年、満州で発見された氷漬けのエイリアンのミイラをシベリア横断鉄道で移送中、突然、ミイラが目覚め乗客を次々と襲う。殺された者は白目のゾンビとなりほかの乗客に襲いかかり、列車の中は走る地獄と化す――。古きは初期のパンデミック名作映画『カサンドラ・クロス』（1976）や最近では秀作韓国ゾンビ映画とされる『新感染 ファイナル・エクスプレス』（2016）、走る列車の設定を生かしきれなかった『劇場版『鬼滅の刃』無限列車編』（2020）に影響を与えたであろう映画。特筆すべき点は、科学者がエイリアンのミイラを調査研究しているシーン。死んだエイリアンの瞳を顕微鏡で拡大し観察すると、網膜に恐竜や古生物など地球の太古の歴史が記憶として絵巻物のように映し出される。このエイリアンは太古の時代から地球に飛来していたのだった。設定のぶっ飛び方がすごい上、ジョン・カカヴァスの哀愁漂う音楽も素晴らしく、クリストファー・リー、ピーター・カッシング、テリー・サヴァラスという豪華俳優陣の共演も見どころの映画だった（私はこのDVD化に資料提供をしている）。

　ルドンの目玉気球は今も発想の世界を飛び続けている。人が「見ること」で満たされる好奇心を失わない限り。

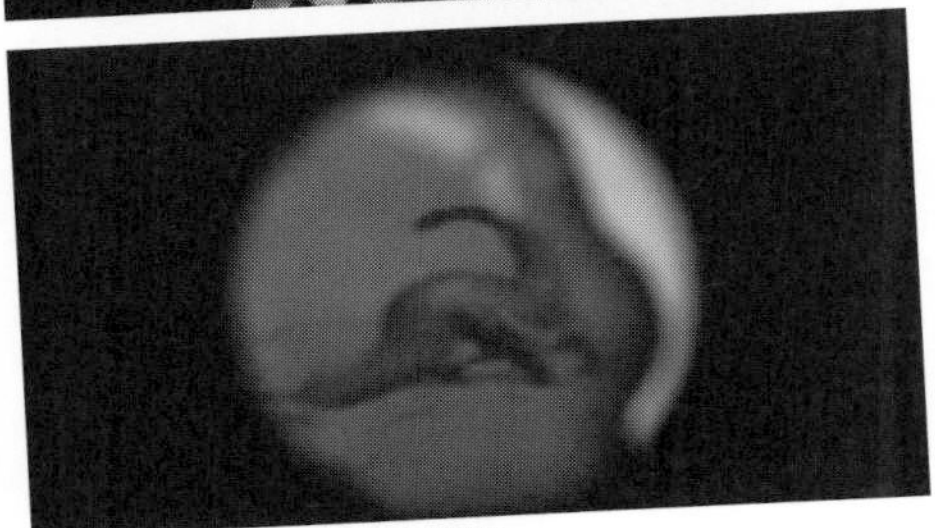
★「ホラーエクスプレス ゾンビ特急地獄行」

見世物の映画史
——見世物小屋の「まなざし」をめぐって

◎文＝梟木

見世物小屋のふたつの「まなざし」

見世物小屋という装置の「見世物性」、ないしはそこで見世物にされる人間たちを扱った作品の中で、伝統的に「フリーク」と呼ばれる人々はどのように描かれてきたか。考えてみれば、これはなかなか興味深いテーマであるような気がする。どのように描かれてきたかという問いは、フリークでない「普通の人たち」が彼らをどのような存在として見ようとしてきたかを明らかにすることにもなるからだ。

そもそも「フリーク」とは、どのような人たちのことを指すのか。ここで注意しておかなければならないのは、障がいや奇形の有無によって「フリーク」とそうでない人々を分けようとするのは必ずしも妥当ではない、ということだ。あるひとが「フリーク」かどうかの判断は時代によって、あるいは社会によっていくらでも変わりうる。過去にはアジア人がたんに珍しいからというだけの理由で、フリークショー（見世物小屋）に出演していたこともある。ショーに出演する人々がフリークかどうかを決めるのは、あくまで社会の側からの一方的な「まなざし」（と、見世物小屋という装置）によるものなのだ。

現代では廃れてしまったが、フリークと呼ばれる人々を「見世物」として展示することで賃金を得る興行は、中国やインドを含む世界中に存在していた。アメリカのある研究者は、一八四〇年から一九四〇年までの百年間にアメリカには何百ものフリークショーが存在し、全米を巡回して見世物興行を行っていたことを報告している（ロバート・ボグダン『フリークショー』）。一九三二年のトッド・ブラウニング監督の映画『フリークス』は、そんな「黄金時代」の最中にあった二〇世紀初頭の見世物小屋を舞台に設定し、さらには実際にフリークとしてそこで働いていた人々を出演させてみせた、劇映画としても記録フィルムとしても貴重な一作だ。

『フリークス』のあらすじは、ざっと以下のようなものだ。物語の中心に絡むのは旅回りの芸人一座（見世物小屋）で働く小人症のハンスと、美貌の軽業師クレオ

★『フリークス』

パトラ。ハンスは一座の曲芸師で小人症のフリーダと婚約していたが、遺産目当てで接近したクレオパトラの真意に気づかず、彼女に誘惑されるまま結婚を決めてしまう。じつはクレオパトラは一座の怪力男と通じており、結婚式が済んだ後はハンスを毒殺してしまうつもりだった。映画はそんなハンスの受難を描きつつ、並行して一座内でのカースト（障がいや奇形の程度による序列）や恋愛問題なども絡ませることで、一筋縄ではいかない見世物小屋の人間関係を浮き彫りにしていく。

『フリークス』が後世の映画史に残した功績はふたつある。まずは前にも書いたように、見世物小屋に出演する本物の「フリーク」の姿をスクリーンという白日のもとに曝したこと。そしてもうひとつは、フリークという周縁に置かれたものの側からそれを見つめる人間社会に「まなざしを返す」だけの「語り」のヴィジョンを、トッド・ブラウニング監督が持っていたことだ。この「見るものを見返す」という視点とフリークとして生きる人々への惜しみない共感は、今後製作される「見世物小屋映画」の基本姿勢として、引き継がれていくことになる（トッド・ブラウニング監督の作品にはほかに『知られぬ人』というサイレントの劇映画があり、こちらは自らをフリークと偽ったために最後には両腕を切り落とすはめになる哀れな見世物芸人を主人公としている）。

だが結果として、トッド・ブラウニング監督が持つ「まなざし」のヴィジョンが、映画館の観客から理解されることはなかった。「あまりにもショッキングな作品」として波紋を呼んだ『フリークス』はイギリスで上映禁止処分となり、監督自身のキャリアも閉ざしてしまった。当時の人々にとって、フリークは未だ非日常の領域に属する超自然的な恐怖に接続された「何か」であり、怯えこそすれど、間違っても共感の対象になるものではなかったのだ。

「恐怖」から「共感」へ

なぜ一九三〇年代の観客は、トッド・ブラウニング監督の『フリークス』にそこまで拒絶的な反応を示したのか。さまざまな要因が挙げられるが、ひとつにはフリーク（障がい者）に対する社会的な理解や人権の意識が未だ不十分なままだったから、とはいえるだろう。一九世紀以前、身体的な奇形は医学の領域ではなく神秘的な事象に属するものとして捉えられており、二十世紀に入ってからも、大衆的な理解の上ではそれほど変わるところがなかった。そうしたなかにあって、見世物小屋の「フリーク」ばかりでなく障がい者そのものに対する「タブー」の意識が生じていたことは、大いに考えられる。

そのような事情もあってのことだったのだろうか。トッド・ブラウニング監督によるふたつの作品をべつにすると、見世物小屋やフリークを直接の題材にした映画は、それほど多くない。さらにフリークの視点から社会を見つめ返した

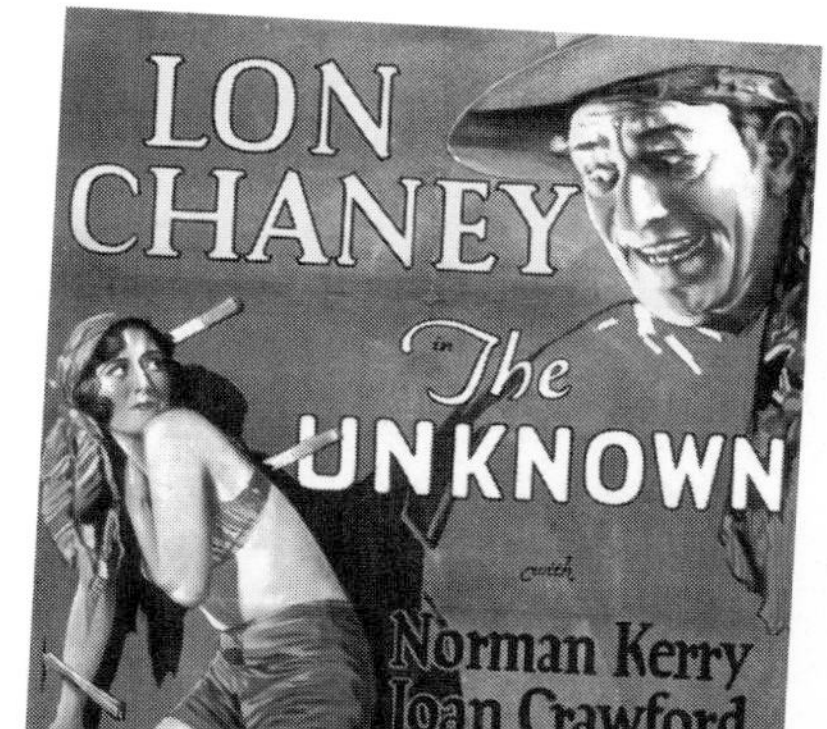

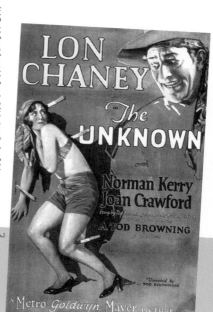

★『知られぬ人』

ような作品となると、皆無に近いといっていいだろう。アレハンドロ・ホドロフスキー監督の『エル・トポ』（一九七〇年）は、そうしたなかでトッド・ブラウニング監督の「まなざし」のヴィジョンを正確に受け継いでみせた、希有な作品だ。

凄腕のガンマンとして女と名声を欲しいままにしていたエルトポ（もぐらの意）がフリークを含む四人の「マスターガンマン」との戦いのなかで命を奪うことの虚しさを自覚し、長い眠りにつくまでの前半部のあらすじについては、今は措く。重要なのは、やはりその後の展開だろう。眠りから覚めたエルトポは、自らがフリークたちの村で神として崇められていることを知る。洞窟に閉じこめられ、社会から隔絶された生活を送るフリークのためにエルトポはトンネルを掘ってやることを決意するが、退廃と偽りに満ちた下界の空気に触れ、町の住人は彼らを受け入れるだろうかと不安になる。案の定、エルトポの予感は的中し、トンネルの開通と同時に町へと殺到したフリークたちは、恐怖した町の住人らによって皆殺しにされてしまう……。『エル・トポ』においてフリークは、人間社会に「まなざし」を返すものであるばかりでなく、ある種の聖化された存在（殉教者）として描かれる。

だが「聖なる殉教者」としてのフリークということでいえば、やはり『エル・トポ』から十年後に作られたデヴィッド・リンチ監督の名作『エレファント・マン』（一九八〇年）を忘れるわけにはいかない。一九世紀に「エレファント・マン」として見世物小屋に出演していた実在の人物であるジョゼフ・メリックの半生を基にしたこの作品によって、フリークに対する社会の「まなざし」は永久に変えられてしまった。もはや彼らは、人々にとって理解不能な恐ろしい「モンスター」ではない。美しい心をもち、ときには詩や芸術への深い理解を示しさえする、私たちと同じ「人間」である。

もちろんそこに「ふつう」を自称する人間たちの、恐るべき傲慢さを見ないわけにはいかない。『エレファント・マン』の中盤では、上流階級に認められたいという下心から噂の「エレファント・マン」に面会しようとする富裕層の姿が描かれ、見世物小屋からジョゼフ（劇中での呼び名は「ジョン」）を救い出した医師のトリーヴスもまた、そうした人々を相手に彼のことを見世物にしているにすぎないのではないかと疑い始める。障がい者の人権に対する意識が向上し、フリークへの同情が集まり始めていた一九八〇年代にあって、未だに彼らが「まなざされる」存在でしかないことを、デヴィッド・リンチ監督はすでに見抜いていたようだ。

「まなざし」の消失

人びとの「人権」に対する意識が向上し、際限なく拡大されていった二〇世紀という時代。それは見世物文化の衰退を招き、見世物小屋という興行形態そのものを事実上不可能なものにしていく。一九九〇年代には団体として存在していたという障がい者プロレスや小人プロレスも、今後大きく盛り返すことはないだろう。二〇一七年の映画『グレイテスト・ショーマン』は、一九世紀に実在したアメリカの興行師P・T・バーナムを俳優のヒュー・ジャックマンが演じ、フリークを出演させるショービジネスで

★（右）『エル・トポ』（左）『エレファント・マン』

の華々しい成功の舞台裏を描いてみせた、意欲的なミュージカル映画である。だがしかし、それはほんとうに「フリーク」を描いた作品だったのか。

　まずはじめにお断りしておきたい。筆者は『グレイテスト・ショーマン』が大好きだ。作品が公開された年には何度も劇場に通ったし、その後の応援上映やアンコール上映にも機会があれば欠かさず参加した。サーカスの〝髭女〟レティ役を演じたキアラ・セトルを筆頭とする「フリーク」たちの力強い歌声とダンスには魅了されたし、そんな彼らがありのままの自己を肯定する〝This is me〟（これが私）の歌詞には大いに「共感」させられた。しかしだからこそ、あえて問わねばなるまい。なぜ「私たち」は、フリークの人々が歌ったり踊ったりするのを見て、まるでわがことのように感動したり、あるいは生きる勇気を鼓舞されたりするのか。

　答えは簡単で、それは本作に登場する「フリーク」が、昨今、世界中で声高に叫ばれるようになった〝多様性〟のメタファー以外の何物でもないからだ。人種や性別や障がいの有無を問わず、人間には平等に自分だけの人生を生きる権利がある。少し意地悪な言い方をしてしまうと、そのメッセージは多く差別もされていなければ障がいも持たない、平均的日本人である「私たち」にも刺さる。なぜなら「私たち」もまた、疎外されているから。学校で、あるいは職場で。私たちはレティのたくましい〝髭〟に自らの（外見的、性格的な）コンプレックスを重ね、ついで彼女が周囲からの好奇の視線を跳ね返して力強い歌声で自らを表現する姿にカタルシスを得る。もはや「フリーク」とは「私自身」なのであり、そこで伝統的に保持されてきた「フリーク」に対する他者としての「まなざし」は、消失してしまう。

　「他者」としての視点を欠いた見世物映画。しかしそれは、ほんとうに真正面から「フリーク」を描いた作品であるといえるのか。『グレイテスト・ショーマン』には（トッド・ブラウニング監督の『フリークス』や丸尾末広の『少女椿』で描かれたような）手足の欠損したフリークも出なければ、自らを虐げてきた社会に対して強い怨みをもつ、人間らしい内面を感じさせるフリークも出てこない。前者はミュージカルのシーンで一人だけ「踊れない」ことになるばかりでなく、過度な身体観のちがいが観客にとって「共感」や「感情移入」の妨げになるから。後者は本作に登場するフリークが、結局のところ〝多様な生〟のメタファーとしての役割を与えられた、ただの「キャラクター」でしかないからだろう。物語の終盤、いよいよ暴徒と化した民衆に襲われ、カウンターで反撃を食らわせてやったときのフリークのすっきりした表情に、筆者は一抹の「人間らしさ」を見た。

　声を大にして言いたい。『グレイテスト・ショーマン』は史上最高のエンターテインメント作品だ。しかし見世物小屋という空間から〝闇〟を取り払い、歴史上に存在したはずの一部の「フリーク」の姿や、彼らに対する「まなざし」を消去してしまったことの責任は、やはり大きい。願わくば本作のラストでバーナムの意志を継いだ弟子のカーライル（ザック・エフロン）を新しい主人公に、見世物興行の〝闇〟の側面にスポットライトを当てた続編が、今後製作されることを願ってやまないのだが……。

★『グレイテスト・ショーマン』

いったい何を「いま見てはいけな」かったのだろう？
――ニコラス・ローグ監督『赤い影』

◎文＝松本寛大

★（右）ニコラス・ローグ監督『赤い影』Blu-ray
（左）ダフネ・デュ・モーリア『いま見てはいけない』（創元推理文庫）

ニコラス・ローグ監督『赤い影』（原題〝DON'T LOOK NOW（いま見てはいけない）〟）の原作は、ダフネ・デュ・モーリアの、同名の短編小説。旅先で盲目の霊媒師と出会ったことで奇怪な経験をする夫婦の物語だ。

マーガレット・フォースターによる伝記（未訳）によれば、デュ・モーリアは娘に依存的で幼児性の強い父親と、良くも悪くも関係が深かったという。彼女は女性に惹かれる性的指向を持っていたが父親が同性愛者を忌み嫌っていたためにこれを隠し、終生葛藤を抱えたそうだ。

彼女のセクシュアリティに関しては異論もあるようだが、人間の心理および不条理や幻想に切り込む物語作家としての才能の背後には、他者と、それから自分をも冷徹に見つめる目が存在していることは想像に難くない。「いま見てはいけない」においても、主人公の罪悪感や自己破壊願望、それらに由来する強迫観念的な不安感が全編に横溢している。

「いま見てはいけない」とは、小説冒頭の主人公の台詞である。幼い娘を病気で亡くし、傷を癒やすためにイタリアを旅行中のジョンとローラの夫妻。二人はレストランで双子の姉妹を見かけ、彼女たちが実は催眠術師だの女装した男性だのといった荒唐無稽な空想をめぐらせる（この人間観察ゲームはデュ・モーリア自身が好んでいたことらしい。姉妹や最終場面で登場するある人物も実際に目にしており、小説のヒントとなったようだ）。

映画ではこの部分が改変されており、原題は宙に浮く格好だ。いったい何を「いま見てはいけな」かったのか。基本的には見る者の想像にゆだねられているし、小説と映画では微妙に感触が異なるのだが、ヒントとなるものをひろっていきたい。

映画は赤いレインコートを着た娘の溺死シーンから始まる。その後、ジョンは教会の修復の仕事でベネチアを訪れ、盲目の霊媒師に出会う。死んだ娘の姿が見えるという霊媒師は、夫妻に危険が迫ると告げる。折しもベネチアでは殺人事件が起きていた――。

本作は「見る・見られる」ことにこだわった映画だ。ローグは撮影出身というキャリアゆえか、カメラワークと編集でドラマを語るタイプの監督である。

溺死した娘の思い出を刺激するかのような水に浸かった冬の街は陰鬱で美しい。画面の色彩は最小限となるよう設計されており、死を象徴する赤のイメージが時折きらめく。殺人の被害者が運河から引き上げられるときに画面手前に映る子供たちが赤い毛糸の帽子をかぶり、あるいは赤い学校鞄を持っているのは偶然ではない。雨。水。生命。赤。血。死。

迷宮のようなベネチアをとらえるカメラの動き（手持ちカメラが多用

★(右)デュ・モーリアの伝記/Margaret Forster "Daphne Du Maurier"
(左)ローグの自伝/Nicolas Roeg "The World Is Ever Changing"

★映画『赤い影』より

されている)が、言葉の通じない外国でのジョンの焦燥や不安を表現する。

インタビュー等によれば台本にはない偶然のショットも多いようだ。意図せず映り込んだノイズは世界の奥行きをあらわす。本作は編集段階でそうした映像を活かしている。

ローグの編集技術は確かなもので、ことにフラッシュバックとフラッシュフォワードを自在に操るスタイルは特徴的だ。影響を受けた監督も多い。ダニー・ボイルによると「(表面的に技法の真似はできても)成功したのはローグとデヴィッド・リンチの二人だけだ」とのことだ。

ローグは自伝(未訳)で「人生はすべてのものがつながっている」と語っている(父親からの教えらしい)。人にはそれぞれ異なる物語があり、ほかの誰かの物語とつながっている。それらを時間の流れが貫いている。そうローグはいう。『赤い影』も物語のラストにそれまでの断片が集まってひとつの意味を持つ構造の作品である。

夫妻のベッドシーンとそれに続く外出場面のカットを細かく割り、両者を組み合わせたシークエンスは非常に有名だ。おそらくは子供を亡くしてからはじめて肌を合わせる二人のシーンは台本にはなく、彼らの人生には安らぎと愛が必要だとして急遽撮影が行われた。

劇中、ジョンは教会のモザイクを修復しようとする。記憶という名の出来事のモザイクを集めたものが人生であるなら、彼は必死に娘を失ったのちの夫婦の人生をも修復しようとしている。小説のベッドシーンが愛情と同時に距離を感じさせるのとは似て非なるようで興味深い。

冒頭、ジョンの娘が溺死する直前、彼の息子が自転車でガラスを踏み砕くのだが、映画には同種のイメージが鏤められている。たとえば、池の水面には娘の姿が映し出される。レストランの化粧室には大きな何枚もの鏡があり、ひとつのフレームにローラと霊媒師の姿がいくつも映る。教会では事故のためガラスとモザイクの破片が降り注ぐ。

ローグは自伝で、鏡ごしのショットは映画の本質であるとも述べている。鏡を通すことで「何気ない日常が、何かの謎や啓示を与えてくれるのではないか」と。どういう意味だろうか。

鏡には人生の真実がつかの間映り込む。ひとりが鏡に映り、出て行くと、べつのひとりが入ってくる。人は鏡の自分をのぞき込み、そのとき鏡の中の自分はこちらを見つめ返す。それは過去と未来とが混じり合う、人生を振り返る瞬間の映像だ。

小説のラストは苦いものだ。ジョンが「見てはいけなかった」のは自らの危険な運命なのだが、それ以上に、彼は物語開始時から修復不可能であった人間関係を「見ようとしていなかった」のではないかとさえ思える。

比較すると、映画版はよりあたたかみのある仕上がりである。危険、喪失、悲しみから目を背けることは、人生を生きなければ良かったということに等しいのではないだろうか。そんなローグの思いが感じ取れるかのような映像なのだ。

最後にアップになるローラの表情に、胎内に新たな家族を迎えた予感ゆえの微笑みを読み取ることをローグは否定していない。原作とは印象を異にする作品だが、デュ・モーリアはこの映画に満足していたという。

参考:Nicolas Roeg "The World Is Ever Changing", Margaret Forster "Daphne Du Maurier"

モノ化する視界
―機械の眼と人間の眼のあいだ

◎文＝馬場紀衣

『嘔吐』の主人公ロカンタンは眼差しの戦いに苦しんで始終ぐったりしていたけれど、時代の変化のなかで、他者に眼差しを向けられるということ、見たり見られたりすることの本当の意味は失われてしまった気がする。実存主義者が、なんと言っているかは分からない。私が、ただ、見ることと見られることの関係に不思議な力があると信じてきたことはたしかである。

　私は誰かを見るという行為は、相手をほんの一時であれ所有することであり、誰かの眼に映ることは自分を相手にゆだねる行為にちかい、と思ってきた。仏語の savoir（知る）の中に avoir（所有する）が、avoir の中には voir（見る）があるというのはよく指摘されることである。

　カルチェ・ブレッソンの「カメラは自分の眼の延長である」という古い言葉が未だに信憑性をもって語られているのも、鑑賞者がカメラのレンズという〝機械の眼〟で現実の世界を見ていると思っているからだろう。人により受けとり方はちがうとしても、写真はたしかに肉眼では捉えることのできないものを映しているのである。見るというのは、単に情報を集めてものを認識する眼の機能のことではない。私たちは眼に見える世界に生きているが、眼には見えない領域に挟まれてもいる。そうした世界に答えを与えてくれるのがアーティストたちだ。

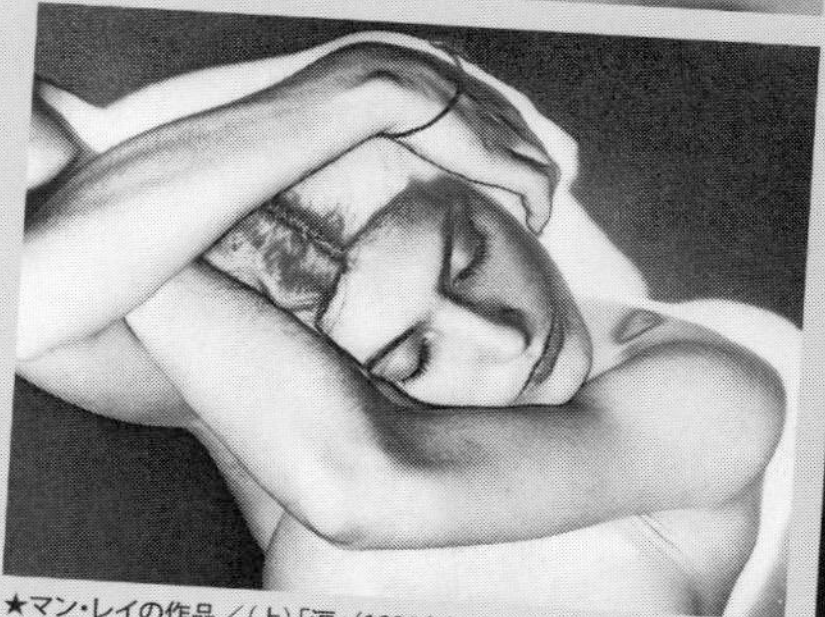

★マン・レイの作品／（上）「涙」（1932年）、（下）「ソラリゼーション」（1931年）

　人間が新しい視覚体験に出会うのは19世紀末から20世紀初頭にかけてだ。この頃、科学技術の発展により空中撮影、赤外線写真、マイクロ写真、カラー写真などが登場した。かつてルネサンスの画家たちは、遠近法がまだ不完全だった時代、その不完全な技術を彼ら自身の視覚の鍛錬や想像力で補いながら絵を描いた。人びとは伝統的な遠近法では見ることのできなかった、より自由で新しい視点を与えられたというわけだ。

　マン・レイを筆頭にモホリ・ナギ、マルセル・デュシャンなどのシュルレアリストたちは、人間の眼とカメラの眼がちがうことを示した。クローズアップされた女体、化学処理によるテクスチャア、カメラアングルの解放…マン・レイは人体の美をさらに拡大して撮影した。彼の作品のなかで女体は岩や貝のように、もの言わぬオブジェ化している。人間の視線の拡大の果てにその眼差しが壊れる瞬間を写真に取りこんでいく、彼らは概念的なものから離れることのできない人間の眼を超えた〝機械の眼〟のありかを写真に見たのだと、『裸体の森へ』で伊藤俊治は述べている。

かつてマン・レイたちに起こったことが、いまの人類にも起こっている。今日では、私たちは〝機械の眼〟で捉えられたイメージを消費するのにすっかり慣れてしまっている。ＳＮＳに投稿されるインフルエンサーたちの洒落た写真は、おおかた素直にカメラの前に立って撮影されたものではないけれど、見るほうはそれを撮影した作者の眼をとおして現実の一部を見たつもりでいるし、あるいはそう見るように促されている。日常的な現実はいつも写真の向こう側にあるというのに、だ。だがこれはあくまでも一般論、写真の宣伝的な機能であって、興味深いのはそうしたイメージに私たちが喜んだり感動したり、いかがわしく感じたりしていることだ。

写真は、見えないものを見たいという人の欲望のほかに、べつの欲求も満たしてくれた。所有することである。何かを見る行為は欲望ともつながっている。アイドルであろうが恋人であろうが、写真であれば、私たちはいくらでも欲望のままに見る行為が許されている。ポケットに忍ばせて持ち運ぶことも、枕の下に隠して毎晩こっそり愛でることもできる。誰にも気づかれることなく、だ。動かず、音もなく、ただそこにあり続ける写真はまさに、人や世界そのものをミニチュア化して、閉じ込めて所有したいという目の欲望をかなえてくれるものである。しかし触ることは禁止されている。所有しているのに触ることはできない。私たちに許されているのは、手を伸ばしたくても届かないという欲望に身を悶えながら、無限に見続けることだけである。

〝人間の眼〟が自然の陽光や肌の質感や温度といった柔らかいものを捉えるのだとしたら、〝機械の眼〟とは被写体を無機物、つまり物化にする眼かもしれない。機械の眼によって向けられた眼差しは、見慣れた平凡なものに魔術的な効果を与え、女体を物化し、人間の視線の限界を超えていく。とはいえ、これもまた、現実の一部であることにはちがいない。

★ジョージ・イーストマンによる最初のカメラ「Kodak No.1」（1888年）

カメラは本来、箱である。私たちの身体も密室だ。いまも眼はあいかわらず外の世界をさまよい続けている。カメラの眼が人間と現実の出会いを記し留めるように、人の眼差しは人間と人間の最初の出会いをその場に留めるものである。それは対象を歪め、粉砕し、素材化したり模造化したりしない、肉の眼差しである。

この現実の力の恐ろしさを忘れてはいけない。こちらを見つめる眼のなにが恐ろしいのか。見ているつもりがいつの間にか見られている自分になる…無意識のうちに誰かを所有し…都市という全体の眼差しに監視され…知らぬ間に欲望の対象にされている…それが眼差しの力である。ということを考えると、ロカンタンの苦しみのほうが、どれだけまともで常識的だか分からない。

嘘か真か夢か現か知らねども

——「見えること」の恩恵と呪縛

◉文=阿澄森羅

1

二十世紀の終盤、メディアは「普通は見えないモノが見える人」「普通はできないコトができる人」で溢れていた。霊能者・宗教家・超能力者などを自称する人々をTVや雑誌で目にする機会は、体感的に現在の四〜五十倍あったと言っても大袈裟ではない。

幼少期から趣味が偏っていた私はこういうネタが大好物で、TVで心霊や超能力の特番があればとりあえず見るし、オカルト本で紹介される「霊感を研ぎ澄ませる方法」や「潜在能力を覚醒させる訓練」も何度となく試してみた。だが、今に至るも何らかのチカラが発現することなく、水準を大きく超えるステータスといえば肝臓の数値くらいのものだ。

しかし、そんな凡人でも「ワケのわからない何か」を見てしまったことは数回ある。中でも最も忘れ難いのは、高校時代の夏休みに遭遇した出来事だ。

夏休みに母方の田舎に車で帰省するのが我が家の恒例行事だったが、その年は諸事情あって私だけ遅れて電車で向かうことになった。旅情を味わいたくて在来線だけを使ってみたものの途中で飽き、目的地まで五駅のところで降りて残りを歩くことにした。ちょっと長めの散歩くらいの気分だったが、田舎の一駅の距離が半端じゃないのを東京育ちの私は知らなかった。しかも適当に進んだせいで線路を見失い、大きい道からも外れて周りが森と山ばかりの細い道に迷い込む。どんどん心細くなってくる状況で日も暮れ、体力は尽きかけて携帯はずっと圏外。これは遭難の一歩手前なのでは、というタイミングで、不意に遠くの高台に灯る複数の照明が目に入った。

しばらく進むと、その明かりの出所へと続いているであろう舗装された坂道が現れる。雰囲気からしてホテルか旅館だな、と判断した私は疲労感を安堵感で上書きしながら痛む足を速める。大きく曲がった道を十分ほど歩き、短いトンネルを抜けた先で開けた場所へと辿り着いた。だが、期待していた宿泊施設はなく、廃屋寸前の家が数軒、薄い月明かりに浮かんでいるだけだった。ドッと疲れが出て、その場に座り込んでしまいたい気分になるが、そこである疑問に思い至った。

「さっき見えた明かりは?」

街灯はなく、ボロ家に住民の気配はない——どこに光源があるのか。そう気付いてしまった瞬間、疲れも痛みも吹き飛ばして坂道を人生最高速度で駆け下りた。

この体験は、以前より頭の片隅にあった「普通は見えないモノが見えるのは果たして幸福なのか」との思いを強める結果となった。前フリが長くなってしまったが、今回は「見えること」の是非について改めて考えたい。

2

透視・遠隔視・霊視・未来視といった能力には、常に如何わしさが伴う。個人の感覚を他者と共有できないため、「見えた」ことを信用するかどうかの話になってしまうのが、怪しさの主な原因だ。こうなると、能力者に要求されるのは「見えること」を信じさせる話術、もしくは「見えたモノ」を具体的に提示してみせる証明となる。

感覚的でも主観的でもなく、科学的に客観的に真実を訴えるのであれば、第三者にも確認できる、何かしら実体がある証拠を揃えねばならない。問題は、ここにトリックや錯誤が入り込む余地があり、その隙間が結構なガバガバ加減であることだ。現に能力の真偽を巡る論争が起きた際、疑われた者が正しさを証明しようと試みたケースでは、真実の証とされた現象が別の方法で再現可能だったり、何らかの工作が加えられた可能性が否定できなかったりの結果ばかりで、完全に疑惑を払拭できた例は私の知る限り存在しない。

記事の最初に「見える」人々の肩書きを三つ並べたが、中でも疑惑を抱かれやすいのは超能力者だろう。不思議な能力がある理由を説明しようがなく、信じてもらうには実演し続けるしかない。そして魔術めいたチカラは、新奇な物事を求める人々にとって格好の玩具となり、古来いくつもの話題を提供してきた。

　超能力を巡る騒動の元祖に、明治末に行われた透視・念写実験――所謂『千里眼事件』がある。世間が超能力ブームに沸く中、高名な学者も参加する公開実験で本物の千里眼を披露するはずが、ことごとく失敗したことでブームを急速冷却してしまい、超能力の存在を眉唾ものに転落させたイベントだ。詳細は『千里眼事件』（長山靖生・平凡社新書）や『〈こっくりさん〉と〈千里眼〉』（一柳廣高・講談社選書メチエ）などで確認してもらうとして、実験の主催者が学界から追放され、能力者たちがペテン師扱いされた末に自殺や病死を遂げた不幸な顛末は、「見えること」の負の側面を端的に示していると言える。

　一方、透視を成功させた例としては、日本のTV特番で行方不明の少女の遺体を発見してみせたジェラルド・クロワゼット（ジェラール・クロワゼ）が知られている。『心霊大全』（中岡俊哉・ミリオン出版）によれば、クロワゼットは世界各地で殺人事件の捜査や行方不明者の捜索に協力し、五千件の事件を解決に導き一万人余の不明者を発見した実績がある――そうだが、数字が大きすぎて信憑性に乏しい。そして問題の特番についても、透視が行われた時点で事故現場がほぼ特定されていたとの情報があり、どこまで信用していいのか判断が難しい。

　遠慮のない批判に晒される超能力者と異なり、霊能者や宗教家は特別扱いされている、というか保護され敬われている印象がある。この差がどこから生じるのか考えると、「由緒」や「根拠」といったものの存在がチラついてくる。次章では、その辺りを手掛かりに霊視と呼ばれる能力に焦点を合わせてみよう。

3

　ほぼ全ての霊能者と、霊能に類する力を行使する宗教家には、特別な能力が備わった理由についての物語がある。臨死体験からの復活、超常現象との遭遇、感覚器官の障害（視覚関連が多い）、修行や信仰の末の天啓など形式は様々だが、これらの物語は特殊能力の源としても機能するので、説明不能な物事を説明するために不可欠となっている。

　彼ら彼女らが「見る」のは、病気や不幸の原因、問題解決の方法、死者の未練や感情、遠い過去の出来事といったものが主となる。霊視の実例を調べてみると、内容の妥当性や正確性よりも、どれだけ心に響くかに重点が置かれがちだ。体調不良を訴える相談者に対し、医者の検診ではなく先祖の墓参りを勧めるようなアクロバットも日常茶飯事である。

　霊視の方法は大体の場合「見る」よりも「読む」（推測する、の意味も含めて）に近い行為が展開されており、英語でリーディングと呼ばれるのも頷ける。ついでに言えば、意識してか無意識かは別として「ホットリーディング」や「コールドリーディング」を取り入れていることも間々ある。簡単に説明すれば「ホット〜」は相手の情報を事前に揃えた状態で行うもので、「コールド〜」は相手との対話で得られた反応や、外見や挙動の観察から情報を引き出すものだ。占い師やセールスマンの得意とする手法だが、効果の高さ故に詐欺に悪用されることもある。

　更にインチキ度が高い話術として、誰にでも当てはまることをそれらしく指摘し、相手の内心を見抜いたように演出する「ストックスピール」や、下手な鉄砲数撃ちゃ当たる式に様々なことを告げ、当たった件のみクローズアップして最終的には全て正しかったと思わせる「ショットガンニング」などがあるが、これらを霊視に用いているケースの多さも無視できない。霊能の真贋を判別するのは難しいけれど、こういう裏技を使う連中への信用は大幅に割り引くべきだろう。

　それはさて措き、「見える」能力を先天的に有している、もしくは後天的に発現させた者がそれを活かせる仕事に就くのは、自然な成り行きのように思える。だが、そう生きるしかない状況に追い込まれただけでは、と訝りたくなる人々も少なからず存在している。たとえば『拝み屋さん　霊能祈禱師の世界』(藤田庄市・弘文堂)というルポには、苦難に満ちた人生の果てに、独自の教義や理念を掲げる宗教家になった女性たちの経験が記されているが、何ともコメントに困る要素が際立っている。具体的にはこのような感じだ。

ある日突然、カトリック信者の女性に「お前は弘法大師の弟子となり衆生済度せよ」と天の声が告げる。女性は不動明王に導かれて独自の修行を繰り広げ、各地の神社仏閣を巡っては高額の供え物をし、ついには数百万の借金を抱えてしまう。そして普段は何もせず呆然と過ごしていたかと思えば、急にトランス状態になり神仏の言葉を代弁する。

長年の窮乏で生活が荒む中で娘が精神を病み、霊能者や宗教に頼ろうと奔走した女性。やがて娘は回復したが今度は自分の周囲に異常な現象が続発し、果ては大日如来が顕現して自宅の神棚へと入る。そして頭の中に直接響く指示に促されるまま、神道と仏教の儀式作法の訓練を繰り返し、自分にしか聴こえない如来の声に従う生活を開始した。

これらは正に「特別な能力が備わった理由についての物語」であるが、真っ先に浮かぶのは「まず病院に行くべきだ」という身も蓋もない感想だ。更に言えば、二例目の人にはカタレプシー(強硬症。全身が強張って同じ姿勢をとり続ける)と思しき症状が出ている記述もあり、統合失調症を患っている可能性がかなり高い。

ともあれ、彼女らは神憑りの宗教家となる道を選んだが、そちらに進まなければ無秩序に発生する怪異に翻弄され、現実と妄想の区別もつかぬ日々を送ることになったはずだ。

それがどんな状況かを考える際に、参考になりそうな作品がある。自らを狂人と呼び、幻聴を中心とする幻覚と長年付き合ってきたというライターの村崎百郎が、幻覚や妄想について詳細に解説した怪作『電波系』(根本敬との共著・太田出版)の中で、自身の症状に近い状況を描いている漫画として挙げた、川口まどかの『死と彼女とぼく』だ。

4

サブタイトルや掲載誌を変更しつつ約三十年間、三十一冊に渡って描かれてきた『死と彼女とぼく』シリーズは、大雑把に説明すると「霊の姿が見える少女ゆかりと、霊の声が聴こえる少年優作を主人公にした短編連作ホラー」だ。望まぬ能力に苦しめられていた二人が出会い、お互いを唯一の理解者として絆を深めていくラブストーリーの要素もあるものの、設定や境遇がとにかく過酷なことが物語に独自性を与えている。

ゆかりは幼児期の臨死体験をきっかけに霊が見える力を得るが、見えて対話ができるだけで祓える能力は発現しなかった。なのに、見える自分に縋ろうと次々に霊が寄ってくるので、話が通じない相手からは逃げるしか対処法がない。精神に作用する薬で能力を抑えようとすれば、取り憑こうとする悪霊に対し無防備になる。更には強すぎる力のせいで、霊の味わった死の恐怖や苦痛まで追体験してしまう。

優作も物心ついた頃から霊の姿が見えたが、それ以上に常に聴こえる動植物の声に苦しんでいる。料理を前にすれば肉や魚や野菜の悲鳴が聴こえ、街を歩けば恨み言を述べる死者に付き纏われ、自宅にいても絶え間なく何かの声が聴こえる。そんな状況なのでまともな食事はできず、栄養は牛乳とビタミン剤で摂取し、ヘッドホンで音楽を流し続けて声を掻き消している。

霊感や霊能力が呪縛のように扱われる演出は昭和末期としては稀有で、作劇の秀逸さと合わせて強烈な印象を残す。霊能者が力を制御できない場合、どんな惨状が発生するかのシミュレートから出発したであろう設定だが、ゆかりと優作が抱える恐怖と諦念には曰く言い難いリアリティが滲んでいる。

この他にも、フィクションでは霊感を忌まわしい力として扱っているものが時々ある。少し古いところではナイト・M・シャマラン監督の『シックス・センス』、近年では泉朝樹の『見える子ちゃん』などが有名だろうか。どちらの作品でも、霊が見えてしまうことを隠しながら生活し、霊感が原因で生活に多大な支障が出ていることが描かれる。そしてノンフィクションにも、「見えること」が心身を疲弊させ、生活を破壊していった記録が存在している。最後の章はその本の話から始めよう。

5

若くして「レビー小体型認知症」を発症した女性が、自らの体験を綴った『誤作動する脳』（樋口直美・医学書院）がそれだ。レビー小体とは脳の神経細胞に現れる特殊な物質で、これの蓄積が認知症やパーキンソン病に繋がると考えられている。認知機能の障害が主なら「レビー小体型認知症」、運動機能の障害が主なら「パーキンソン病」と診断は分かれるが、両方の障害が出るケースも多いようだ。病状には個人差が大きいのだが、中核症状（患者に共通して現れる症状）の一つに幻覚がある。作中では著者の実体験として、次のようなエピソードが語られている。

自宅の居間に一人でいると、隣室から引き出しを開けたり何かを動かしたりの物音が聞こえてくる。誰かいる、けど家族は全員が外出中だ。泥棒か、と思ったけど進入された気配もないし、自分の存在に気付かないのも妙だ。恐る恐る隣室を覗いてみるが、物音はいつの間にか収まっていて、部屋には誰もおらず荒らされた痕跡もない。

夜、駐車場に車を停めようとしたら、隣に停めてある車の助手席に女性が座っているのが見えた。だが次の瞬間、パッと姿が消える。目の錯覚かと思ったが、中肉中背で髪の長い中年女性で顔もハッキリと見えていた。その後、同じ女性をその駐車場で何度も目撃することになるが、女性は毎回すぐに姿を消してしまう。

★樋口直美『誤作動する脳』（医学書院）

★川口まどか『死と彼女とぼく』（講談社漫画文庫）

★藤田庄市『拝み屋さん　霊能祈禱師の世界』（弘文堂）

どちらもかなり強烈で、語り口を工夫すればそのまま怪談として成立する。実際、著者も一例目と『遠野物語』に登場する座敷童子の共通点に気付いているし、医師によって書かれた論文『Lewy 小体病における幻覚とザシキワラシとの類似点　民俗学史料への病跡学的分析の試み』では、座敷童子の仕業とされた怪現象「枕返し」は、寝ながら暴れるレビー小体型認知症の症状「レム睡眠行動障害」なのでは、といった分析も行われている。

二例目は、オカルト知識があればまず「地縛霊との遭遇」の可能性を検討するはずだ。しかし、体験時の著者は病気の自覚もないが霊現象にも懐疑的で「気味は悪いが単なる目の錯覚」と片付ける。この差は中々に興味深く、ある物事を幽霊にするか枯れ尾花にするかは観測者次第、という事実を思い知らせてくれる。

ごく普通の日常を送っている人なら、異常な体験や奇怪な現象を「脳のエラーやバグみたいなもの」と理解し、実際に遭遇しても見間違いや勘違いで終わらせてしまうだろう。

だが「見える」人ならば、見えている理由が特殊能力だろうと脳の故障だろうと、存在が認識できるものは現実と知覚しているはずだ。

冒頭で記した自身の体験も、常識的に考えれば疲労と不安の産物以外の何物でもない。とはいえ、暗い山中に並んだ四角い光のオレンジがかった色合いは、今も鮮明に思い出せる。現実とそれ以外の境界の曖昧さは、この記憶がある限り認めざるを得ない。

往年の有名霊能者・宜保愛子の自伝要素の強い体験記『霊能者として生まれて生きて』でも、生者と死者の在り方には殆ど差がなく、目の前にいる相手が人か霊か見極めるのは己の感覚だけが頼りだと述べられている。「見えること」が揺るがぬ日常ならば、あとは付き合い方を選ぶしかないのだろう。

不可視の可視
——千里眼事件のお話

◉文＝べんいせい

見えるということ

〝目は脳の出先〟として機能しており、眼球は脳へは視神経によって連結している。視覚の発達は脳の発達と密接な関係にあり、外界からの視覚刺激が眼球の中に入って網膜↓視神経↓大脳の後頭葉にある視中枢（ここでは脳の他部からも影響を受ける）と伝わって、何を見ているか判断される。モノを見て〝これが何であるか〟を理解するためには、眼球と視神経と大脳視中枢がすべて健全でなければならず、言い換えれば眼球に異常がなくても視神経や大脳後頭葉に障害があれば〝見えない〟ということが起こり得る。

我々は、モノには形がや色があることを当然のこととして認識している。しかし見えているという認識と実際のモノが必ずしも一致しているわけではない。例えば手などの血管を見て「静脈が青く見える」と普通に感じるが、それはそう認識しているだけで、静脈自体が青いはずはなく、静脈に流れる血液が青いわけでもない、静脈が青く見える主たる理由としては光散乱の波長依存の具合によるものだが、このように光源の質や対象物の反射・透過具合等によって、視覚機能に働きかけるモノの見え方は大きく変化するということだ。

実は、我々の周りにはこのような「見えているコトと実際のモノの相違」現象がたくさん存在している。大事なことは、見えていることを認識すると同時に見えていない可能性も常に認識することにあるのかもしれない。これは視覚だけではなく、我々が日々の生活の中で認識しているコトすべてに共通することといえる。

目と脳

その日の天気や季節、もしくは見る人の感情によって、本来は同じモノであるはずなのに少しずつ違ったものに見えるという体験は誰にでもあるだろう。また、角度や色が変わることで突然違った形に見えたりすることもある。それではなぜ同じモノを見ているのに違って見えたりするのだろうか。

それは「見る」という行為には目だけに及ばず、脳も深く関わっているからに他ならない。網膜で電気信号に変換された画像情報は、視神経を経て眼球の外に出る。そして脳底をX形に交叉しつつ、脳の視覚情報処理を担当する「視覚野」に到達するのである。その視覚情報が「視覚野」に入ると、さらにそこから情報は2つに分岐する。「位置・運動を認識する経路」と「色・形を認識する経路」とに分かれる。これが再度、脳の中で統合されることで初めて「映像」として認識に至るのである。つまり脳は、眼というカメラで撮影した画像のフィルム現像工場に当たる部分を有していると考えて差し支えない。

天眼通と千里眼

このような見えざるモノを見る力について、仏教において、菩薩などが持つとされる六神通と呼ばれる六種の超人的な能力の中に面白い記述がある。止観の瞑想修行において、止行（禅定）による三昧（サーマディ）の次に観行（ヴィパッサナー）に移行した際に得られる自在な境地、その中に天眼通と呼ばれる一種のクレヤボヤンス（透視、千里眼）な能力があり、過去・現在・未来などあらゆることを自由自在に見通すことができると言うのだ。

仏教においての「天眼」とは、仏教五眼と呼ばれるモノを見る5つの作用、肉眼（にくがん）、天眼（てんげん）、慧現（えげん）、法眼（ほうげん）、仏眼（ぶつげん）の二番目にある天眼、すなわち色界（煩悩や欲はないが、肉体や物質の束縛からは逃れていない世界）の天人がもっている眼、あらゆることを見通すことができる眼と言われる。

過去を振り返ると六通に達する修行（サーマディ）を経ることなくこの天眼を身につけた者が存在した（かも知れない）事件がある。明治の終り頃、天眼通ともてはやされ、今でいうメディアの寵児として数々の公開実験に臨みながらも学者や新聞に詐欺師呼ばわりされ、それを苦にして服毒自殺を遂げた日本最初の千里眼能力者・御船千鶴子である。鈴木光司の小説『リング』の重要なモチーフとしても扱われ、登場人物の伊熊平八郎・山村志津子は、近代化を目指した当時の日本で流行した千里眼研究の中心人物、福来友吉、御船千鶴子がそのモデルとなっている。因みに有名な貞子（小説では山村貞子）は、高橋貞子という実在した三番目の千里眼能力者の名前である。

御船千鶴子の透見法

千鶴子は明治19年（1886）熊本県宇土郡松合村の士族・御船秀益の次女として生まれ、1908年年に陸軍歩兵中尉・河地嘉兼と結婚、10年には事情により離婚している。右耳が遺伝性の難聴であったことと、ひとつのことに集中すると他を顧みなくなる癖があったようで、その為か子供の頃からとても勘が鋭かったらしい。

★御船千鶴子

千鶴子の「千里眼」の能力が開花したのは結婚生活が破綻し実家に戻ってからのことで、当時東京では催眠術がブームになっていて、義兄（姉の夫）の清原猛雄が千鶴子の「勘の良さ」「集中力」に着目し「お前は透視ができる人間だ」と催眠術を施してみたところ、これがきっかけとなって「千里眼」の能力が開花したといわれる。また、義兄の清原は人体透視をさせて病気の診断をしたり、手かざしによる治療なども試みたようで、自宅の一室を「診療室」にして「催眠実治療」と「透視と手かざし」による治療を行ったといわれている。

千鶴子は千里眼ができるようになってから、三池炭鉱から依頼され、有明海の石炭層の透視を行っている。海辺を四時間ほど歩きまわり「およそ七里ほど南に真っ黒なものが見える」と答えた。千鶴子が示した場所を調査してみると、三池炭鉱に匹敵するほどの石炭が埋蔵されているのが確認され、これが万田抗（福岡県大牟田市）につながった。透視の依頼料は二万円（現在では二千万円）だったという。

当時、イギリスなどで広がっていた心霊科学が日本にも入ってき始めたころで、西洋諸国に追いつき追い越せの風潮は、千里眼についても「科学的」に「研究」しようとする動きにつながっていく。

明治42年（1909）、かねて病気療養中であった前京都帝国大学総長・木下広次法学博士が「透見法」なる術を発明した御船千鶴子という女性から不可思議な治療を受けたとの記事（「不思議なる透見法」『朝日新聞』（東京）1909・8・14朝刊5面）が掲載された。「厳封したる袋の中の物は言ふに及ばず鉱物の如き又身体の如きも透見してその内容を探り得」というもので、いわゆる透視を謳った内容であった。木下は京都帝国大学医科大学教授で精神科医であった今村新吉博士に千鶴子の能力の研究を勧め、別ルートで東京帝国大学文化大学の心理学助教授の福来友吉の元にも実験の誘いがあり、1909年から翌10年にかけて研究が行われることとなった。この御船千鶴子こそが、世の注目を集めた「千里眼」の第1号となるのである。

福来友吉による千里眼実験

　福来友吉は明治2年（1869）岐阜県高山市で生を受け苦学の後、東京帝国大学哲学科へ進み心理学の教授元良勇次郎の勧めで大学院に進学、「変態心理学」を専攻する。変態心理学とは異常行動や特殊な心的状態を研究分野とするもので、福来は催眠状態の心理学的研究を行い、1906年「催眠術ノ心理的研究」により文学博士号を取得、東京帝国大学文科大学助教授となった。福来は多忙のためなかなか熊本を訪れることができなかったので「予備実験」として、「封筒にいれた名刺」を幾つか送り、それを透視するように指示したという。1910年4月。福来は千鶴子と面会。京都帝国大学の今村新吉と共に数回の実験を行い、千鶴子は鉄瓶に入った紙片の文字、錫製の茶筒に入った紙片の文字、木箱に入った紙片の文字の透視に成功した。

　福来は帰京すると心理学会例会で実験の結果を報告、すでに新聞で報道された千里眼事件の概要を知っていた学者達もここではじめて実験の報告を聞いたようだ。また、8月には大阪で透視に関する講演会があり福来と千鶴子が来賓として招かれている。その後旅先の京都で福来と今村は、紙片が入った鉛管をハンダで密封したものを透視させる受験を数回行っている。

★福来友吉

　9月、千鶴子の上京に合わせて学者や新聞記者を集め、東京帝国大学元総長で物理学者の山川健次郎の主催によって、鉛管のなかの文字を書いた紙片を透視する公開実験が開かれた。この実験で、山川が用意した鉛管と前日に福来が用意して渡していた鉛管とが入れ替わり、千鶴子はこの福来の鉛管を透視した。このすり替りは前日に渡された「福来鉛管」をお守り代わりに持っていた千鶴子が、「透視がうまくいかなかった山川鉛管」の代わりに「透視できた福来鉛管」の結果を伝えたということによる。千鶴子は「鉛管はどれも同じだから見えたほうを伝えた」だけなのだが、結果は「懐疑的」から「失敗」へと評価が変わることになった。

　二度目の公開実験は物理学者等の参加はなく、新聞記者数名で行われた。千鶴子は透視に

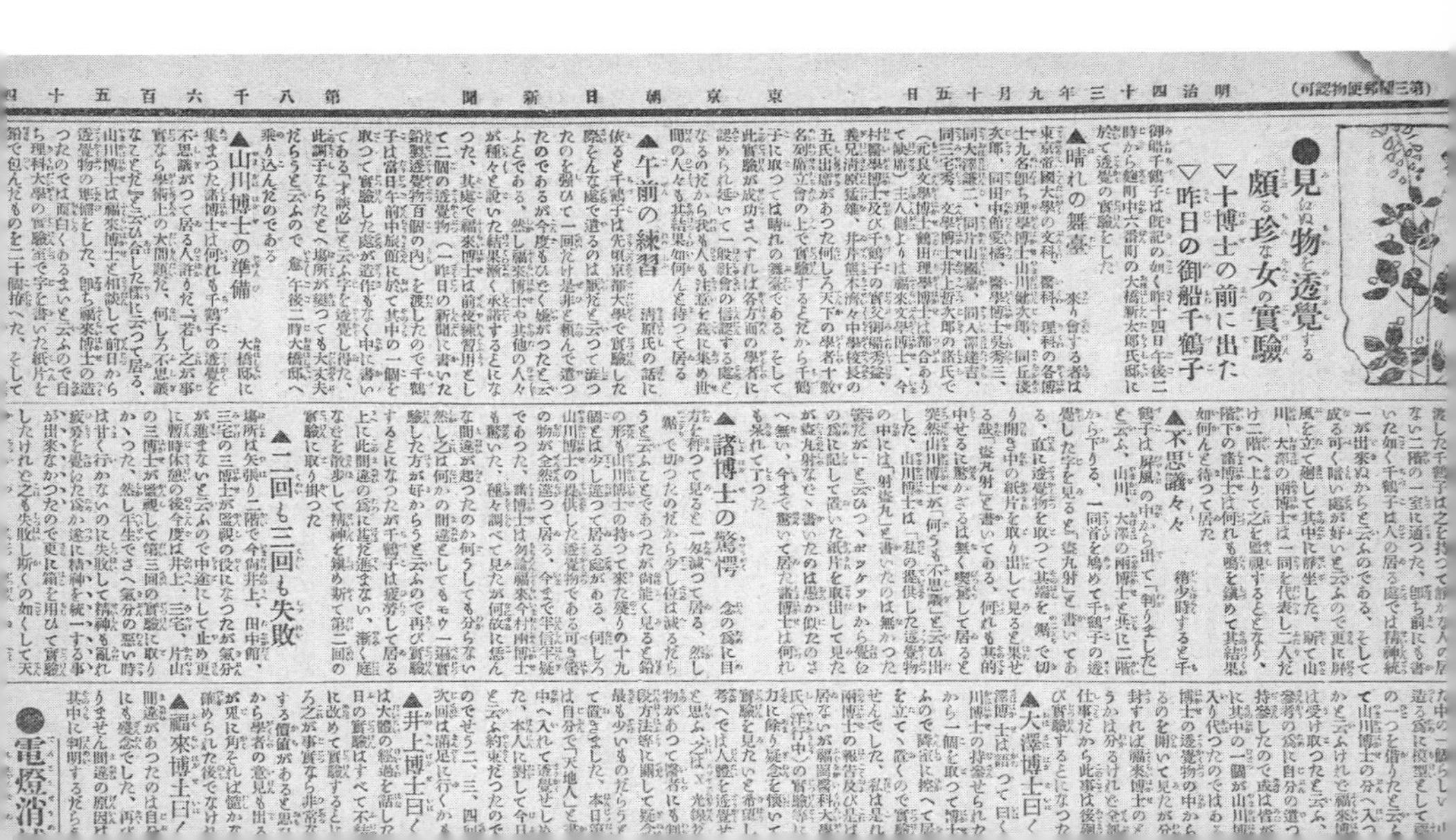

（第三種郵便物認可）　明治四十三年九月十五日　東京朝日新聞　第八千六百五十四

●見物を透覚する頗る珍な女の實驗
▽十博士の前に出た
▽昨日の御船千鶴子

▲晴れの舞臺

▲午前の練習

▲山川博士の準備

▲不思議々々

▲諸博士の驚愕

▲二回も三回も失敗

▲大澤博士曰く

▲井上博士曰く

▲福來博士曰く

●電燈消

成功するが、この実験は「鉛管」ではなく紙で封印した錫壷で行われた。そして三度目の公開実験でも鉛管は使われずに「錫壷」で行われ成功している。このことは新聞にも掲載された。

長尾郁子の念写

千里眼実験が新聞等で大々的に報道された結果、各地に千里眼能力者が次々と現れ、地元の教師や記者らによって実験が試みられるとともに新聞等で紹介された。こうした中で有力な能力者と目されたのが、香川県丸亀市在住の長尾郁子であった。郁子は明治4年(1871)徳山藩の家老の娘として生まれ、母は剣術師範の家の出で、郁子も多少の武道の心得があったようだ。質朴で内向的な性格であった千鶴子に対し、郁子は健康的で活発な性格だったらしい。夫の長尾輿吉は、当時丸亀区裁判所の判事を務めている。

郁子は信仰心に厚く、夫の前任地であった宇都宮で大火を予知するなど以前から不思議な能力を発揮していた。明治43年(1910)6月頃、千鶴子の透視能力を知り、子どもを相手に戯れで透視をしてみたところ、精神統一に入り透視能力を得たとされる。

同年10月23日に東京朝日新聞にその能力が報じられると、福来の知るところとなった。福来は千鶴子の時と同様に予備実験を行ったが、慮らない結果となったため丸亀に出張して実験することにした。郁子は透視に際して口を清め深呼吸を行い全身を撫擦した後、実験物を置いた机に立会人を前にして座り眉間の辺りで合掌して精神統一し、手を膝の上まで下げて指を組み前傾姿勢を取った。結果の的中率は千鶴子の場合よりも低かったものの、福来らは郁子の能力に確信を持つに至った。

福来らが実験を繰り返す中で、未現像の写真乾板上の文字の透視が試みられたが透視結果は失敗、しかし実験後に乾板を確認すると感光していることが発見された。福来はこれを被験者の精神作用によって乾板が感光したものと考え、この現象を「念写」と名付けて研究を開始する。この頃、京都帝国大学文科大学の学生・三浦恒助が郁子の実験のため長尾邸に出入りしており、透視を未知の光線の作用によるものとして説明、これを「京大光線」(「透視実験の確定」『朝日新聞』(東京)1910・12・26朝刊5面)と命名している。

★長尾郁子

山川博士の実験における事件

念写の公表を受け、物理学界の大御所である山川健次郎博士が検証に乗り出している。山川は千鶴子の公開実験にも参加しており、以前から千里眼に関心を持っていた。

丸亀では、助手として理科大学講師の藤教篤と大学院生・藤原咲平の助力を得て実験を実施している。郁子には疑念を抱かせてしまういくつかの難点(疑われるということに極度に神経質で糊付けや封印に気づくと精神統一できなくなってしまう点、実験物を準備する部屋が指定され精神統一に入る際に実験を行う部屋を出て口を清めに行く点)があったが、明治44年(1911)1月8日に行った山川の実験において鞄の中の写真乾板が紛失するという事件が発生。後に実験物を作製した際に藤が乾板を入れ忘れたことが判明するも、長尾家側は不信を強め、以後、物理学者らの実験を謝絶するようになった。

この乾板紛失事件は千里眼の信奉者から物理学者による信用失墜行為ととられ、関係者に脅迫状が送られたりもしたようである。また、今日に至るまで陰謀説が残るきっかけとなった。

★1910年9月の御船千鶴子の公開実験を詳報する「朝日新聞」(東京)1910.9.15朝刊

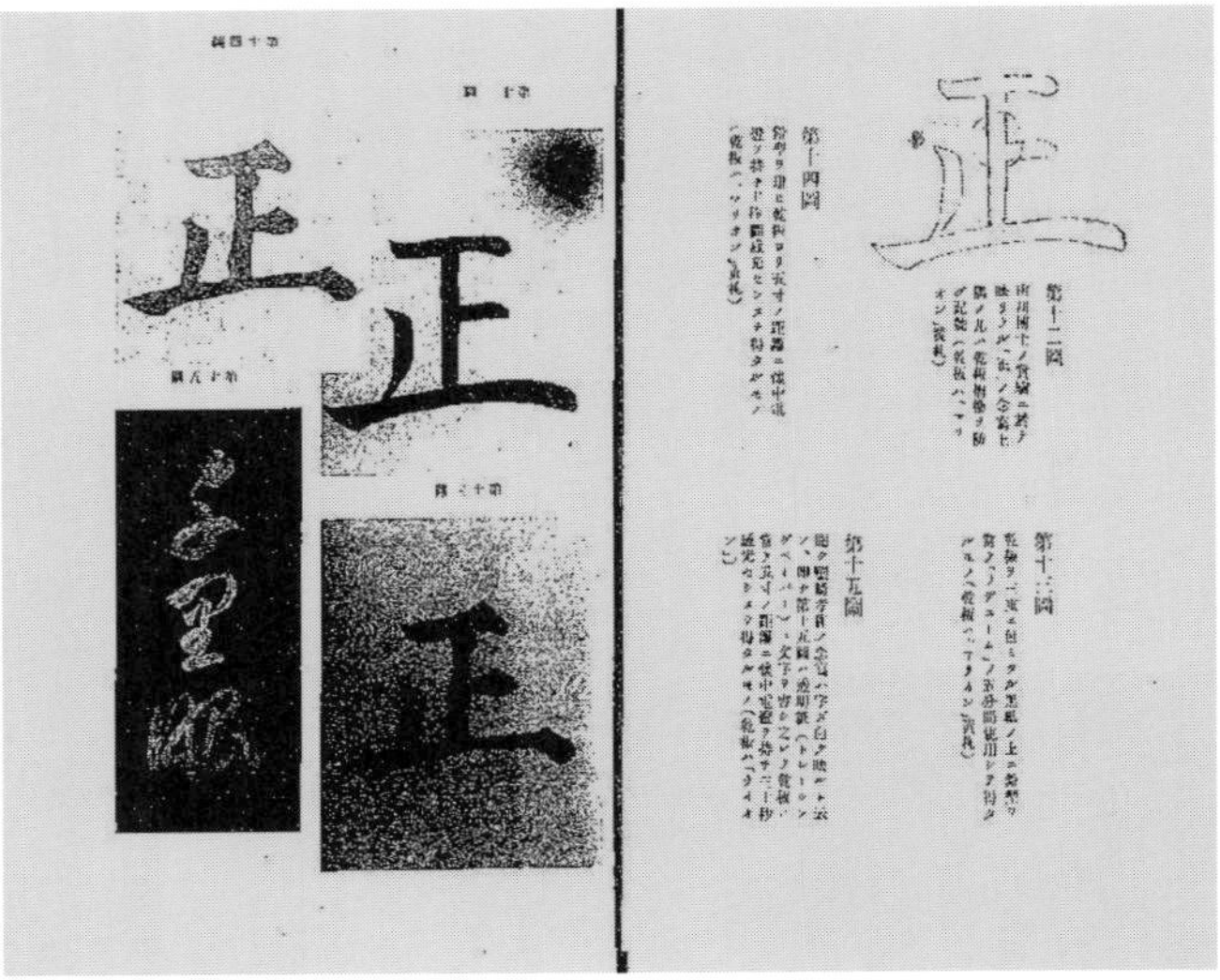

★『千里眼実験録』より

丸亀における山川らの実験については翌月、藤原の共著で『千里眼実験録』が発表されたが、能力について懐疑的とも取れる内容で記されている。

能力者たちの死と福来のその後

乾板紛失事件のあった明治44年（1911）1月頃から新聞報道の風向きが変わる。それまで千里眼を好意的に取り上げてきた新聞の論調がスキャンダル色を帯び始めたのである。

同月の東京朝日新聞から千里眼事件関係の主な記事の見出しを挙げると、「何人の奸策ぞ　いく子実験の障害　東京大学連の失態」（11日）、「醜陋なる科学者　いく子夫人実験の障害　卑劣手段をも透視す　山川博士の説明　実験未だ確実ならず　千里眼以外の不思議」（12日）、「学界の大恥辱　いく子実験中止の怪事は　学者の陋劣なる根性より」（13日）、「愈奇愈怪フイルムの所在判る　福来博士の憤慨　フイルム窃取について　同類八人　フイルム窃取の犯人」（15日）、「学界の奇観　千里眼に関する暗闘　丸亀に於て」（21日から30日まで8回連載）等、物理学者の陰謀を詰るもの、能力者に疑義を呈するものが混在し扇動的な見出しが目立つようになった。

また1月18日、御船千鶴子は熊本の自宅で劇薬の重クロム酸カリを服毒し謎の自殺を遂げ、翌2月26日には丸亀の長尾郁子がインフルエンザと見られる病気により死亡する。相次ぐ能力者の死は、千里眼研究の継続を困難にしていった。大正2年（1913）福来は満を持して御船千鶴子、長尾郁子、高橋貞子という3人の千里眼能力者に対する実験を記述した『透視と念写』を刊行したが、「透視は事實である。念寫も亦事實である」との説が学界で受け入れられることはなく、同年10月27日付けで文官分限令に基づき東京帝国大学の職を解かれるに至った。理由は「官庁事務ノ都合ニ依リ」とされているが、マスコミによるスキャンダル報道等により学問の権威を失墜させたことに対する事実上の処分であったと見られる。

その後の福来は復職することなく大正４年（1915）に東京帝国大学を退職。福来の追放をもって変態心理学という学問分野自体が学界から排除されたとも言われ、以後、アカデミズムにおいて超能力の研究はタブー視されることとなった。不可視の可視に挑んだ者たちは永遠に見えざる者になってしまった瞬間である。

同8年、福来は自ら超能力を得るべく高野山で修業を開始し、同15年高野山大学教授に就任。密教の研究を元に実験で得られた結果を解釈する思想体系を構築しようと努め、その成果は『心霊と神秘世界』等の著作にまとめられたが、昭和27年（1952）3月13日肺炎により死亡。死の前夜に突然大声を上げ「福来友吉ニ世生る」と3度繰り返したといわれている。

目ン玉飛び出る！奇天烈眼球譚

◉文＝日原雄一

目がかゆい。今年は花粉症の年らしい。なぜだか症状がつよい年とだいじょぶな年があるのだが、この新型コロナなさなかに、鼻をぐしゅぐしゅさせていると、いろいろまぎらわしくて困ってる。目の症状はふだんはあまり出ないのだが、今回なぜだかとてもかゆい。目玉をとりだして洗いたいくらい、という表現があるけれど、それ今すごいわかる！って気分だ。私もとても洗いたいが、実際そうするわけにもいかないから、しかたなくアルガードの強いのつけている。高いやつはだいぶ効きますね。値段に比例して効く気がする。じつに単純なからだである。

件の警官の目玉は如何にして飛び出したか

ふだんはドライアイで目薬つけてるけど、それは安いのでいい。しかし、花粉症のほうは、そうはいかないので困る。これまでつかってたドライアイ用の目薬をつけると、余計かゆくなるものもある。それで、いくつか家にあった目薬はつかえなくなった。

もともと眠気につつまれて生きているから、ねむたくてまぶたが重いのか、花粉症で目がしょぼしょぼしているのか、区別つきづらいのも問題だ。ひょっとしたらダブルパンチかもしれない。なにげなく目をこすりながら、かゆみも出てきてふだんより、こする手の力がつよくなってると感じる。ほんとうは目をかくのも、角膜に傷をつけてよくないはずだが、そんなこと気にしてらんないくらいかゆい。

諸星大二郎の「詔命」では、大地震を鎮める人身御供に選ばれた都職員の男は、知らぬ間に片目に傷をつけられている。この人物がいけにえだという、めじるしの傷なんである。私はなんのいけにえだろうと思う。

目がほかとちがうと、めだつ。私は糸目な坂口健太郎のようなイケメンも好きだけれど、「目が大きくて」っていうのも一般に、美人に対する誉め言葉ですね。川村拓の「事情を知らない転校生がグイグイくる」の転校生のイケメン男子とか、「かわいい後輩に言わされたい」の女子の後輩、「留年！とどめ先輩」のセンパイとか、川村拓作品には目が大きくてかわいいキャラが多い。「目ン玉つながりのおまわりさん」という人物も、初めて見たときなんだこいつとおもった。しかもこれが正式名称らしいし。実は警察官でもない、ただ警官のコスプレして交番も私物な民間人らしいから、ますますもって頭がおかしい。

★赤塚不二夫「電子版 天才バカボン」17巻（小学館少年サンデーコミックス）

バカボンとかギャグゲリラとか、赤塚作品にしょっちゅうこの謎警官はでてくるが、「おそ松くん」後期のこのひとはすごかった。タイトルは「おそ松くん」なのに、こないだ深夜アニメを覇権してたおそ松兄弟はほとんどでてこないで、イヤミとこのおまわりさんが主人公ぽいかんじだった。私が小学生のころは赤塚不二夫の晩年で、ＤＶＤ－ＲＯＭの「赤塚不二夫漫画大全集」が七、八万円でてた。「おそ松くん」は講談社のボンボンＫＣ版が、神保町の古本屋で一冊二、三千円した。いまはアマゾンの中古で数百円だ。

ボンボンＫＣ版三十二巻の、「ちび太もいやみをするざんす」の巻。ちび太がこしらえたカラシたっぷりのモナカを、道で拾ったダヨーンが交番にもってくる。ちょうどイヤミも交番にいて、モナカ見るなり「ウヒョーたべようざんす」って決断がはやい。目ン玉つながりのおまわりさんは、ニセモノだけど警官だから、「いやしくもこれは落としものとしてとどけられたものだ」ってめちゃめちゃヨダレこぼしながら断る。イヤミ氏は「いやしくいただこうざんす」、「ミーに半分くれたらだれにもいわないざんす」って交渉もちかけて、果たして二人で山分けする。口にしたとたん、「ハヒーッ!」、「ピハーッ!」っておたがいスゴイおたけびあげて、あまりのからさに目玉が飛び出す。

　このとびだしかたがスゴイ。目ん玉つながりのおまわりさんの目玉は、つながったあの平面のまま、へんなかたちのナルトみたいな感じでにゅるっと飛び出す。イヤミのほうもおんなじで、目玉の丸いところは球としてでなく平面の丸で、そのままトコロテンみたいに長く長く顔面から飛び出して、とてもブキミなことになっている。なに言ってんのかわかんないですがだいじょうぶ、私もなに書いてんのかわからない。

　にゅるにゅると伸びた目で、イヤミは道行く女性のスカート覗いたり、落ちてる百円ひろったりして、「長い目も長い目で見るとべんりかもざんす」だと。けれど、カップルのイチャイチャ場面を隠れ見て、怒った彼氏のほうに、伸びた二つの目を木の幹にしばりつけられたりする。

巨眼じゃだめですか?

　眼球がそんな事態になったら、ふつうなら命にかかわるのだが。水木しげるの「ゲゲゲの鬼太郎」では、巨大な一つ目入道は「ふおーっ」と鬼太郎をのみこんでしまう。そのとき、一つ目入道のノドのところを、鬼太郎のちゃんちゃんこがふさいでしまう。苦しいので一つ目入道が「かーっ」と思い切り力むと、体内で空気が圧迫されて、入道の目玉が「ブオーウ」と勢いよく飛び出す。その後、鬼太郎が確認に行くと、オバケは死なない・病気も何にもないはずだが、一つ目入道は死んでいた。

★水木しげる「ゲゲゲの鬼太郎」14巻
（講談社水木しげる漫画大全集）

★鮭夫「ヒトミ先生の保健室」1巻
（徳間書店リュウコミックス）

　そもそも鬼太郎で言うと、目玉の親父という大問題がある。あの「目玉」氏は、鬼太郎の死んだ父親が目玉だけ生き返ったものだけれど、あらためて考えると「目玉の親父」ってなんだそれと思う。鬼太郎もひとつしか目がないが、その目が攻撃されてやられても、目玉の親父がその脇に入ると眼球の役割を果たすらしいからどんどん意味がわからない。妖怪って素敵なんである。

　現代の妖怪マンガ、鮭夫「ヒトミ先生の保健室」も、やっぱりけっこうわけわからない。養護教諭のヒトミ先生からして一つ目なんだけど、生徒たちも多種多様だ。舌がめっちゃ伸びる設楽さんとか、からだがどんどん透明化してる留居さんとか。不死身系女子の富士見さんは、急いで階段から転げ落ちたりすると、そのたびに全身バラバラになって保健室に運ばれてくる。「不死身だからって無茶しないの!」ってヒトミ先生には怒られているが、右目が飛び出してどっかいっちゃって、かわりにピンポン玉はめてても気づかないようなざっくり女子だ。

　失われた目玉はけっきょく、眼球フェチの男子生徒が、こっそり持ち歩いてたんだけど。でもその眼球フェチくんも、大きな一つ目でしかも巨乳のヒトミ先生には興味ないという。「先生の目はあまりに大きすぎて萎えるっス」、「男が皆巨乳好きではないのと一緒っスよ」と、ヒトミ先生両方否定されてかわいそうだった。

目玉と金玉の類似性に就いて

　とはいえ大きな目玉は、周囲の目

をひくものだ。塾へ行く途中、新宿のブックファーストとかに寄ろうとして、新宿駅地下のスバルビル「新宿の目」に初めて出くわしたときはおどろいた。あの目にジロリにらまれると、勉強さぼって本屋行こうとしてるのをとがめられてるような、なんともふしぎな罪悪感。すぐそばに交番もあるし。交番には目ん玉つながってないホンモノの警官もいて、監視されてる雰囲気が強めなゾーンだ。

　それを快感に転じたのが、筒井康隆「奇ッ怪陋劣潜望鏡」だろう。処女と童貞の新婚夫婦で、おたがい夜の快感にめざめたころ、覗き見する潜望鏡があらわれる。しかもそれが増えてくる。夫婦で精神科にいくと、「潜望鏡妄想」だといわれる。医師いわく。「潜望鏡にはやはり、象徴的な意味がありますね。女性にとって潜望鏡は、男性を意味します。恰好がペニスに似ている上、女性はいつも男性から見られていることを意識している。一方、男性にしてみれば、今まで自分が見たい知りたいと思っていたことを現在自分がやっているわけだから、今度は誰かに見られたいという露出症的な傾向が出てきて、いわば被視妄想ともいうべき、この潜望鏡妄想に陥るのです」。

　とてもフロイト的な話だなあと、ふだん精神科の医者のふりをしている私はおもう。「悪の華」でおなじみの、ルドンの「起源Ⅱ・おそらく花の中に最初の視覚が試みられた」も迫力がある絵だ。あの「花」も、フロイト的には女陰とかいろんな意味になりうるがそれは措いて。べつの華のはなしをしよう。菊門の話だけれど、っていう流れもヒドイが、古典落語の「義眼」。ウッカリ自分の義眼をのみこんでしまった男の肛門から、その義眼がにゅっと出て、かけつけた医者をにらみつける。なんとも奇妙な演目だ。水木しげるの妖怪「尻目」も、ちょうどそんな体勢で、自分の尻から出る目玉を見せてひとをおどかすというオバケでした。

　目玉が本来あるべきは顔面で、それが別なところにあると、おかしなパワーが生まれる。みんな大好き「眼球譚」・「目玉の話」はバタイユの超名作ですが、ここでは目玉と玉子、さらに金玉が重ねて描かれる。睾丸と眼球はたしかに、ふしぎと似る部分が多いですね。目玉は上半身の中心に、金玉は下半身の中心に位置し、正常位で交合する際には、眼球は相手の顔を見つめるが、睾丸は接合部を股間からクリクリ眺める存在。生田耕作はこう書いている。「〈良心の眼〉という慣用語からもうかがえるように、眼は道徳意識の一つの象徴、抑圧のイメージである。この器官は、魅惑的な反面、不気味な対象でもあ」る、という。もちろん、睾丸もそうなのだ。

　山田洋次の創作落語、「目玉」もすごかった。大店の主人が死ぬ前に、息子たちが無駄づかいして身代つぶさないか心配で、自分は目玉だけの存在になって生き続ける。なんとも異様な迫力がある落語である。これを人間国宝の、五代目柳家小さんがやっていたりするから面白い。今の六代目もやっていて、飄々とした今の小さんの味わいもいい。五代目小さん一門でいえば、柳家さん遊師匠や喬太郎・志らくあたりにも演ってほしいところである。

　大店の主人が死ぬ前に、金玉だけになって生き残ったら。それはそれで凄みがありそうだが。そういえば中野のブロードウェイに、「美少年の睾丸」ってガチャガチャがあって話題になったことがありました。もちろん勇んでさがしに行きましたが、ガチャってみておどろいた。「美少年の睾丸」って、卵状の球のなかに透明な液が入って、ポヨンポヨンとしたものがでてきた。その液体の中には、小さな黄色いボール球がひとつ浮かぶだけ。

　これが美少年の金玉かと、たいそうがっかりしたものでしたが。なんだかおかしな魅力があって、本棚の隅にかざっている。あらためて見ればこれも、目玉にちょっと似ていた。黄色い瞳は世界でもめずらしく、ゴールデン・イエローとか呼ばれるものらしい。あれはもしかしたら、外国の希少な美少年の眼球だったのかもしれない。と、むりやりな考えで自分をなぐさめている。

穿たれた穴から太陽を覗け

——『ジャガーの眼』を通して唐十郎が寺山修司に捧げたもの

◉文＝大岡淳

一九八五年に初演された戯曲『ジャガーの眼』は、亡き寺山修司に、唐十郎が捧げたオマージュである。

―1―

一九八〇年七月一三日午後十時過ぎ、寺山修司は、渋谷区宇田川町八丁目のアパート八幡荘の敷地内に侵入し、覗きを疑われてアパートの管理人に通報され、渋谷署で取り調べを受け、住居侵入を認めて罰金を支払う結果となった。八幡荘は路地の奥まったところに位置しており、朝日新聞社出版局から『路地』という本を出すための取材であったというのが本人の言い分だったが、もっとも、好奇心の赴くままに見知らぬ他人の私生活を覗き、時に作品創造の糧としたことは、親しい人々には知られた寺山の「奇癖」ではあったらしい。

ともあれこの小さな事件は、八月に入ると新聞で報道され、たちまちマスコミの好餌となった。公訴事実は住居侵入に過ぎなかったが、マスコミは寺山の「ノゾキ魔」ぶりを面白おかしく書き立て、寺山は仕事のキャンセルが相次ぐ破目に陥った。人々を挑発する手段としてたびたびスキャンダルを利用した寺山ではあったが、このスキャンダルばかりは計算外であっただろう。世間の常識に従えば「晩節を汚す」軽率な行動だったということになる。ただ、当時の週刊誌の記事を眺めると、こんな些細な犯罪の報道において すら、「覗いた」側ばかりか「覗かれた」側のプライバシーまでも平然と暴露しており、この時代の出歯亀ジャーナリズムの自己矛盾ぶりの方がよほど暴力的だと呆れるのだが、それは措こう。

この事件の三年後、一九八三年四月二二日、既に肝硬変で余命数年と告げられていた寺山は、主治医も想定していなかった腹膜炎の併発によって意識を失い河北総合病院に緊急入院したが、治療の甲斐なく五月四日に急逝してしまったのである。

唐突と言えばあまりに唐突な、ライバル寺山修司の死。それを題材とするに当たって唐十郎が着目したのが、この覗き事件であった。寺山が侵入した路地の奥は行き止まりであったが、唐は、その抜けられない路地を抜けた先に何があるかを見ようとしたのだ。

物語は、かつて寺山修司が踏み込んだ路地に足を向けた私立探偵田口が、路地の住民たちから排斥されるところから始まる。田口は唐十郎自身を重ねたキャラクターだ（初演では唐が演じた）。路地の奥に消えた林檎を追っているだけだと説明する彼を、ノゾキ魔と見咎めた住民たちは嘘つき呼ばわりする。自叙伝すら虚構のエピソードで粉飾した寺山の「嘘つき」像が田口に重ねられる瞬間だが、虚構を重ねれば重ねるほど真実の寺山に近づくという逆説が浮かび上がり、なるほど演劇的人間であった寺山にオマージュを捧げる手段は演劇以外にありえなかったのだな、と改めて気づかされる。

さらに田口は、寺山修司が履いていた厚底のサンダルを巨大化させて移動事務所としており、それをリヤカーのように引きずりながら路地への侵入を試みるが、これも住民たちに阻まれる。しかし田口はなお食い下がり、住民たちの自警団的な暴力に辟易して、寺山修司に覗かれたという訴えを取り下げろと迫るが、もちろん住民たちはこの要求を拒絶する。

ところで田口は、転がる林檎を追って路地に

★状況劇場「ジャガーの眼」1985年初演時のポスター

辿り着いたのだった。この、転がる球体を追いかけて迷宮に足を踏み入れるというモチーフは、寺山修司の監督した映画『草迷宮』を踏まえたものだろう。『草迷宮』では、亡き母が歌っていた毛毬唄の歌詞を思い出そうとする青年が、失われた少年時代の記憶を探るべく、故郷への旅に出る。毬という球体におびき寄せられた青年は、記憶の奥底に隠れていた、母子相姦のエロティシズムという禁忌に直面することになる。では、転がる林檎は田口を何処へ誘うのか?

田口は、寺山が好んだ「死ぬのは、いつも他人ばかり」というマルセル・デュシャンの文句を織り込んだ歌を、小室等の哀切なメロディに乗せて歌う——「この路地に来て/思い出す/あなたの好きな/ひとつの言葉/死ぬのは、皆他人/ならば/生きるのも 皆他人/死ぬのも 皆他人/愛するのも 皆他人/覗くのは 僕ばかり/そこに/見てはいけない何があるのか」。

そもそもこの林檎は、くるみという名の女が、かつての恋人シンジ(この名称もシュウジを思わせる)と同棲していた部屋の、窓辺に飾っていたものだ。しかしシンジは交通事故で死去し、彼の角膜はある男性に移植された後、さらにまた別の男性へと移植された。

この、他人から他人へと渡り歩く角膜をジャガーの眼と呼んで愛おしむくるみは、その探索を探偵田口に依頼し、のみならず、自ら田口の助手となり、転がる林檎の先にあるはずのジャガーの眼を追っていた。すなわち、田口の依頼人にして使者——役割をコロコロと反転させながら突き進む女——が、くるみである。かくして、林檎と胡桃と眼球と、三つの球体がビー玉遊びのように転がり繰り広げる追いかけっこが、この物語の経糸をなしている。

さらに、車に轢かれた飼い犬チロの心臓を自らに委嘱し、チロを生かそうとする少年が登場する。少年は偶然出会ったくるみに励まされたことを機に、田口とふたりで、くるみの行方を追う。このエピソードは、寺山のエッセイ「臓器交換序説」へのオマージュだ。このエッセイで寺山は、ブルガーコフの小説「犬の心臓」に登場する、犬の心臓を移植した主人公が、「犬の心臓をもった労働者」なのか「労働者の肉体をもった犬」なのか判別できない点に注目し、「その主体は一体何者をあらわしているのかがきわめて曖昧」とした上で、「歴史というそれ自体無目的なものに対し、主体としてかかわってきたのは『人間』ではなく、『関係によって作りだされてきた相互幻想』であった」と説く。

　この、優れて近代的な概念である「人間」を棄却しようというドライな認識を、唐はあえてウェットな叙情へと置き換える。後述するDr・弁による心臓移植手術が失敗し、チロは死んでしまう。弁は「坊や、これからは、自分だけを愛すんだ」とドライに言い放つが、少年はなおも、心臓を抜かれたチロの死体を背負ったまま、田口と行動を共にするのだ。

　このチロの心臓を、空洞と化してしまった第四の球体とみなすこともできるかもしれない。

—2—

　だが、これら球体の戯れは容易には遂行されない。物語には横糸が絡まり、事態は錯綜する。

　まずは、田口と路地の住民たちの衝突に対して、調停を買って出る探偵・扉。彼は、かつて田口が所属していたアジア探偵社で、田口の腕前を高く買う上司であったが、今は路地の住民たちに依頼され、田口を追い払う役目を負っている。彼は穏便に、田口に仕事を紹介してこの林檎の一件から身を引かせようとするが、田口はそんな懐柔策にはなびかない。

　さらに扉は、アジア探偵社で田口のよき相棒であった、等身大の女の人形サラマンダを田口に押し付けようとする。サラマンダを作ったのは扉だが、それを現場で活用できたのは田口だった。張り込みの折には、田口はサラマンダを抱いてアベックを装った。しかし田口が独立し、今やサラマンダを持て余している扉は、再びその人形を田口にあてがい、妄想の恋人と紡ぐ繭の中に、田口を封じ込めてしまおうとする。この男は、路地という開放的空間を扉で閉ざし、あるべきものをあるべきところに封印せずにはいられないのだ。そして、冷たい体を持ち火の中でも生きられる妖精サラマンダのように、ひとたび捨てられた冷たい肌の人形は、燃える思いを再会した田口にぶつける——くるみはあなたには追い切れない、くるみを追うとあなたは不幸になる、と。

★唐組によって1989年に再演された「ジャガーの眼」のVHS

　いっぽう田口とは別行動をとるくるみは、苛性ソーダでつけた角膜の傷を頼りに、現在の角膜の持ち主であるしんいちの居場所を、この路地の一角に突き止める。ジャガーの眼に別れを告げようにも告げられないくるみは、とうとうしんいちに本音を吐く——「あたしは、あんたをなびかせます。」しかししんいちには夏子という婚約者がいる。「僕は平凡です。だから、平凡な夏子の相手程度で、いいんです。」だが、激しくも儚くもあるくるみの思いにほだされたしんいちはとうとう、あるべきだった青春を見せてくれれば、夏子を捨てて君になびくと宣言してしまう。

その事情を察したサラマンダは田口を説得する（本当は田口の自問自答だが）――「肉体の一部に恋し、その肉体の一部のみか、その一部を守る為には、器に等しい肉体さえも罠にかけようとするくるみの情熱に、あなたははじき飛ばされる。」　だがそんなサラマンダを、田口は結局は振り捨てることになる。

ここでも、我々は寺山の言葉を想起するかもしれない――寺山は「人形館主人」と題したエッセイでこう言っている。『とかく、人形を集めたがる者は』と、私はときどき思う。／『その趣味を政治化すると危険な独裁者の夢を見がちであるから、できるだけ早く、人形たちに別れをつげた方がいいのだ』と。」　この忠告を無視して人形を偏愛する者は、際限のない支配欲を発揮してますますその人形に固着することで、逆に人形に支配されてしまうことだろう。

そしてもうひとり、経糸を攪乱させる横糸が、闇ルートで流通する角膜をしんいちに移植したDr・弁だ。これもまた、寺山の「臓器交換序説」にインスパイアされたキャラクターだ。寺山は、ポーの短編小説「使いきった男」に登場するジョン・A・B・C・スミスに注目する。スミスは、どこにも実在しなかったにもかかわらず、確かに存在していた。なぜなら彼は、鬘、義歯、義眼、つけ顎、義足など、全身が作り物でできあがっていたからだ。同様にDr・弁は、顔面の半分に鉄を埋め込み、白衣の下にはつぎはぎの皮膚、ガラスの片肺、洗濯機ホースの腸を隠し、「肉体植民地」という異名を持つ（ついでながら、このアルチンボルドの絵画のような奇想は、飴屋法水に受け継がれることになるだろう）。

このマッド・サイエンティストは徹底した唯物論者で、「肉体の一部を追うものはなく、追われようとする一部もない」と断言して憚らない。だから、くるみと出会う以前のしんいちに、弁に移植された角膜が誰かを探しているようだ、実際誰かがうろついている気配もある、と訴えられても聞く耳を持たず、不満があるならその角膜を売ってしまえ、とにべもない。彼はいわば、主体性も人間性も放棄した機械人間なのだ。

かくして、一切を扉で隔てようとする男と、一切を弁で統御してしまう男が、球体の戯れに干渉することとなるが、しんいちが追い求めた青春――善福寺川の川面に映った去年の入道雲――を、くるみがあの林檎の中から取り出してみせた瞬間に、肉体の一部を追う者と追われる者との間で愛が成立するという、奇跡が起きるのである。

3

結末へ急ごう。探偵・扉は、眼帯をかけて扮装し、ジャガーの眼の二番目の持ち主であると偽って、しんいちとの賭けに挑む。もしもくるみが、最初の持ち主であるシンジへの思いを断ち切れないなら、その角膜を買い戻すと言うのだ。彼の目的は、ジャガーの眼を追ってくるはずの、くるみとの情事である。シンジの写真を入れたロケットをくるみが捨てていないのを見て、扉は賭けに勝ったと喜ぶものの、そこに田口が駆けつけ、ジャガーの眼の二番目の持ち主は、ほかならぬ自分であったことを明かし、眼帯男の正体が扉であることを見破る。そしてまたくるみは、既にロケットの中の写真は捨てており、そこにしんいちの写真を入れるつもりだったと打ち明ける。ところが、その場に嫉妬に狂った夏子が駆けつけ、硫酸を浴びせて林檎を溶かし、しんいちの片目――ジャガーの眼をも傷つけてしまう。

この一件の後しんいちは行方をくらまし、十日後、くるみと田口と少年は失意のうちに路地を去ることを決意するが、その刹那、再び彼らの前に林檎が転がり、割れた林檎から立ち込める煙の向こうに、包帯で片眼を覆ったしんいちが帰ってくる。そして、恒例の紅テントの屋台崩しによって路地の向こう側が現れ、四人は、寺山修司のサンダル探偵事務所とチロの体を引き連れて、彼方へと去ってゆく。

寺山修司は「ぼくの映画史――一歳から現在まで」と題したエッセイにこう書いている。「一歳

――はじめての映画　あけた瞼のあいだからさしこむ剃刀の刃のような光　太陽は私を射る最初の映写機だった」。もちろんここでは、眼球を剃刀で裂く、ルイス・ブニュエル監督『アンダルシアの犬』のイメージが重ねられている。唐が描いた、苛性ソーダで傷つけられたジャガーの眼も、魔法のランプのように煙を吐き出す林檎も、あるいは、舞台奥の壁を取り払う紅テントも同様だ。球体の美は完結性にあるが、その球体に刻まれた傷は、見たいものしか見ようとせず、自らの世界観を完結させようとするナルシシズムに穿たれた、外界への通路なのだ。

　人形愛というナルシシズムに溺れかかっていた田口にとって、「見てはいけない」「追い切れない」ものとは、寺山の言葉を借りるなら、外界から差し込む太陽の光だったのだ。この太陽を、第五の球体としてもよいだろう。

　扉で閉ざされた母子相姦のまどろみ（母胎＝球体への退行）とも、弁で統御された「人間」解体後の人間（生命＝球体の消滅）とも異なり、「この体はこの私のものである」とする自己同一性に穴を穿ち光を導き入れることが、他者との連帯を育み、愛を生む可能性を、唐十郎は示唆している。目を射る痛みに耐え、自分が自分ではなくなる怖れを乗り越え、穿たれた穴から太陽を覗け――それが、路地に佇む寺山修司に対して、唐十郎が放ったメッセージではなかったか。

　渋谷区宇田川町八丁目は、今は駐車場となっており、路地そのものが消滅していた。覗きたいものなど何もなく、見上げれば広々とした青空があり、陽光が眩しかったことを付け加えておく。

　唐十郎『ジャガーの眼』（沖積舎、一九八五年）は特異な戯曲で、それを論じるには、一九八三年五月四日に寺山修司が没したことから始めねばならない。「読書人」の五月二三日号には、中井英夫・山野浩一・八木忠栄による追悼文が載った。これらは二〇二〇年一月に刊行された「週刊読書人」編集部編『追悼文選　50人の知の巨人に捧ぐ』（読書人）にまるごと採録された。元「現代詩手帖」編集長の八木は、駆け出しの頃に寺山から「マリリン・モンローのおまんこから世界をのぞくような詩を書いてください」という「いかなる詩の入門書にもまさる一言」をもらったと添えている。死の四日前と前日に寺山に会ったというSF作家の山野浩一は、「多くの友人を持ちながら孤独であり、人づきあいはうまくなかった」寺山にとって、例外的に、「何度も親友となり、喧嘩もした華々しい交際」の例として、唐十郎の名前を出している。

　山野は、寺山から唐について相談を受けた際、「先輩のあなたの側から唐のしごとに敬意を示さなければだめだよ。彼はずっとそうしてきているんだから」とアドバイスをし、それを寺山は受け入れたものだと述懐している。その敬意が、もっともストレートに発露されたのは、一九八五年、寺山の命日に合わせて上演された状況劇場の『ジャガーの眼』であったろう。ここでは、寺山が没する直前に入院した病院のイメージが影を落とすなか、寺山に詩を送ったものの批評に値せず拒絶された探偵が、人と人とのコミュニケーションをつなぐ扉から嘲笑されるというシュールな場面が描かれる。老練な探偵像は、若い男装の麗人としての探偵像に入れ替わり、眼差す主体と眼差される対象の位置は目まぐるしく変転を遂げ、見ることに使われる眼球そのものが、三つの身体において交換される。幾重もの魔術的な仕掛けのなかで、とりわけ強烈なインパクトを放つのが、「肉体植民地」という形象だ。ドクター弁と呼ばれるキャラクターは、鉄仮面をか

「肉体植民地」から『盲人書簡』へ
——寺山修司への敬意と、唐十郎『ジャガーの眼』

◉文＝岡和田晃

ぶり、白衣を破って突き出した上半身はツギハギで、ガラスの片肺を持ち、洗濯機ホースを腸の一部として突き出す、いわばジャンクなサイボーグである。

『ジャガーの眼』の脚本では、「肉体植民地」が披露される前段階として、処女膜破りのイメージが重ね合わされ、ヒビの心臓を赤ん坊に移植する手術が失敗したのは、はたして赤ん坊の側に拒む意思があったからかどうかが議論される。つまり「肉体植民地」とは、未踏の「処女」を好き勝手に征服・改造してしまうことの暴力と抵抗の両方を含意している。

「肉体植民地」のインパクトは、寺山が「既製の詩」の枠に囚われない視点の表徴として、寺山が提示した「マリリン・モンローのおまんこから世界を見る」というインパクトたっぷりのイメージを、ちょうど裏返しにしているかのようだ。セックス・シンボルの代名詞として消費されたマリリン・モンローが、メディア上で決してさらけ出さなかったものが、秘所としての「おまんこ」である。つまり、下着という被服によって、そこから世界を眼差すことを拒絶されていながら、すべての人間が生まれた起源としての場所。バタイユ『眼球譚』が提示したシュルレアルでエロティックなイメージを借りて、大衆の無意識が投影されたヴェールの向こう側から、改めてこちらを見返すことを表象している。

★唐十郎『ジャガーの眼』(沖積舎)

この「肉体植民地」という表徴は、否応なしに唐十郎が『腰巻きお仙』(現代思潮社、一九六八年)に収めた「特権的肉体論」を彷彿させる。劇作家のキャリアがある編集者・清末浩平の画期的な「唐十郎論——肉体の設定」(「文学十」創刊号、二〇一八年)での検証によれば、「特権的肉体」とは、サルトルの小説『嘔吐』における「特権的状態」に由来する。それは、人間が実存主義的な意味で完全に即自的に生きている奇跡的瞬間を意味するが、それを成立させる条件とは、俳優の身体とそのままイコールでは結び付けられない。俳優の身体は、役柄という制約によってこそ成立するからである。むしろ、複数の観客の集合的な眼差しが——制約によって浮上する俳優というフィルターを介し——メルロ＝ポンティ『知覚の現象学』で言われるような——意識のスクリーンに投影された「影法師」めいた「背景」としての「特権的肉体」を生ぜしめるヴィジョンとみなすべきだろう。

しかし、このような「特権的肉体」が、『ジャガーの眼』において「植民地」という形象をまとう意味とは何か。遡れば、ヨーロッパを啓蒙主義が席巻した一八世紀においては、「植民地」としてのアメリカ大陸は、それこそ蒙を啓かれるべき対象として、厳然と存在していた。面白いのは、啓蒙とは『百科全書』的なイデオロギーによる陶冶としてなされるものでありながら、物理的・身体的な開眼のイメージでも語られてきた、ということだ。

アメリカ文学者の佐藤憲一は、アメリカ最初の職業作家ことチャールズ・ブロックデン・ブラウンの『オーモンド、または秘密の証人』(1799)における白内障手術に着目している(「手術で蒙を啓く——チャールズ・ブロックデン・ブラウン『オーモンド』における「旅する目医者」のパフォーマンス」、「関東英文学研究　支部統合号」第三巻〇号、二〇一一年)。当時の手術は、麻酔なしで眼に特殊な器具を差し込み、混濁したレンズを除去するという、いかにも痛々しい方法が採られていた。ゆえに佐藤は、これを「数少ないゴシック風景の刻印」、すなわち残酷さとして捉える。そのような残酷さは「処女地」を「植民地」へと上書きするような暴力を伴うものでありながら、「開明＝開眼」という「恩恵」をももたらす。

興味深いのは、佐藤が『オーモンド』で施術を行う医者が、ヨーロッパからアメリカにやってくるものとして描かれていることを指摘していることだ。なぜ、医者はわざわざ、古き善き祖国を捨て、アメリカくんだりまでやってくるのか。『オーモンド』の注釈本では、旅医者は秘密結社イルミナティの一員だから、との示唆があるのだという。「光」を意味するイルミナティの一員だからこそ、物理的な「光」をもたらすのに相応しいというわけだ。

一方で、この事実が含意するのは、「内なる敵」としてのイルミナティ、という陰謀論的パラノイアが、ブラウンの時代に広く浸透していたことでもある。それまで眼が見えなかった者が「開眼」した場合、直ちに物事の理非をわきまえることは難しい。その隙をついて、イルミナティが自らの世界観を、「開眼」した者へと刷り込むことの恐怖が、いわば『オーモンド』には書き込まれている、というわけだ。

佐藤は、啓蒙主義と「開眼」のイメージが結びつく一つの背景を、モリヌー問題に置いている（*Charles Brockden Brown's Ormond and the Representation of Cataract Surgery in the Early Republic*、「成城文芸」（205）、二〇〇八年）。モリヌー問題とは、ロンドン王立協会の会員で、ダブリン科学協会を設立したことでも知られるウィリアム・モリヌーが、ジョン・ロックへの書簡で、先天的な「盲人」が何らかの手段によって後に眼が見えるようになったと仮定した時、同一金属で出来たほぼ同じ大きさの球体と立方体を、触ることなく識別することが可能なのか、という問題提起を行ったことを意味する。モリヌーとロックに共通した見解は、「その盲人は球体と立方体を（触覚に頼らずに）視覚のみで見分けることはできない」というものであった。

実際、この逸話を紹介した啓蒙主義者であるディドロの『盲人書簡』（原著一七四九年）では、確かに冒頭から白内障手術について語られている。ただ、啓蒙を推進するよりはむしろ、視覚と触覚の認識論的な差異について詳細に紙幅が割かれている。「盲人」にとり、物理現象とは未知な世界に属するものであり、「仮定というものを与えられるままの姿で受け取らざる」をえない。例えば、「盲人」が「光線」を受け止めようとすれば、それは「弾力性をもった細い一本の糸、あるいは信ぜられぬほどの速度でやって来てわれわれの眼に突き当たる一連の小物体として考えられ、そういうふうに計算されてしまう」（吉村道夫・加藤美雄訳、岩波文庫、一九四九年、旧字体は修正した）。ゆえにディドロは「盲人」を、物理学と幾何学・数学を橋渡しする特異な存在として位置づけているのだ。

神の恩寵によって「開眼」している者らに比べ、「盲人」は触覚を介し、経験に裏打ちされずとも真理を直観することができる。つまり、「啓蒙」は真理をもたらすと驕るがゆえに、かえって真理としての神を遠ざけてしまう、というパラドックスが、『盲人書簡』では示唆されているのだ。ディドロが唯物論・無神論に傾斜していくと言われる所以であるが、これを先に検証した『ジャガーの眼』の「肉体植民地」という形象に引き戻すと、近代知の歪みを体現しながら、啓蒙概念そのものへ揺さぶりをかけるような「背景」が、ガジェットの枠を超えた「特権的肉体」として顕現しているのだとわかる。それはまた、寺山修司という多面体が遺した記憶の美化を拒絶することによる逆説的敬意、そのものでもあった。

★ディドロ『盲人書簡』（2011年の英訳版）

ジリリリリン
アリス 近づいてるわ
でも そこはダメ あいつ達が沢山いる
DARK ALICE
36. 伊由 by eat
ずっと俺の事見てるの あんただろ?
あんた誰だ なんで俺を助ける?
……
会ったら話すわ
とにかく そこを離れて ××地区へ来て
そこで あなたを待ってる
迎えに行くわ
愛してるのよ アリス

本当に存在したのね…！
私の妄想じゃなかった！
はじめましてアリス！
会いたかったわ
さっこっちよ
私の名前は伊由《いより》
目が不自由だけど何でも見えてるわ
あなたがこの世に来た時からね
あなたのおかげで
色を知り形を知る事ができたの
だから私はあなたが愛おしい
ず…ずっとここにいてほしいの！
私がアリスを護るわ！
・・・

スリ…
お？
き…今日はゆっくり休んで
ぱっ
え
お…おやすみ♡
すすす
……
パタン…
ドキドキ

伊由
ずっと見られてたら眠れない
ス…
チュン
チュン
伊由？
ガチャ
もしもーし
くすくす
あら
ダメよアリス不用心に電話に出ちゃ

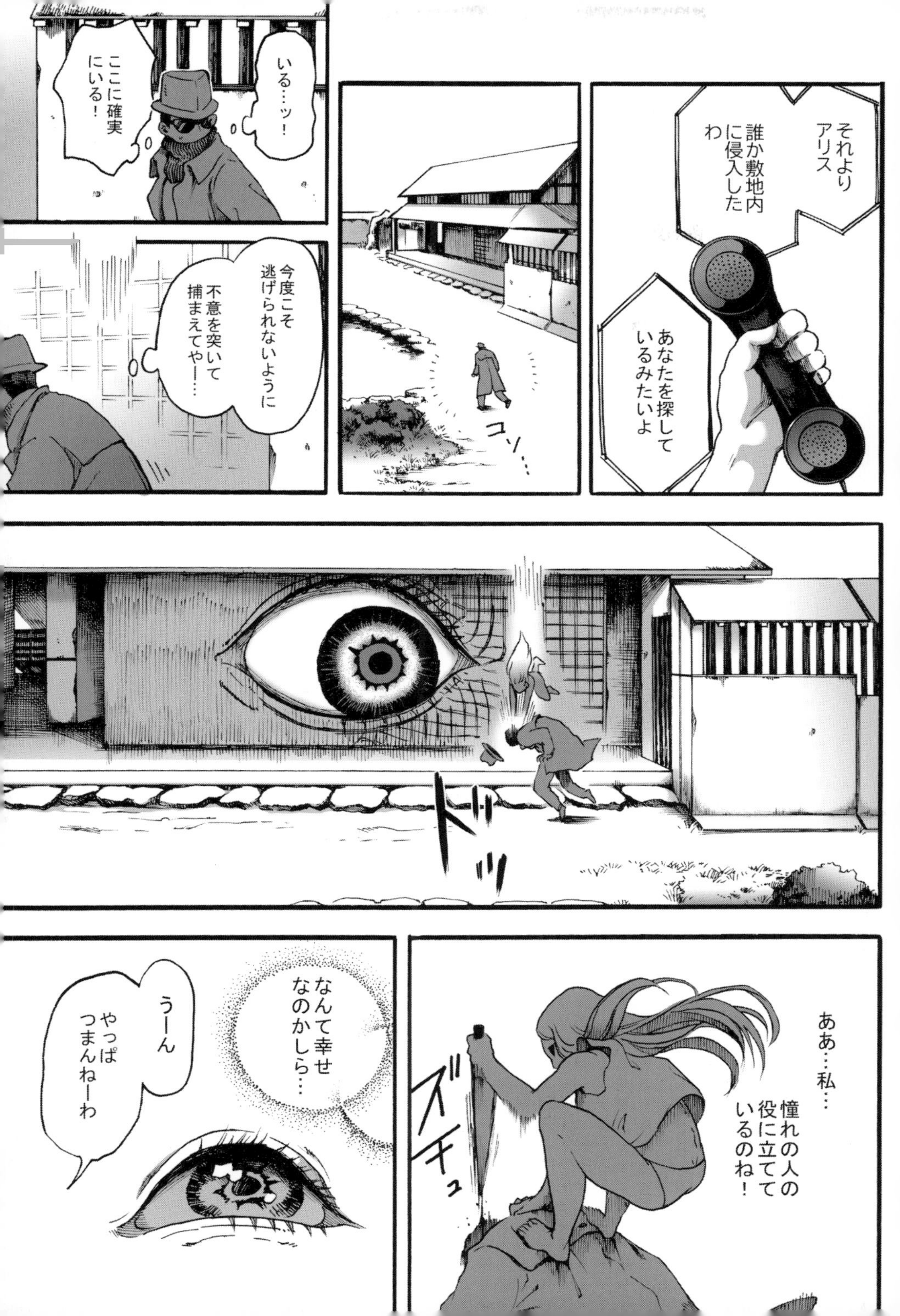
それより
アリス
誰か敷地内に侵入したわ
あなたを探しているみたいよ
コッ…
いる…ッ!
ここに確実にいる!
今度こそ逃げられないように
不意を突いて捕まえてや!…
ドッ
ズチュ
ああ…私…
憧れの人の役に立てているのね!
なんて幸せなのかしら…
うーん
やっぱつまんねーわ

え
ぎゅる
な…んで…
たまにはゆっくり寝たくて
今回だけ試しに誘いに乗ってみたけど…
ちゃ
俺…この逃避行を楽しんでるからさ
こんなイージーモード求めてねぇし
ずっと見られてんのも嫌だったんだよな
捕まりたいの!?
いや…そういうわけじゃねーが
だったら
私を利用してよ!
これからは必要な時しか…

いや…
いやよ…
やめたくない
スチャ
生きがいだもの
ちっ
パラ…
成美
THUBAKI
トト
いたか？
あっちだ！
おい お前!!
酒
むし屋
きゃ
どけ
玉田美容室
黒板

だっ
タタタタタタ
ふ
ジーーーーーッ
リン…
ジリリリン
ジリリリン
ジリリリン
ジリリリン
ジーーーーーー
ジリリリリリーー

目は口ほどに物を言う
美辞麗句を並べる
貴方の眼は私を蔑む
あの人もこの人もみんなみんな
見ないで見ないで見ないで
その眼を潰してしまいましょう
その眼を取り出してしまいましょう
でもキリがないキリがない
そうだ、私の眼を潰してしまおう
美しい言葉だけ聞いていればいい
たとえ嘘だとしても

岸田尚一コマ漫画 ◉コラージュ＆文＝岸田尚

「眼」の潜在意識能力
――邪視にまつわる民俗史

●文＝赤木美奈

★強い眼力を持つとされる猿田彦神

眼の力と邪視信仰

Evil eyeという単語を大乗仏教用語に準え「邪視」と訳し、日本語として定着させたのは勉王・南方熊楠だ。彼は出口米吉の「小児と魔除」に触発され、ロンドン時代に、まだ和訳される前の初版を読んだとされるE・T・エルワージ『The evil eye』を元に論文「小児と魔除」(1909.5)を執筆し、そこで「邪視」という言葉を用いた。これは柳田國男等の民俗学者にもすぐに広がり、柳田はペンネーム川村杏樹の頃、「郷土研究」に掲載した「池袋の石打と飛騨の牛蒡種」(1913)中で早速邪視に触れている。

熊楠は「目勝ち猿田彦神」等の逸話を挙げ、この国にも眼に対する特別な信仰があることを指摘した。「見毒」(『雑宝蔵経』『僧護経』『菩薩処胎経』)「視害(梵語 vihiṃsā)」「眼毒」(『蘇婆呼童子経』)など、

★赤木美奈の作品はp.18も参照。
※この原稿は、赤木美奈が個展「邪視―南方熊楠に奉ずる―」noteにまとめた「邪視随筆」を、本特集に合わせて編集部が再構成したものである。
赤木美奈note https://note.com/akagogaka

様々な呼称をもつこの民間信仰の淵源は、創世記にまで遡る。世界最古の文化財があるエジプトでは、開閉神プターの眼から神を、口からは人を産んだという伝承が残っている。これは身体部品のうち眼が最も相手の潜在意識に働き掛けると考えられていたためだろう。

応用と知恵、その全てを手放し、まっさらな赤子に戻った時、決して手放してはならないものはなんだろうか。私は視力であると提言したい。

新生児はまず初めに母親の眼を求め探す。黒点を2つ描いて見せると、母が呼ぶ声よりも先にそちらに反応するという研究報告もある。遺伝的本能は古代より投射繁栄していくものと結び付けられよう。

O・ヤーンは「臭気、言葉、肉体、呼気も接触したものに何らかの作用を与えるが、瞥見《べっけん》の影響はさらに高度であり、誰もが知るように、恋愛において極めて著しい」と書いている。つまり、〝本人が望まずとも、相手に与える外的魅惑の伝達手段で最も即効性のある潜在意識能力が、何よりも眼である〟というわけだ。

純粋なパルスとして、受け取った側の感じ取りようで、視線は危険にも甘美にもなりうる。邪視信仰がもっとも根強い中東全域では、「綺麗な女性が視線を浴びると美を吸い取られる」という考えが現代においてもなお根強く、信心深き容姿の優れた女性ほど、布でひたむきに顔を隠す。聞き慣れた言葉で例えると「一目惚れ」「恋は盲目」。どんな惚気言葉より、熱烈な視線に見つめられた時の方が相手の虜になる。振り向いて欲しくて見詰めたことはないか。あの方の視線に射抜かれてしまいたい、そう思ったことは？ それもまた、邪視なのだ。

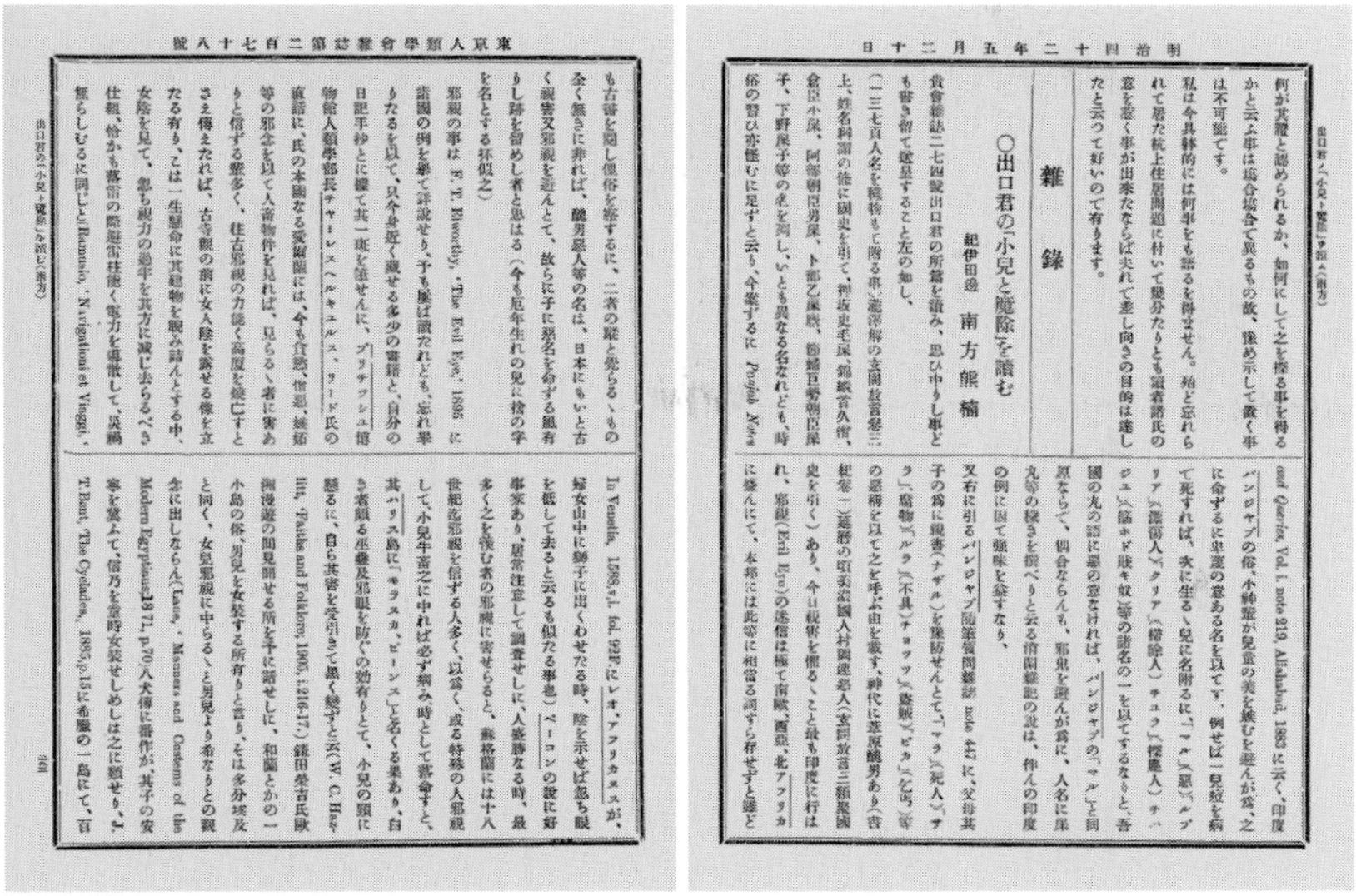
明治四十二年五月二十日

雜錄

○出口君の「小兒と魔除」を讀む

紀伊田邊 南方熊楠

東京人類學會雜誌第二百七十八號

★「東京人類學會雜誌」に掲載された南方熊楠『出口君の「小児と魔除」を読む』（1909年／『南方随筆』には「小児と魔除」の題で収録）

鏡で赤ん坊を護る

南アジアでは厄除け用に墨が売られている。墨が邪悪な視線を吸収し無効にすると信じられていて、邪視除けの御守りであり、国民に欠かせぬ化粧品だ。白檀を浸した布を芯にして、ひまし油を燃やしたランプで出来た墨が原料で、ムスリムからヒンドゥー教まで用いられる。美しい瞳をわざと黒くすることでジェラシーを寄せ付けないということから、アイライナー代わりになり、眼の健康に良いとされる。邪視に弱い乳幼児の衣服にも塗布される。

また、ラバーリィというインドの牧畜民に、1970年代まで「幼児婚」という風習があった。赤ん坊に、ふんだんに縫い付けられたミラー刺繍の着物を纏わせ、司祭が女神に祈り、与えられたトーテムによる名付けが決まるまで、子供が邪視に射抜かれ殺されぬよう、華護具の役目を果たした。あらゆる人々が祝福する中で「私も赤ちゃんが産みたかった」「うちの子は死んでしまった」「あの人の子

★青銅で作られた陽根の魔除け

供を産むのは私だった」「この子がうちの子なら良かったのに」――そう呟く者たちの本心が赤ん坊に届かぬよう、何百も縫い付けられた小さな鏡がキラキラと護る。なんと恐ろしく、美しい光景！

邪視は、このように反射光や浄化に弱い。一部の鳥や虫は光を嫌い、あるいは求め、生物は時に自ら火に飛び込み、身を焦がす。強い光には生き物に正の魅惑、吸引作用があるのだ。

ファルスによる邪視除け

ナポリ人は親しき間柄になると「邪視に祟られることがないように」と言う代わりに、「あんたの為にイチジクするぜ」と表現するそうだ。

イチジクとは「指の仕草で無視や軽蔑を暗示し他を辱める（退ける）」との由。そんな気持ちを表す英語の慣用句として「Don't care a fig.（イチジクくれぇ気にすんな）」「A fig for you！（お前にイチジクくれてやらぁ）」という愉快な言い回しがある（E・T・エルワージ『The Evil eye』より）。

イチジクはヘブライ語聖書における禁断の果実だ。一般にはリンゴが禁断の果実で、イチジクの葉はアダムとイブの局部を隠すのに使われたと知られているが、実は旧約聖書において、そのような記述はない。古代インドではバナナの葉をイチジクと呼んでいたそうだ。「バナナ」がファルス（陽根）による女性の堕落、快楽の代償を差していたと考えるのは穿ち過ぎか……。

《陽根像》は立派な邪視除けの象徴の1つ。イタリアのある地方では、性器を角に見立てた青銅の飾りを玄関に吊るし邪視を除ける慣習がある。日本で言うと節分（追難）の柊の役目だろう。このような習慣に宿る心理は「不浄による浄化」とでも名付けられようか。汚染されているものがそれ以上穢されることはない、よって魔は魔で封じよということ。日本ではかつて、邪霊への対抗策として「幼児の額に犬と書き笛を鳴らす」「馬屋から糞を持ってきて病人の側に置く」「泥草履を枕元に置いて眠る」といった風習が存在した。鬼が嫌う畜生・排泄物・汚物等で清除する、という社会的意識が大和全

★ナザール・ボンジュウ

★ファティマ

★平安神宮の節分、追儺の儀における方相氏（Wikipediaより）

★吉田神社での追儺『都年中行事画帖』（1928年）より

域に伝播していった。

逆に言えば「綺麗で純粋なものは侵されるしかない」とも考えられる。特に幼児は邪視に弱い。だからこそ、護身グッズとして前述の縫い鏡や守り刀が産まれたのだ。

また、北アフリカではファティマ（マホメットの娘）の手という御守りがある。邪視に対し眼をもって制すという信仰だ。北インディアンのナバホ族は、ナジャ（南瓜花を模した飾り）を馬の後ろに付けて邪視を防ぐ。青いガラスに目玉が描かれたトルコのナザール・ボンジュウも有名だ。

四目の方相氏

節分は、退魔の豆撒きとして馴染み深い。この追《つい》儺《な》は、陰陽道の行事として取り入れられ、文武天皇の慶雲3年、諸国に疫病が流行して百姓が多く死んだので、土牛をつくって大儺《おおやらい》を行ったというのが事の起こり。儒教経典の『周礼《しゅらい》』を元に平安中期に書かれた『延喜式《えんぎしき》』によると、宮中では毎年大晦日の夜、黄金の四目の面をかぶり黒衣に朱裳を着した大舎人《おおとねり》の扮する方相氏《ほうそうし》が、右手に矛、左手に盾をもって疫鬼を追い払ったという。

「概して日本の民俗における鬼に対する観念は複雑で、「豆撒きも鬼を追い払うのでなく神への散供《さんぐ》と考えられ、単に疫鬼、悪鬼というだけでなく、むしろ悪霊を抑える力強い存在（善鬼）とみるようなところがある」（和歌森太郎著『年中行事』）

そして邪視について書かれた熊楠の随筆においても、「方相氏は黄金の四目あり、熊皮をかぶり、玄《げん》裳朱衣《しょうこうい》して戈《ほこ》を手に持ち楯を揚げる」「方相の四目もそんな理由で、いわば二つでさえ怖ろしい金の眼を二倍持つから、鬼が極めて方相に恐れるのだ」とあり、この記述からすれば四目とは、一個体には二つの眼という常識を覆し、一個体に四つの眼を持っているということだ。例えば妊娠中の女などもそうだが、本来の生物の形から離れた存在が特別な力を持つと人々は感じていたのではないか。

ネパールの生き女神クマリは額に第三の眼（Agni chakchuu）があり、邪視をこれで祓う。クマリは国の預言者として女神ドゥルガーの依代となり、私語をしたり遊んだりなど子供らしく振る舞うことは決して許されない。友人や家族とも殆ど離れ離れに過ごす。外出は年に13回のみだ。クマリになる為の厳選なる条件は32個も存在するが、見た目の美しさばかりでなく、満月の日に生まれた子供であることや、儀式で贄に捧られし１０８頭の水牛の頭部が並ぶ前で踊る男を眺めても一切動じず、暗室で一晩一人で恐れを見せずに過ごせるか、という精神の耐久性も求められる。例え目の前で次々に斬首されていく動物がいようと、神の声に集中していなければならないからだ。

イザナギと眼、邪視

古事記の中で伊邪那岐命は、「左眼からは太陽、

★赤木美奈《聖鎖 Holy chain》2016.5／追儺をモチーフにした作品

右眼からは月」の天子を産んだとある。エジプトのホルスは右眼から太陽、左眼から月を産んだ。日本とは逆だ。しかし、その創世話には非常に合致する箇所が多く、元々土着的に、眼は神の宿る身体部品と信仰されていたと言えそうだ。

伊邪那岐命（以下イザナギ）は黄泉の国に行った妻・伊邪那美命（以下イザナミ）を、心を殺して遮断する決意をもつ。神話は非常に仄暗いクライマックスを迎える。その直後に禊をした右眼から月読命（ツクヨミ）、左眼から天照大神（アマテラス）、鼻からは素戔男尊（スサノオ）が産まれた――三貴神の話だ。

妻を待っている間、イザナギは「無見無聴無感」の世界でひたすら耐える。葛藤、猜疑が次第に湧き上がり、異心《ことごころ》を宿し、そのような己にまた罪悪感を宿す。きっと、この男神は黄泉の国から帰還した時、初めて泣いたのだ。愛する伴侶を己のせいで失った自責自問、命懸けで取り戻しに行ったら九相の果てを目撃し、挙句の果てに喧嘩別れ。だから滝で眼を洗った。肉体あるものは涙を流し熱を冷やすからだ。涙を拭くことを知らなかったから、流し続けながら、なおも役割を続けようとしたのではないだろうか？

西洋では邪視除けとして暖炉に獣の首を飾る慣習があった。イザナミがヒノカグツチを産み亡くなったのは、火の側で出産する古代人のならわしが出元だと考えられる。そしてその際に、母を殺めた火の神の首を、怒り狂ったイザナギが切り落としたのも、海外の「邪視除け」の為の獣首炉飾と因果がありそうだ。生と死の狭間（中陰中有）を行き来するのに、火は神聖なものであり、また危険な邪視を照らし導くものだったのやも。

ちなみに漢字の「導」の形の由来は、切り落とされた首を手に持ってゆき、標にしたものだという白川静による説がある。

「古い時代には、他の氏族のいる土地は、その氏族の霊や邪霊がいて災いをもたらすと考えられたので、異族の人の首を手に持ち、その呪力（呪いの力）で邪霊を祓い清めて進んだ。その祓い清めて進むことを導《みちびく》といい、祓い清められたところを道《みち》とす」という。

眼というものは神聖な祈りの象徴であり、強力な力を秘めるが故に、呪にもなる。呪「のろい」は「まじない」とも読める。イザナミと壮絶な別れ方をしたイザナギは、自らの感情を掻き毟り削り出して、三貴子を産んだ。独りの男が産んだ叫びは子供の肉。心の肉塊。起源の結として表裏一体、吹き荒ぶ風を刈り取り現世に留まった「ナギ（凪）」と、仄暗く変異しながら冥界で揺れ動くメタモルフォーゼとしての「ナミ（波）」という、陰陽の教えがそこにあったということだ。

万葉集第一の文中にある『国見』にも、ただ視るものではなく呪術的な意味合いが含まれていると言われている。古代においては眼にうつるものとは単なる感覚的な行為ではなく生命力であり、視ることは一種の感染呪術だった。

なお、末吉安恭が南方熊楠に宛てた大正七年六月の書簡には、「災怪に逢ふ時は、左手の人差し指を立てて胸腹の上に置き、又右手の人差し指を立てて腰背に置きて歩せば、災怪を避けると申し候」とある。指は時折、邪視除けの咄嗟の護身として使われるようだ。霊が恐れる刃物に見立てた、という説もある。

沖縄に伝わる邪視信仰

沖縄の古い方言に「グソウムドイ」という言葉がある。「黄泉から戻ってきた人間」の意で、殯《もがり》の風習がある島等のユタが使う。グソウは久高島のとある墓地地帯の名前で、本土の言葉にすると「後生」という。

沖縄はアニミズム信仰が現在も根強く残っており、海生物は神使であり、獲網は邪避具に使われた。漁撈文化は、両立して悪霊憑依を防御すると信じられていたのだ。

「天網恢恢疎にして漏らさず（悪は天の張る網の目からは出られぬ）」と老子が説いたように、籠や格子含め、祈りを込めて編まれた形には邪視を封じる能力があった。太陽神ティダの眼は全てに降り注ぐ光、あらゆる不正も貫穿する。網目の隙間からあらゆる目が見ている、故に疫病神は入ってこれぬとの考えだ。人々は死ぬとマブイ（魂）がニライカナイに行き、海の彼方より境界を超えて戻る。漁師は日常的に島を警備する魂守としても働いていたのだと考えると、非常に感慨深い。

沖縄には一般の神女や村人には歌われず、クニガミなどの神役のみに唄われる葬送歌がある。海は何処までも渡る架け橋、大地は魂が帰って来る扉。また会いましょう、必ず会えましょう。そんな死後への想いが、沖縄の人々の美しい魂に刻印され、他界概念へ引き継がれている。

邪視との戦いこそが進歩をもたらした

本人が望まず無意識にあろうとも、相手に与える外的魅惑の伝達手段で最も即効性のある潜在意識能力が、何よりも眼であるということが当コラムで紐解けたなら幸いだ。瞼裏に居るものが、幼い頃より培ってきた貴方の大切な記憶が、貴方を形成してきた心情の返答であり、それこそ偽りの無き愛、浄土をもたらすものである。

邪視は至る所にある。

巣食う魔を癒し清めるには、忌避せず立ち向かわねばならぬこともある。人類が邪視と戦った痕跡こそ人類の進歩。眼は、文字や言語が湧き出る遥か前より、見つめ合うことで時空を越え感覚を養ってきたのだ。それゆえ眼は宗教組織の装置として、霊的予知として、時代へ影響を与えてきたのである。

〈写と真実……9〉

肖像と語る

◉写真・文＝タイナカジュンペイ

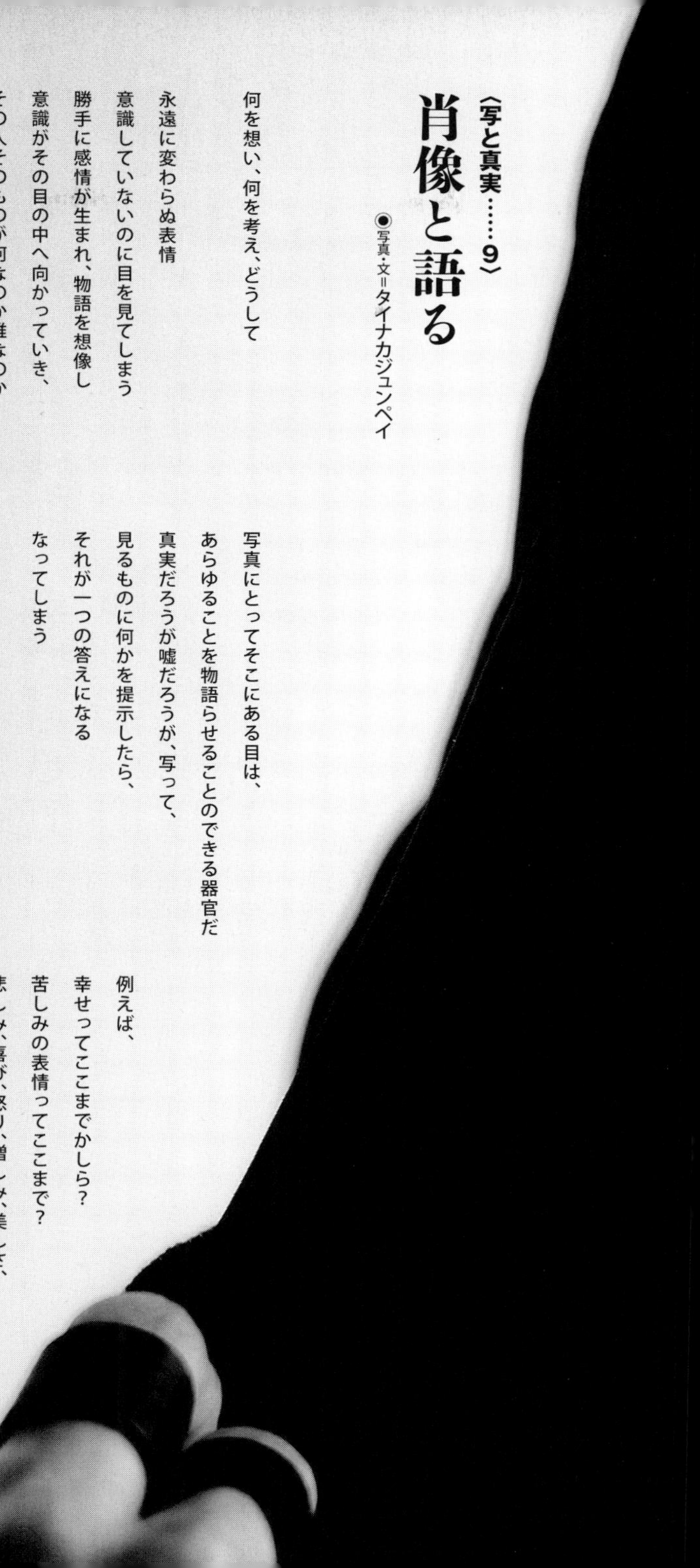

何を想い、何を考え、どうして
永遠に変わらぬ表情
意識していないのに目を見てしまう
勝手に感情が生まれ、物語を想像し
意識がその目の中へ向かっていき、
その人そのものが何なのか誰なのか
そんなことまで想起させる

写真にとってそこにある目は、
あらゆることを物語らせることのできる器官だ
真実だろうが嘘だろうが、写って、
見るものに何かを提示したら、
それが一つの答えになる
なってしまう

写真を撮る者にとって目は、
まず自分の目、そして見える被写体の表情
何千何万、あげく数百万回もの
写真を撮り重ねた果てに
何が見えてくる？何を見せてくれる？

例えば、
幸せってここまでかしら？
苦しみの表情ってここまで？
悲しみ、喜び、怒り、憎しみ、美しさ、
他には？
見たことのない表情を、瞬間を、
特にその瞳から物語られるものを
とにかく見たい、見せてほしい！
その心にシンクロしなければ
写真なんて生まれないのかもしれないから

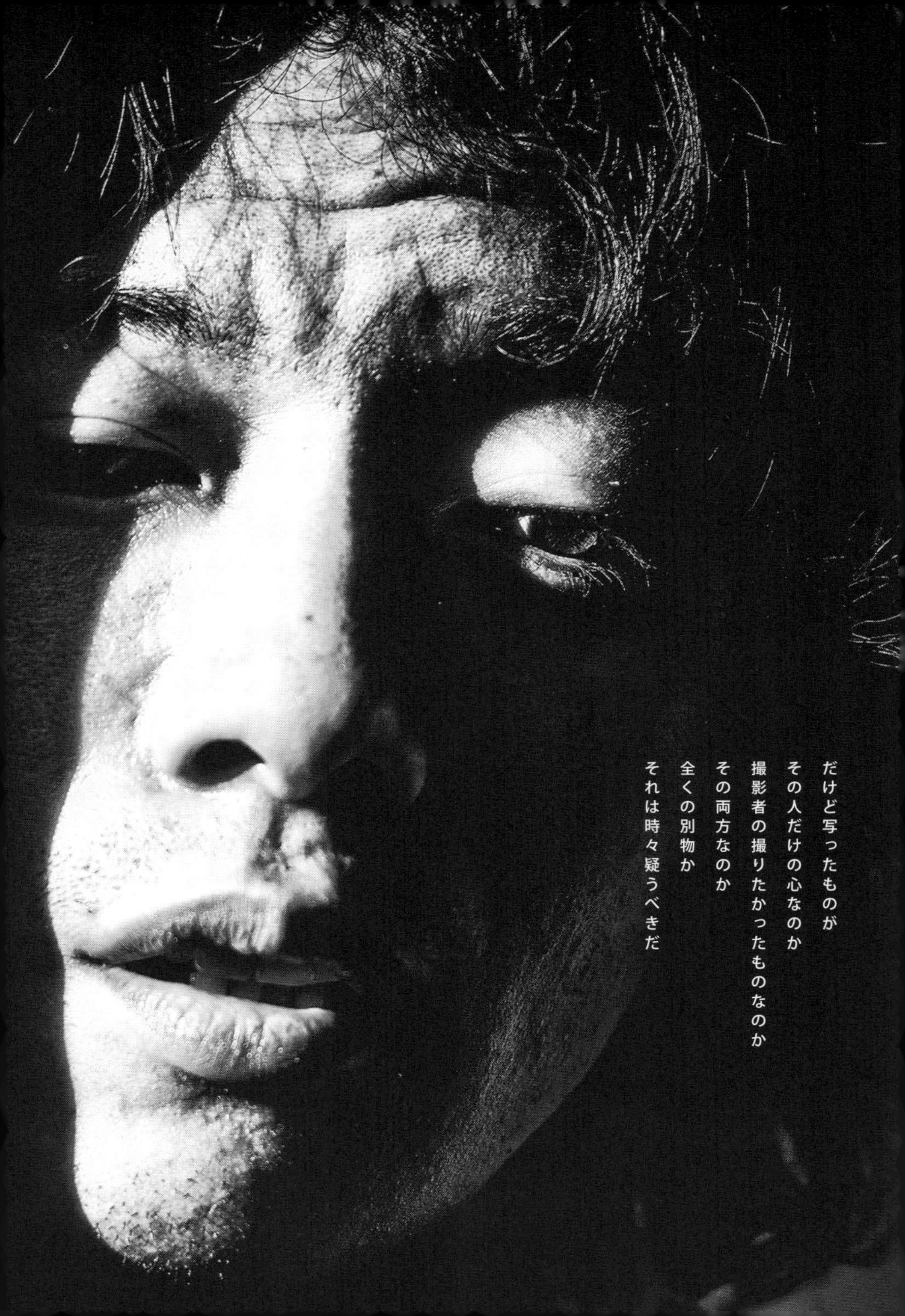

だけど写ったものが
その人だけの心なのか
撮影者の撮りたかったものなのか
その両方なのか
全くの別物か
それは時々疑うべきだ

だけど結局、
どう思おうが見たものが感じたことが
その人にとっての答えであるわけだ

眼球考——ルドンの絵から

◎文＝志賀信夫

大原麗子のエロス

　久しぶりに大原麗子を見た。高倉健のドラマの相手役だった。ずいぶん前のドラマの再放送だ。女優、大原麗子（一九四六〜二〇〇九年）は、一世を風靡したドラマの女王だった。ラジオのディスクジョッキー（ＤＪ）役のドラマ、そして藤竜也とのドラマなど、お茶の間のアイドルといっていい存在だった。それはどこが魅力だったのか。まず独特の声だ。低めでちょっとかすれた声が男心をくすぐった。さらに憂いを含んだ眼。今回、改めて昔のドラマを見ていて、気がついた。これはグイド・レーニ（一五七五〜一六四二年）の描く眼だと。

　本誌前号でとりあげたマグダラのマリア。それを描いた一人としてクローズアップしたイタリアの画家だ。そのときに、こう書いた。

　なぜか引き付けられる。あの表情。特に上を見て黒目が上に少し上がったところが、魅力的なのだ。それは法悦、つまりエクスタシーの表情に近い。女性がエクスタシーに「達する」際に見せるであろう、いわばエロスの極みともいえる表情がそこにある。

　いや、あれは、天上、神を求めているのだ、という声も大きいだろう。大いなるもの、この世ならざるものを求める視線だ。しかし、そこにも一種の法悦がある。いわば同じように、「高み」に「達する」ことを求めているのだ。（中略）

　天上、神を求める視線、宗教的法悦と性的法悦、エクスタシーは重なる部分がある。

　大原麗子の魅力は、その上目遣いの眼で、それがわずかに涙を湛えて、訴えるようにして、そのかすれ声で話すところにあった。つまり、エクスタシーにつながる性的魅力を、見る者が、無意識に感じるからなのだ。

★大原麗子、唯一のアルバム「愛のつづれ織り」

★グイド・レーニ「クレオパトラの死」1598年

上目遣いと下目遣い

　この上目遣いは、女性と男性では異なるように思える。女性の上目遣いは、大原麗子の例のように、正面もしくはやや上を向いて、男性を下から見つめる視線だ。これは、女性より男性は背が高いという差からくるものだ。もちろん男性でも、自分より背の高い相手に相対するときは、ほぼ同様だろう。だが一般に、男性の上目遣いは、むしろ顎を引き少し俯いた状態で、相手を見る。そうすると自然と黒目が上にいく。この状態は、相手を睨む場合が多いだろう。相手に対して敵意を向けるときだ。女性も相手を睨むときは、同様だろう。つまり顔の上下の向きによって、同じ上目遣いでも変化することになる。篠原涼子もこの上目遣いが多い。彼女の場合は、少し顎を引き、相手をじっと見る。睨むときもあるが、相手に強い視線で意思を伝えるという感じだ。

逆に下目遣いを考えてみよう。まず正面を向くか、やや上を向いて視線を下に向ける場合。これは、時には尊大な印象を与えるだろう。相手より自分が優位にあるという感じだ。だが、これは時には、イケメンの男性が女性にやると、相手を魅惑することになる。つまり、ツンデレの「ツン」の部分だ。これに対して、女性がちょっと上向きで上目遣いをすることは、呼応すると考えられる。背の高さの差と、男性優位的な立場、まさにそういう視点・視線でもある。

では、少し下を向いた下目遣いはというと、相手から見ると、眼を伏せた状態で、自信がないとか、相手と目を合わせないという消極的な印象を与えるだろう。余談だが、ゴルフの場合は、パターなど、この下目遣いが有効だとされている。

ルドンと黒

この上目遣いを考えていて、思い浮かんだのが、ルドンである。オディロン・ルドン（一八四〇～一九一六年）は、色彩豊かな花の絵で有名だが、それとともに数多くの「眼」の絵がある。そのいくつかは、黒目が上を向いていて、強烈な印象を与える。特に有名なのは、『キュクロプス』（一九一四年）だろう。それらを含めて、ルドンの絵から眼、眼球について考えてみる。

オディロン・ルドンは本名ベルトラン＝ジャン・ルドン。ワインで有名なフランス・ボルドーに生まれた。両親は裕福だったが、生後二日目で近郊のペイル＝ルバードに里子に出され、一一歳まで親類の家で育った。その後、建築家になるようにという父親の方針で、パリのエコール・デ・ボザール（国立美術学校）の建築科を目指すが果たせず、美術の道を歩む。ちなみに、弟のガストン・ルドンは、建築家になって業績を残している。父親の名前はベルトラン・ルドンで、本名はその「ベルトラン」をもらっているが、幼少期から父親に対する反発があったためか、母親マリーの通称オディーユに由来するオディロンを生涯使った。

十代で、植物学者アルマン・クラヴォーなどと交流したが、その後、著名な銅版画家ルドルフ・ブレダンの指導を受け、さらに花の静物画で有名な画家、アンリ・ファンタン＝ラトゥールに石版画（リトグラフ）を学んだことが知られている。

ルドンの絵を見ると、初期は素描や版画の黒の世界で、後に色彩豊かな世界に移行すると、花や神話の世界が中心になる。ここでとりあげるルドンの「眼の世界」は、初期の黒い作品が中心である。ルドンが最初に発表した版画集『夢の中で』（一八七九年）では、十点の大半が眼または眼が強い頭の絵である。さらに、二番目の石版画集『エドガー・ポオに』（一八八二年）でも、眼や頭が多く登場する。こういったものを集めてみた。すると、次のように分類されるだろう。

一、眼球だけのもの
二、頭だけのもの
三、眼球や頭を花にしたもの
四、眼を中心にした動物など

分類してみると、一、眼球だけのものは、いずれも黒目が空を向き、初期の一八七九年前後が中心だ。そして、二、頭だけのものは、一八七〇年から八五年、三の眼の花は、一八八〇年から九〇年、四の動物類は一八七九年から八三年である。こう見てくると、当初、眼玉だけというところから、次第に頭、あるいは手足や尾、羽などがついていったと考えられ

★ルドン「VII幻視」1879年

★ルドンの作品
（右上）「目＝気球」1878年
（右下）版画集『エドガー・ポオに』より。1882年
（左上）「IX悲しき上昇」1879年
（左下）「II 発芽」1879年
（左頁）「起源III」1883年

る。

そして、ルドンの眼球は宙に浮かぶのだ。印象的なのは、第一版画集『夢の中で』の「VII 幻視」である。宙に浮かぶ眼球は、ギュスターヴ・モロー（一八二六〜九八年）の『出現』（一八七六年）の影響を受けていると考えられる。モローは、サロメが切ったヨカナンの首を宙に浮かばせているが、それと同様に巨大な眼球が宙に浮いている。それもモロー同様、宮殿のような空間で周囲に効果的な光を発しているのだ。

また、ルドンは、『眼＝気球』のイメージが気に入ったようで、一八七八年に素描を描き、一八八二年の版画集『エドガー・ポオに』で再び版画にしている。気球となった眼球が宙に上昇していくとき、下の皿には小さい頭が載っている。宙に浮く眼球はそ

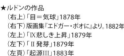

の二種あり、その後、再び一八八八年にギュスターヴ・フロベール(一八二一〜八〇年)の『聖アントワーヌの誘惑』(一八七四年)の挿絵に登場させるが、それはかなり洗練された雰囲気だ。この小説は聖者アントワーヌが魑魅魍魎の幻覚に惑わされるもので、フロベールも、それを描いた一六世紀のピーター・ブリューゲルの絵画に影響を受けている。フロベールのテキストを刊行時にルドンは読んでいると考えられるが、その「頭を持たない眼が軟体動物のように漂っていた」に、ルドンは影響を受けたのかもしれない。

次の二、頭=首も多くは宙に浮こうとする。『眼=気球』(一八七八年)同様に、気球となった頭が羽のついた小さい頭を乗せて上昇する『IX悲しき上昇』(一八七九年)や『II発芽』(同)など、いずれも宙に浮き、あるいは所在なげに台の上にいる。首になると、『サロメ』のヨカナンとの共通点が、より感じられる。モロー同様、切られた頭=首にルドンも取りつかれているようだ。

花と怪物

そして三、眼=頭と花である。若いころの植物学者クラヴォーとの交流の影響もあり、学んだファンタン=ラトゥールも花の画家だったためか、ルドンは「花」にこだわっている。またそこには、シャルル・ボードレール(一八二一〜六七年)が一八五五年に発表した『悪の華』も重ねられているだろう。それは、後にこの本の挿画をルドンが担当したことでも理解できる。ボードレールもポオを訳しており、ポオ、ボードレール、モローという世紀末の文学・美術の流れに、当時のルドンは連なっている。そのため、四、眼＝頭に手足や尾がついた動物たちも、幻想文学の世界の住民のようだ。

　そして、四に属するともいえる『キュクロプス』（一八八三年、一九一四年）である。これは一つ目の巨人で、一の宙に浮かんだ眼球に身体がついた怪物のようでもある。

　キュクロプスはギリシャ神話の一つ目の巨人族。天空神ウラノスと大地母神ガイアの息子たちだ。その名前は「丸い眼」という意味で、旅人を食う額に一つ目の怪物でもある。その一人、ポリュペモスが、海のニンフのガラテイアを見初める。彼女は、川のニンフのアーキスと恋仲だが、キュクロプスにアーキスを殺され、キュクロプスの子を産む。

　ルドンはこのキュクロプスを、一八八三年に石版画集『起源』のIIIとして描き、三〇年後の一九一四年には油絵でも描く。キュクロプスを悪役ではなく、優しげな怪物として表現しており、一八八三年の版画はコミカルといっていいくらいだ。

　ルドンは、一八八二年の第二回目の個展をきっかけに、作家のジョリ＝カルル・ユイスマンスと交流するようになる。ユイスマンスは『さかしま』（一八八四年）で知られるように、独特の世界を生み出した特異な世紀末作家だ。そこに描かれているのは、現在でいえば引きこもりの青年、デ・ゼッサントである。ルドンが親しくなったのは、その暗い想念に共感したからだろう。ユイスマンスは、その著作でルドンに触れている。

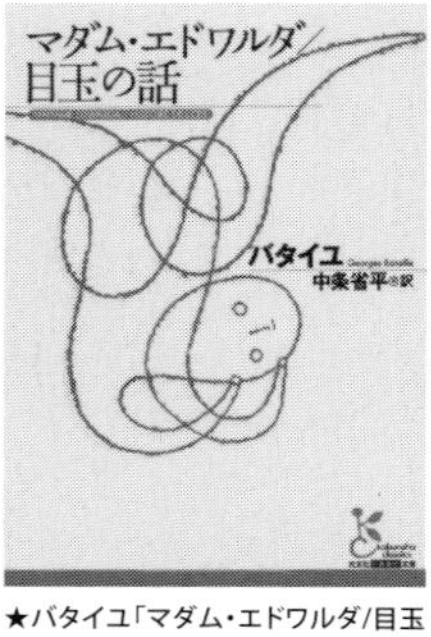

★バタイユ「マダム・エドワルダ/目玉の話」（光文社古典新訳文庫）

　ルドンは当初、黒い絵、眼の絵を中心に描いている。彼は何か暗い幻想にとらわれていたためだろう。一つには、幼時に里子に出されたこと、家庭との関係が考えられる。そして、ポオ、ボードレール、ユイスマンスなどの世紀末文学・文化の影響だろう。同時に、ルドンは黒の美を見出している。

　ルドンは、「黒を尊重しなければならぬ」「黒はもっとも本質的な色彩である」と述べている。そして当時、ドガは、ルドンの黒に対して、「あれより美しいものを刷ることは不可能だよ」と友人に語っている。

　ルドンはまた、「天から授かったものに従うことも、自然の命ずることです。わたしの授かったものは、夢にふけることでした。わたしは想像の跳梁に苦しめられ、それが鉛筆の描き出すものに驚かされました」と述べる。描いていくうちに、奇妙な暗い幻想が広がっていたという告白だろう。

ジョルジュ・バタイユと眼

　眼について考えると、フランスの作家、哲学者のジョルジュ・バタイユ（一八九七〜一九六二年）の『眼球譚』（一九二八年）に触れないわけにはいかない。澁澤龍彦とともに敬愛するフランス文学者、生田耕作の訳書は衝撃的だった。近年は中条省平による新訳『目玉の話』も刊行され、広く読まれるようになったが、その物語には過激なエロスが詰まっている。

　主人公と幼なじみの少女シモーヌの二人は、性的遊戯を繰り返し、友人の少女マルセルを巻き込み、彼女は発狂して自殺する。また、闘牛を見ながら、闘牛士が殺されるときには、シモーヌが自分の性器に牛の睾丸を押し込んで絶頂に達する。さらに、パトロンの英国人、エドモンド卿とともに、牧師を翻弄し、シモーヌが彼を犯して殺し、眼球をえぐり出し、あらゆる涜神行為を行う。

　この小説のなかで、大きなモチーフが眼球だ。そして眼球は、楕円形の形状から睾丸、そして卵と重ねられる。卵（卵子）と睾丸はもちろん生理学的に性的な存在だが、眼球自体も、ものを見て、理解するという、外部への窓であり、性的な欲望を表出・受領するという点でも、性とエロスでつながっている。例えば、視線のエロスというが、エロスを求める視線、平たくいえば、いやらしい眼と、エロスを感

★ルドン「キュクロプス」1914年

じさせる眼、エロティックな眼の両方がある。一般には、エロスを求める男の欲望の眼と、エロスを誘う女の欲望の眼だ。いずれも、性的欲望という点では共通なのだが、男性のみだらな視線と、女性の誘う視線は区別される。これも、ジェンダー的、社会的機能だろうか。

バタイユの父は元神父で、梅毒で失明し、障害者としての生活で、その排泄も目の当たりにする子ども時代を、バタイユはおくったという。そのためだろうか、バタイユのキリスト教と神に対する攻撃、性と排泄、そして見えないこと、見ることなど、後の哲学的な考察や、性的な幻想につながるきっかけが、すべてそこにあると考えられる。

このバタイユを例にとれば、眼を論じることは、睾丸や卵にもつなげて考えられる。例えば眼球と卵は、卵の白身と黄身を考えれば、共通点を見いだせる。だが睾丸はどうだろうか。卵子との関わりでは、つながるが、眼球とのつながりは、球体、楕円形で、それぞれ身体に二つあるということか。

実はフランス語で卵はウフ（oeuf）、眼はウイユ（oeil）であり、睾丸は隠語でクイユ（couille）である。つまり韻を踏むというか、音の類似性からのダジャレという要素がある。バタイユの小説に『C神父』があるが、これは原題が『L'abe C』つまり、フランス語の音として、アーベーセー（ABC）というダジャレである。それは、きれいにいえば、音的につながっているということだ。

ルドンの眼は閉じられる

眼が象徴するのは、もちろん「見る」ということだ。見ることは理解するということ。フランス語で見る（voir）は、理解するということでもある。英語でも、「I see.」は「わかった」と訳される。「voir（見る）」の派生語には、「見者（voyant）」という言葉もあるが、他方、「幻視者（visionnaire）」もある。バタイユは、眼球や卵、睾丸に性的なイメージを見ていた。ルドンは、眼球に何を見ていたのだろうか。

初期ルドンの眼球は黒目が上を向いている。上に伸びる草の花が眼になったものもある。上とは天上であり、神の世界だ。では、ルドンは神を求めたのか。いやむしろ、現実から逃れ、幻想に入ることを求めたのか。眼の蜘蛛や眼だけの動物、眼だけの人間などさまざまな形で描き出す。だが身体はほとんど描かず、眼球だけが重要だった。これほど眼球にこだわった画家は類がない。

では、見ている主体は本当に自分だろうか。眼を見開いて、何を求めるのか。初期のルドンの眼はほとんどが見開いている。それが、後期になると閉じていく。あたかも彼らが瞑想しているかのような作品も多い。瞑想する閉じた眼と対比すると、見開いた眼は、何物も逃さずに見続ける眼、追求する眼だ。外界に眼を開き、世界を理解しようとつとめる眼。ルドンの作品は、前期も後期も幻想的といわれるが、幻想の質が違う。後期は色彩豊かで穏やかな美しい幻想だが、前期は墨一色で不安をかき立てる幻想だ。人々の心理の奥に突き刺さるような幻想といってもいい。

里子に出されるという両親から捨てられた思いをして、その後、父親からは建築家になるようにと将来を定められ、反発し、母への強い愛に生きるルドンは、愛されない怨念も含めて暗い想念の中にいた。後に、ようやく結婚し、一八八六年、四六歳でもうけた長男ジャンにもすぐに死なれて、さらに自分の中の幻想をさまよう。

それが三年後の一八八九年に、次男アリが無事に生まれてから、ようやく明るい幻想に移行したと考えられている。実際に、色彩あふれる絵画をパステル中心に、さらに油絵も含めて自在に描き出した。モチーフもギリシャ神話と花が主であり、神話の闇の部分は描かれない。このころから登場する人物の眼は、ほとんど閉じられている。瞑想し、神話や美しい幻想世界に没入する。そのため、一つ目の巨人、キュクロプスも優しい怪物として描かれたのだ。

だが、ルドンは晩年、兵役に出た次男が戦地から戻らず、七六歳という高齢であったが、探して回り、一九一六年、風邪をこじらせ亡くなった。つまり、ルドンは、家族関係によって、闇から始まり、ようやく明るさ、色彩の世界に入り、最後は再び、家族のために、闇に入ったということができる。そしてそれは、ルドンの作品の眼球、眼が開き、そして閉じたこととつながっているのだ。

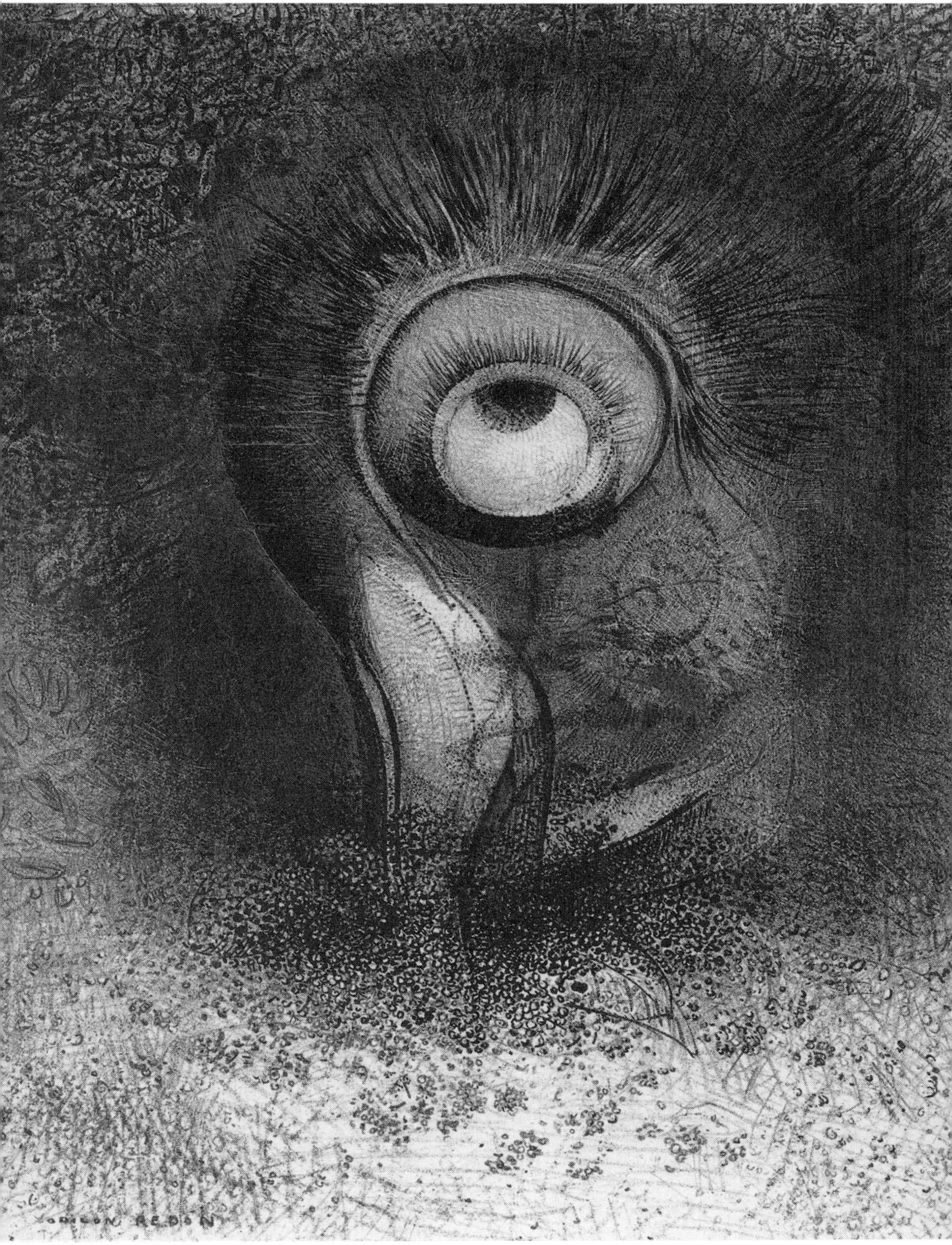

★ルドン「起源II」1883年

Dark Diary

M氏の暗黒~~メルヘン~~日記III

最合のぼる 文・写真

T.Torii / illustration

十月末日

某雑誌のＳ編集長より、常連執筆者向けに次号企画案募集のメールが届く。中々興味を惹かれる特集ではあるが……ハイ、久しぶりにこの冒頭で始まる日記のお時間となりました。いやはや、本当に久しぶりだ。当初の予定では、夏頃にこの制作日記を再開しているはずだった。そう、なんちゃら絵本シリーズ第三巻（いい加減、説明しなくてもおわかりだろう）の宣伝を兼ねて——**ところが！**　なんと発売が年明けになってしまったのだ。何故こんな事態になったかと言えば、私が仕事をサボった訳でも画家が逃げ出した訳でもなく、全世界を混乱に陥れた厄介な疫病のせいだ。書籍自体はともかく、いかんせん出版記念展を行う会場の予定が大幅に変更になってしまった。思い起こせば、三月。じわじわと疫病が蔓延していく中で開催していたのは二巻の出版記念展だ。その頃はまだマスクをしたりしなかったりと比較的ゆるい感じで、国民的長寿アニメの海産物系一家に飼われている猫と同名のＴ画伯とちゃらちゃら楽しく在廊していたが、状況は刻々と厳しくなった。ひょっとしたら最終日を待たずに強制終了になるかと思いきや、緊急事態が宣言されたのは最終日の数日後だった。何にせよ全行程予定通りに行えたのは、私の悪運の強さに寄るところが大きい。とにかく二巻の祭は無事に終わったが、**ここから長く暗いトンネルを進むことになろうとは。**二巻をお持ちの方は是非ひっくり返して裏側の帯を見て頂きたい。三巻の発売時期がでかでかと「2020年秋」と書かれている。そう、このなんちゃら絵本シリーズ全五巻は半年に一冊ペースの連続刊行を予定している。だから私の時間軸では、春の次は夏でもないし冬でもないし、ましてや正月でもなく、とにかく秋なのだ。しかし先ほども述べたが、疫病のせいで出版記念展を開催する会場の予定がひっちゃかめっちゃかになってしまった。当初は一ヶ月後ろに倒してギリギリ秋開催にこぎつけようとしたものの、それが年末になりそうと言われ、いやでも年末だとちょっと慌ただしいような……、いっそ一年延ばしで来年の春にしちゃう？　いやいや春は別の作家さんが入っている？　えー、それなら一月でいっか、うーん年明け早々にお客様来るかな？　それに正月休めないし、いやいやいや……みたいな感じで中々会期が決まらなかった。しかしまあ、この状況をポジティブに考えるなら、半年に一冊という悪夢の刊行スケジュールが時間的にグッと楽になったと言える。少なくともひと月くらいは、ぐーたら遊んでいられるはずと喜んだのも束の間、そんな甘いモンではなかった。**想像してみて欲しい、**例えばゴールのないマラソンを走り続ける苦しさを、例えば出口の見えないトンネルを進む心細さを、例えば誘拐犯に目隠しされて連れ去られる恐怖を（ちょっと違う）。誰でも到着地点が明確だからこそ、そこに向かって安心して歩みを進められるものなのだ。特に、私のような生業の者は（もちろん画家も含む）、**〆切りがあってこそ自堕落な自分を律することができる**というもの。つまり、会期が決まらないイコール発売日が決まらないイコール〆切りが決まらないという生殺し状態で制作を進行しなくてはならないという悪夢のスパイラルが、結果数ヶ月に渡って続くことになってしまった。じゃあ自分で〆切り決めれば良いじゃないと思うかもしれないが、それでは全く上手くいかない。何故なら、自分自身にはと〜っても優しいからだ。

十一月某日

さてここらで、三巻のＴＴ画伯についてお話しよう。二巻のＴ画伯とイニシャルが被って多少ややこしいが、その作風は全く違う。ご本人のプロフィールには《少女期特有の偏執的な思考、記憶の片隅にあるもの達を作品に投影している》とあり、乙女心などさっぱりわからない自分には小難しく感じたが、簡単に言えばめちゃくちゃ耽美な画風なのである。しかも不穏な空気感マシマシである。このシリーズへの参加をご快諾頂いた時から、本当に期待しかなかった。そしてＴＴ画伯は思っていた以上に真面目で、早い段階から何パターンもの下絵が送られて来た。**ところが、ところがだ。**送られた下絵を見ても、自分にはどうにもこうにも完成型がイメージできないのだ。一巻二巻の時には全く感じなかった不安が過る。これは決してＴＴ画伯の下絵が雑とか言うことではなく（本当に）、私の想像力の欠如か頭がイカれたか、もしくは何らかの呪いがかけられしまったかのようだった。しかし私は己の疑心暗鬼と壮絶な闘いを繰り広げながらもＴＴ画伯を信じた。そして最初の一枚が上がった時―― **うおー！　お耽美炸裂！　あの下絵がこうなるとは！　マジかぁぁぁーーー！**　超ド級の衝撃と感動に打ち震えたことは今も鮮明に覚えている。その後は全信頼のもと制作を進めて頂き（いやだから信頼してたんだけどね）、毎作毎作感動も新たに絵は全て完成した。思い起こせば（二度目）、ＴＴ画伯と出会ったのは相当昔である。当時はゴリゴリのロリィタファッションで決めていたＴＴ画伯、自分とは住む世界が全く違うようにも思ったが、活動分野は案外ご近所でこうしてお仕事をご一緒することになろうとは。二転三転するスケジュールの中、ＴＴ画伯は粛々と、真面目に、クールに、私のしょーもない物語に翻弄されることなく自身の世界を描ききった。出口の見えない暗く長いトンネルで、年甲斐もなく狼狽する私をなだめ、手を引いてくれたのは、私よりも遙かに年若く小柄で愛らしいＴＴ画伯だった。疫病が去った暁には、実際にお手々繋いで森の小道でもお散歩したいものだ。あれ？　セクハラかな。

十一月某日

もはや日記というより、回想録の呈。なんちゃら絵本シリーズ三巻の制作も大詰め、色校作業が始まっている。ＴＴ画伯の絵はとても繊細な色使いなので（だから下絵で想像しにくかったのね）、たぶん神経質な修正が要求されることだろう。まあ私はいつも通り、より変質的な執着をもって調整を繰り返すまでだ。ごめんね某Ｓ編集長。ところでこれを読んでいる諸兄はお気づきだろうか。前回、前々回の日記より文字を少し大きくしてみた。何故なら某Ｓ編集長に「小さい字でびっしりだね……」と言われたから。サービス精神から文字を小さくして沢山書いていたが、ありがた迷惑だったらしい。文字を大きくするとこちらも書く量が少なくなるので、最初からこうすれば良かったと反省しきり。次回はもっと大きくしよう。思い起こせば（三度目）、前回前々回の日記の時に、何か面白い話題を振ってくれとお願いしたが、特に面白いお題も来なかったので、今回は自由にやらせてもらおうと思っている。というか、いつも好き放題やらせてくれて本当にありがたい限りだ。こんな変な出版社は他にはない（褒めている）。話は変わるが、**実は先月くらいから朗読の配信を始めている。**このご時世、開催したイベントで感染爆発でも起こそうものなら、公開処刑でさらし首になりそうだ。己に降りかかる厄災は極力回避するタイプなので、重い腰を上げて配信に踏み切った。今のところトークを中心としたライブ配信、音声のみのラジオドラマ、←に簡単な動画をつけたもの＆ＣＭ動画、の三本立てだ。自作自演に次ぐ自作自演で、自分が何屋だかわからなくなる。因みにどれも朗読はダイジェスト版で、先が気になって書籍を購入したくなる誘惑仕立てを心掛けている。**チャンネル登録＆高評価も忘れずによろしく頼む♥**

十二月某日

あっという間に今年も終わりに近づいた。しみじみ一年を振り返っている場合ではなく、年明けの出版記念展に向けて三倍速で出品作を制作しなければならない。もはやクリスマスも正月もないものと覚悟しつつあるが、今年の年末年始ばかりは世間も浮かれムードではなかろう。みんなで盛り下がれば怖くない。と言うわけで、**恒例の新刊収録作の解説と洒落込もう。** 既刊同様、三巻でも四つの物語が展開されている。今回はお馴染み**アンデルセン**と**グリム**に、少し目先を変えて**ペロー童話集**から着想を得た作品も有り、バラエティに富んだラインナップとなった。毎度のことながら、私の物語は原作とはかけ離れたトンデモ展開だが、今回はかなりエロティックな描写のある作品が多いような気がする。ＴＴ画伯にも「私、エロ要員でしょうか……」と消え入りそうな声で聞かれたので、私の毒気を中和してもらっていると一応否定しておいたが、彼女の描く人物には相当な色気がある。気怠げで憂いを帯びた、特にその眼差しが──。

第一話 自分を見つめる

『白雪姫』と言えば七人の小人を連想することも多いと思うが、ヒール好きの私としては、魔法の鏡に自分の美貌を確認する女王の姿が真っ先に思い浮かぶ。鏡よ鏡と問いかけ、期待した返答だけを許す美魔女の精神は、ある意味お洒落に目覚めた少女の頃から止まっているのかもしれない。この物語では、一つのカルチャーに心酔している少女たちが鏡の前で着せ替えごっこを繰り返す。そんな彼女らは自身が信じる物事に対し、少しでも否定的な扱いをされようものなら途端に狂暴になる。**閉ざされた空間で繰り広げられる容赦ない攻撃は、しかし一転して甘美な背徳の戯れとなる。**攻撃性と危うさ。ここまで極端ではないにせよ、思春期に同様の感情を抱いたことのある人は諸兄の中にも少なからずいるのではないだろうか。そしてこの話の絵を考えた時、ＴＴ画伯しかいないと思ったのは言うまでもない。だが、氏にこの物語を提示するのは、かなりの勇気を要した。捉え方によっては、氏の耽美な青春時代を冒涜しかねないからだ。結果はご覧の通り、リアルに裏付けされた世界観の真骨頂を見せつけられた。ところでさっき、鏡の中の自分と目が合った。その姿形に対して、残念ながら私の鏡は何も答えない。鏡に映る己の姿に答えを出すのは自分自身である。メタボ撃退には過激なダイエットより筋トレを。筋肉は裏切らない。

第二話 瞳に宿る狂気

物語は大抵めでたしめでたしと終るが、時にこれは本当にハッピーエンドなのだろうかと疑いたくなる童話がある。**十一羽の白鳥の王子をめぐる顛末**もその一つだ。サッカーチームでも作りたかったのかとツッコミたくなる大人数の兄弟の中で（正確には妹もいるので十二人、マネージャーにすれば丁度いいかな）、たった一人だけ魔法が一部残っちゃったという末っ子の王子。不運な味噌ッカス王子のその後の人生とは、一体どんなものだったかと想像したくもなるものだ。そりゃね、何とか魔法を解きたいと思うでしょうよ。片腕だけ羽なんて不便だし、どう見てもモンスターだし。そんなこんなで弟王子は不運に続く不運の連続で、それはそれは大～変な目に遭い続け……**ここで注目して頂きたいのは、**この妄想話を誰が誰に語っているのかと言うことだ。少なくともこの語り部は狂人らしいのだが、話を聞かされている人物も曖昧な存在だ。ここは一つ大いに想像力を働かせて物語を楽しんで頂きたい。それはそうと、ＴＴ画伯の半裸狂人（否、王子かしら）が**素晴らしくイケメン**に仕上がっている。この絵は結構初期に描き終わっていたが、見た瞬間ハートを打ち抜かれた。とにかく彼の目つきが本当にヤバい。本物のヤバさだ。すなわち、狂人の目を覗く時、狂人の目もまたこちらを覗いているのだ。**ズキュン。**

第三話　猫目線

恒例の、画家からリクエストされた童話からの着想で書き下ろした掌編である。暗黒メルヘンも、ここまでくると元ネタ童話がだいぶ少なくなり（書籍化はまだ二巻だが、連載分があるからね）、ＴＴ画伯からのリクエスト童話がすでに使われていたりと、今までよりも選出に時間がかかった。紆余曲折を経て、擬人化した猫が活躍するこの童話となったのはある種の導きかもしれない（後半参照）。**長靴を履いて二足歩行をする猫**は中々の策士で、一見主人のために尽くしているようだが、結局のところ自分の思い描いた通りに事を運んでいるところが実に猫っぽい。**ところで猫派犬派で言えば、**自分は圧倒的に犬派である。何故なら常に支配する立場でいたいから（性格悪い）。果たしてＴＴ画伯はどうなのかと聞いてみたら「猫好きですよー、でも少し前に亡くなっちゃって」とのこと。これは亡き愛猫に捧げる物語を！　と思ったがあまりそうはならなかった。何を思ったか、今回はより詩的にしようと挑戦した結果、異様に難解な仕上がりになってしまったのである。まあ、あまり深く考えず、直感的に楽しんで頂ければと思う。この物語には白猫♀が登場するが、なんとＴＴ画伯の亡猫も雌の白という気持ち悪いシンクロ……じゃなくて、導いてくれたのかも（←）。因みにＴＴ画伯は、この絵本の制作中に新たなニャンコを家族に迎えたそうだ。名前は、勝手にフランス語とかの小洒落た横文字を想像していたが、漢字で“藤”と名付けたそうだ。めちゃくちゃ渋い。

第四話　誘惑する眼差し

お待ちかねの表題作は言わずもがな『人魚姫』からの着想である。この有名童話をモチーフにした小説はけっこう多いと思うが、いずれもセクシャルな雰囲気が漂うのではないだろうか。そもそも船から落ちて溺れそうになる王子然り、胸元露わな人魚姫然り、美しい男女は水に濡れると何故こうも色っぽくなるのだろう。そう、例えばミュージッククリップなどで、ずぶ濡れになりながら歌ったり踊ったりする様が撮影されていたりするが、これは大層自分の好みである（話が逸れた）。そんな訳で、**私の物語の登場人物にも存分に濡れてもらった。**海難事故に巻き込まれたと思われる恋人同士が、打ち上げられた浜辺で繰り広げるサスペンスタッチの R18 指定成人向け。そもそも「濡れる」という単語自体が淫靡だ。濡れた唇、濡れた瞳、濡れた……これ以上の具体例は控えるが、試しにこの単語を辞書で引いてみてほしい。「水がかかる、水が染み込む」などの意味に並んで、そのものズバリ「情を通じる。色事をする」などとある。ほらね、テキトーなこと言っているわけじゃないでしょ。ともかく、このなんちゃら絵本シリーズ全編通して**一、二を争うエロティックな物語**が本作である。ＴＴ画伯はどんなお色気ムンムンの絵を描いてくれると思いきや、そこは上品な色香に昇華してくれた。相手を見据えて刃物を差し出すウロコ足の美女がもたらすのは、めくるめく性愛の快楽か、はたまた甘美な死への誘惑か。一戦交えようと思う勇者は、自己責任でどうぞ。

十二月某日の数日後

さて出版記念展に向けて本気の追い込み中である。諸兄がこの日記を目にする頃には、無事にクリスマスが終わり、無事に年を越し、無事に新刊発売になり、無事に出版記念展が始まり、無事に終了していることを切に願うばかりである。常々私は、不健全な物語を創作するには健全な精神と肉体が必要だと思っている。皆様もどうぞ免疫力を上げて健やかにお過ごし下さい。それではまたお会いしましょう！　バイバイ！

※本日記は事実にそこそこ基づいたフィクションです。
あまり真に受けないようお願い申し上げます。

怯えた目つきから狂気に満ちた瞳へ

ダーレン・アロノフスキー監督「ブラック・スワン」

●絵と文＝さえ

ニナはニューヨークのバレエ団に所属するバレリーナ。元バレリーナである母からの異常なまでの期待と監視の元、バレエは完璧だが内気で怯えたような性格の女性に育っていた。

ある日、芸術監督のトマが新しい振り付けで新シーズンの「白鳥の湖」の公演を行うと宣言。主役の白鳥の女王に選ばれた者は、純真無垢な「白鳥」と官能的で邪悪な「黒鳥」の両方を演じなければならなかった。プリマの座を掴んだニナだったが、自分の性格とは対極にある黒鳥の表現ができずに不安を募らせていた。

表現豊かな新人バレリーナの存在、トマからの厳しい稽古、母の期待、黒鳥の踊りができない自分への焦り…それら全てがプレッシャーとなり現実との境目が曖昧な幻覚を見始める。

母の描いた絵の人物の目が動いたり、挙句には何枚もの絵の人物が嘲笑してきたり…、ニナが感じる重圧が幻覚として現れたかのような場面は観ている側も逃げ出しくなるほど。

そして、ニナの踊りの表現が豊かになっていくと同時に彼女の目つきも怯えたものから強気なものに変わっていく。

彼女の瞳が自信で満ち溢れた時、初めて「黒鳥」は完璧に演じられる。たとえその自信が完璧さを求め過ぎた末に狂気に飲まれたものだとしても。彼女の狂気に満ちた瞳が見つめる先にあるのものが何か、是非一度鑑賞して感じてみて欲しい。

記憶を失った少女が見る、移植した左の眼球の記憶

乙一
暗黒童話

集英社文庫、660円

★眼というのは、現実をまさしくそのまま切り取るものではなく、その絶対性により私たちを惑わすものである。私たちはまず「目に見えるもの」から逃れ得ない。見るという言葉は、ただ視界の景色を受け取るのみならず、その景色を内容あるものとして自分と紐付け理解することを含む。

たとえば目の前に林檎があるならば、いつだってそれは無意味な林檎としてではなく、「食べたい林檎」や「美しい林檎」など、なんらかの自分と関わる意味を伴って現れる。なんの意味もない純粋な景色としての林檎だとしたら、私たちはそれに気づくことすらないだろう。たとえば、林檎の隣の空間にとりたてて関心を示さないように。そして私たちは、そのように林檎を認識することによって、同時に自己を自覚する。すなわち「見ること」とは、世界と自己のはじまりである。

　では、眼と自己が切り離されたとしたらどうだろうか。『暗黒童話』主人公の菜深は、事故により左の眼球を失い、そのショックで記憶を失くしてしまう。陰気な人格へと変貌した菜深に周囲は失望し、「本物の菜深」とは別人として扱った。記憶喪失の少女は他者から事故以前の自分をまなざされ、その現在の自分との齟齬により実存の問題に直面する。誰からも受け入れられず、自分すら自分を受け入れられない不安定な日々のなか、移植した左眼からときおり短い光景を見るようになる。

　最初は眼球に映る世界を白昼夢のように感じていた菜深だが、次第に自分の現実を虚構、眼球の見せる世界を現実のように感じはじめる。記憶を失い自分が誰なのかもわからなくなった現実の世界よりも、左眼の見せる世界にリアリティや親しみを覚え、虚構と現実が反転したのだ。そしてある契機により、左眼の見せる世界が、移植される前の眼球の主が生前見ていた光景であることを知った菜深は、眼球の記憶を辿り、眼球の主の暮らした楓町へ向かう。

　楓町の日々で、眼球の主の家族や友人と出会い、記憶を失い閉ざされていた菜深の表情はほころんでいく。自分が誰なのかを見失った救いのない現実のなかで、虚構と思われた心安らぐ世界もまた現実であると実感し、現実が現実として受肉したのだ。そして菜深は、左眼の見せる記憶をもとに、眼球の主の死因となった猟奇的な監禁事件の真相へと迫る。犯人を見つけ出す過程で展開される、眼を鍵とした華麗な叙述トリックは本書の見所のひとつである。

　「見ること」によって世界は認識され、相即的に「見る者」である自己もまたそこを立脚地とする。左眼と記憶を失ったことで眼と自己が乖離し「見ること」が出来なくなってしまった菜深は、自分が誰かはおろか、虚構か現実かも判然としない混沌とした世界に迷い込む。『暗黒物語』は、誰でもない少女となった菜深が左眼の記憶を辿り事件を追うなかで、再び「見ること」により世界／自己を取り戻す、眼を手掛かりに世界と自己の関係性を反省する自己認識の冒険譚である。（安永桃瀬）

REVIEW

見ることには愛があるが、見られることには憎悪がある

安部公房　箱男

新潮文庫、590円

★子どもの頃、実家の押入れや物置に潜んでその隙間から外の世界を覗き見た経験が、誰しも一度はあるだろう。一枚の板によって世界を「あちら」と「こちら」に隔て、覗き窓を通して「あちら側」へと視線を送る行為に子どもながら背徳的な感情をくすぐられたという人は、少なくない。

　それだけではない。押入れや物置のような狭い「箱」の中から「あちら側」を覗くことは見る者に絶対的な安心感（自分の側は決して覗かれることがないのだ、という）を与えると同時に、世界の「こちら側」であるところの「箱」に対する強い帰属の意識を生じさせもする。安部公房の『箱男』はまさに、そのような人間のうちに潜む「まなざし」の欲望について書かれた作品だ。

　語り手である「ぼく」が書き残したという手記を軸に、新聞記事や詩、ときには写真までもが挿入される本作から正確なあらすじを抜き出すことは容易ではないのだが、作中の記述を信じるならば、主人公の「ぼく」は三〇代の元カメラマン。海に近い港町を放浪しながら、現在は「箱男」として生活している。「箱男」とは特定の住所や身分をもたず、上半身に段ボール箱を被って生活する人々のこと。かなり風変わりな生活と言わざるをえないが、普通の人には見えないだけで「ぼく」以外にも「箱男」は、都市の中に無数に存在しているようだ。

　重要なのは、彼らが決して市民社会からの落伍者などではなく、自らの手でその生活を選び取ったのだ、ということだろう。そうして彼らは人目につくことなく、ボール紙の側面にくり抜かれた小さな覗き窓から、一方的な視線の快楽を欲しいままにしている。「見ることには愛があるが、見られることには憎悪がある」と、作者である安部公房はある頁の写真に添えて書く。匿名のまま「見られずに、見る」とは、限られた存在にのみ許された特権なのだ（だからその権利を脅かし、さらには箱を取り上げることで「箱」への帰属を奪おうとする「贋箱男」の出現は、「ぼく」をひどく動揺させる）。

　『箱男』が発表されて四半世紀。「2ちゃんねる」のような匿名掲示板が登場し、それぞれのユーザーが自分好みの話題を（自らはそこに参加しないまま）覗きに来るようになると、その様子がまるで『箱男』のようだとして、たびたび話題に上るようになった。その後——ゼロ年代後半から現在まで——の展開は、まさしくネットの拡大が『箱男』的な大衆の欲望に支えられていたことを裏付けるものだったろう。YoutubeからGoogle ストリートビュー、あるいはドローン技術まで、すべては「見られずに、見る」という人々の願いを安全に叶えるものだ。もちろん、そのために使われるスマホやパソコンだって、時代に合わせて姿を変えたひとつの「箱」であることにちがいはない。

　ただし、注意されたい。覗く者にとっての「こちら側」は、世間にとっての「あちら側」。小さな窓を通して「あちら側」を覗くことにすっかり夢中になっているうちに、いつの間にかあなた自身が「あちら側」の存在になっていないとも限らないのだから……。（梟木）

目玉を奪いに訪れるという、不気味な砂男の恐怖

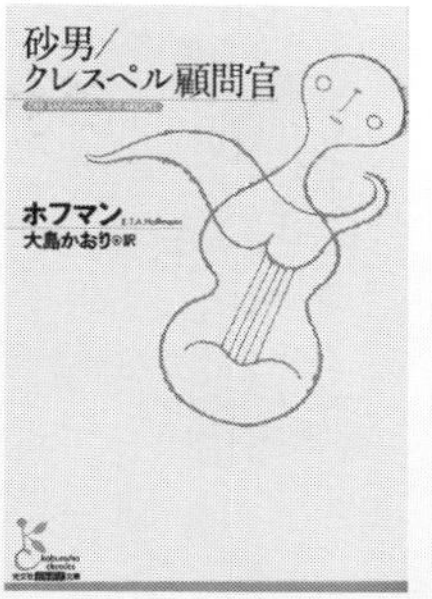

ホフマン
砂男

光文社古典新訳文庫、大島かおり訳、880円

★E・T・A・ホフマン。一九世紀ドイツを代表する幻想小説の書き手であり、その後の幻想文学の流れに大きな影響を与えた人物のひとり。法律家の家系に生まれ、自らも法律を学んで裁判官になるが、その傍らで芸術を愛好した彼は作家としても活動し、四六歳の頃に病で倒れるまで裁判官と作家との二重生活を送り続けた。このあたり、同じく法律を学んだのち保険局に勤めながら作品を書き続けた二〇世紀の小説家フランツ・カフカと、通じるところがある。

　その特異な経歴のためだろうか。現実と幻想が入り交じり、理性と狂気が同居するホフマンの文学世界は掴みどころがなく、ときに「難解」と評されてきた。しかし作品に込められたモチーフを正確に読みとることさえできれば、話は一気にわかりやすくなる。ホフマンの代表的な小説である「砂男」もまた、まなざしというモチーフから読み解くことによって、隠された構造が浮かび上がってくる作品だ。

　物語の主人公は、ナターナエルという名の青年。幼少の頃、眠らない子どもの目玉を奪いに来るという恐ろしい砂男の話を聞かされたナターナエルは、次第にその実在を信じるようになり、父のもとをたびたび訪れる不気味な老弁護士のコッペリウスこそ砂男にちがいないと思い込むようになる。ある日、ナターナエルは父の書斎に忍び込み、父親とコッペリウスによる密会の場面を覗き見ることに成功するが、二人に見つかって引き出されたところで爆発が起こり、父親は死亡、コッペリウスは姿をくらませてしまう。この出来事は成人した後もナターナエルの記憶に残り、暗い陰を落とす。

　目玉を奪いに訪れるという、不気味な砂男の伝承。コッペリウスこと砂男に対する、ナターナエルの異常な恐怖と執着。そして「覗き」という行為がきっかけとなって展開される夢とも現実ともつかない場面の連続と、訪れる破滅……。これら「目玉」や「まなざし」に関わるオブセッションは、反復的なモチーフとなって作品の底に取り憑き、ナターナエルの後半生（小説の後半部）でもほとんど同じように繰り返されることになる。すなわち、ナターナエルはコッポラという（コッペリウスによく似た）男から買った望遠鏡を使って向かいの窓を覗いているうちにオリンピアという美しい娘を発見し、結婚を考えるまでになる。しかしオリンピアがじつは自動人形であると発覚し、乱入してきたコッポラによって彼女の目玉が奪われる場面を目撃したことで、ナターナエルはいよいよ幼い頃に遭遇した砂男の恐怖を思い出し、発狂してしまうのだ。

　それにしても、トラウマを刺激されて豹変するナターナエルの描写は恐ろしい。まるでヒッチコックの映画『サイコ』に登場する殺人鬼のノーマン・ベイツのようだ（そういえば彼もまた、美しい女性の裸を覗くことに並々ならぬ関心を示していた）。人間のまなざしが引き寄せる根源的な不安と恐怖を描いた、悪夢の宝石箱のような作品だ。（梟木）

いつも不安な気持ちにさせられる「目」

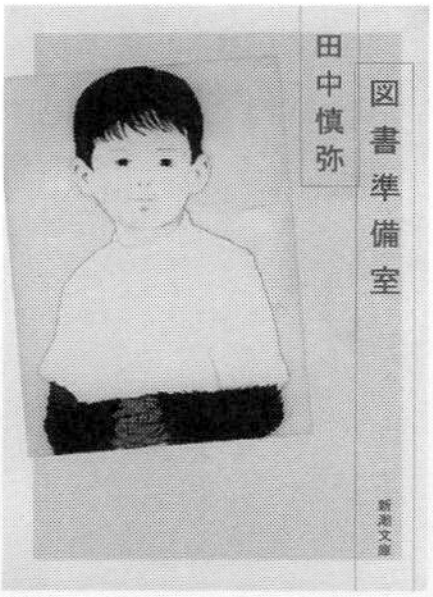

田中慎弥
図書準備室
新潮文庫、460円

★ひとはなぜ、つい自分について喋りすぎてしまうのか。単純に自己顕示欲が強いためだとか、他人に興味がないからとか、そういう理由もあるだろうが、その根本にあるのは、他人の目から眺められた評価軸を自分の言葉によって修正したい、という欲求のためだろう。自分はいい加減な人間に見えるかもしれないが、これでもいろいろ考えているのだ。自分の容姿はいまひとつかもしれないが、じつはインテリに負けない知性や深い感受性を心に宿しているのだ——。田中慎弥の『図書準備室』は、まさにそのような「私」の「語り」を限界まで突き詰めることによって世間や読者の評価軸を煙に巻こうとし、なおかつその行為じたいの滑稽さをも捉えてみせた、油断ならない作品だ。

　小説の舞台は、年老いた母と「私」が二人で暮らす社宅のとある一室。祖父の三回忌で親戚の集まる場に引き出された「私」は、三十歳を過ぎてもまともに働かず、母に生活の負担を強いている現状について伯母から叱責される。それを受けて始まる「私」の、長い長い自分語り。自分はなぜ働こうとしないのか。その答えを探すうちに、「私」は小学生の頃にはじめて会ったある男の「目」の問題に行き当たる。

　全体の分量の八割以上、単行本でおよそ六〇頁（!）を占める異様な「私」の語りが親戚の伯母という世間の「目」に対して向けられていることは、言うまでもないだろう。「私」の語りは伯母に発言権を与えないための語り、いわば語りのための語りだ。そうして「私」は「顔の半分近くが目だ」という印象を与える、三歳になる従兄の娘の視線にさえ脅かされながら、連続する「目」のイメージによって即興の語りを展開していく。半年前に通った眼科の話。高校生の頃、バスの車内で右手を目にぶつけてしまったのにどうしても謝る気になれなかった女性の話。そうこうするうち「私」はついに、卒業した中学校の教師であった吉岡という男について語り始める。

　吉岡の「目」が、「私」は嫌いだった。「愛想がない代わりに別に私を咎めてもいない」「感情の入っていない」「まっすぐな」その目に見つめられると「私」はいつも不安な気持ちになり、あいさつさえまともにできないでいたのだ。そんなある日、同級生の友人から聞かされた昔の吉岡についての噂。終戦間際、工場で働いていた吉岡はそこで先輩の男と諍いになり、仲間と共にリンチにかけたというのだ。それから二年。中学三年生になった「私」はついに、夕方の図書準備室で吉岡にその噂の真相について問いただすチャンスを得る。そのとき「私」ははじめて、世間の「目」となって吉岡を糾弾する側に回ることになるのだが……。

　時代が変われば、世間の「目」もまた変化する。戦時下で吉岡がとった行動の意味を中学生の「私」がどうしても理解できなかったように、三十歳を過ぎても外で働こうとしない現在の「私」のような人間が「語り」を要することなく社会に受け入れられるようになるにも、まだまだ時間がかかるだろう。願わくば今回のコロナ禍が、そのような人々の「目」を変えるきっかけになってくれれば、世の中、少しは生きやすくなりそうなものなのだが……。

（梟木）

目を合わせている間は寄ってこない妖怪

シライサン
安達寛高監督

★新種の都市伝説ホラーである『シライサン』についての原稿（つまりはこのレビュー）を書くために女性の姿をした日本の妖怪について調べていくうちに、不思議なことに気がついた。それは彼女たちがお世辞にも美しいとはいえないにも関わらず、いや、それどころか酷い状態であればあるほど、むしろひとから見られることを強く切望してきた、ということだ。昭和の終わりに都市伝説として流布した「口裂け女」などは、その典型だろう。彼女たちはなぜ、その素顔を晒してまで人々の視線を集めようとするのか。

『シライサン』は、安達寛高（乙一）監督・脚本による日本のホラー映画。ある日、女子大生の瑞紀（飯豊まりえ）は親友が目の前で異常な恐怖に怯えながら死んでいくのを目撃してしまう。死んだ彼女の顔には、眼球がなかった。時を同じくして大学生の春男（稲葉友）もまた、眼球が破裂した悲惨な状態で弟が死んでいるのを発見する。遺体の共通点から共同で調査を進めるうちに、二人は「シライサン」に関する呪いの核心に迫っていくことになるのだが……。

眼球を破壊された状態で発見される、という時点でなんだか視線について曰くありげだが、そんな「シライサン」の特徴は四つある。ひとつは「目が異様に大きい」ということ。ふたつめは「つかまったら死ぬ」ということ。みっつめは「シライサンのことを知っている人間のところに現れる」ということ。そして最後に「視線を外したら近づいてくるが、目を合わせている間は寄ってこない」（一時間から二時間、その状況に耐えることができれば消滅）ということだ。この「どれほど恐ろしいものであっても、出現している間は凝視し続けなくてはならない」という制限は、ホラー映画史におけるひとつの発明といってもいいだろう。怖いもの見たさとはいうが、本当に恐ろしいものからは、私たちはつい目を逸らしてしまう。それを設定の段階で封じてくるのが、シライサンというキャラクターなのだ。

「でも、シライサンって少し人間っぽいところあるよね」と、春男は冗談めかして瑞紀に言う。「だって承認欲求の塊でしょ、あれ。見てる間はいいけど、見ないと怒って殺しに来る」。現実の世界にシライサンは存在していないけれども、ネットの「シライサン」になってしまった人はたくさん、いる。ひとがＳＮＳで「いいね」を欲しがるのは、それが「あなたのことを見ていますよ」という確認でもあるからだ。

そんなこんなでＳＮＳ時代を象徴するホラーアイコンともなったシライサンだったが弱点もあって、それはその性質さえ理解してしまえば比較的対処しやすい（少なくとも貞子よりは）部類の妖怪だということ。そのためシライサンは、訪問ペースを三日に一回にしてみたり、死者の幻を召喚してみたり、涙ぐましい努力を払って犠牲者への接近を試みるのだが……。でも、だからといって、自然現象や人工の遮蔽物を利用して物理的に視界を塞ぎ、その隙に近づいてくるのはいくらなんでも「反則」だ！（梟木）

見る／見られることのオブセッション

ブルーベルベット

デヴィッド・リンチ監督

★一九五〇年代の面影を町並みに残す、アメリカの田舎町ランバートン。大学生のジェフリー（カイル・マクラクラン）は父親を見舞った病院の帰り、野原で切断された人間の片耳を発見する。事件の匂いを嗅ぎ取ったジェフリーは刑事の娘であるサンディ（ローラ・ダーン）を連れて調査に乗り出すが、彼女が盗み聞きした情報によると、クラブで働くドロシーという名の女性が深く関係しているらしい。意を決してドロシーが住むアパートへと侵入したジェフリーは、彼女の人生を覗き見るうちに、やがてフランク・ブース（デニス・ホッパー）という危険な男から目をつけられるようになり……。

『ブルーベルベット』はアメリカの鬼才デヴィッド・リンチ（最近の表記ではデイヴィッド・リンチ）監督による、普通の人々の生活に潜む〝闇〟を題材としたミステリー作品。好奇心旺盛な青年が人間の耳を拾ったことをきっかけに、犯罪と暴力の渦巻く倒錯的な愛の世界へと誘われていくさまを描く。八〇年代を代表するカルト的なサスペンスの傑作であり、これまでにもさまざまな角度から分析されてきたが、今回は作品内の「まなざし」に注目することで、その深遠な物語世界に足を踏み入れてみたい。

カイル・マクラクラン演じるジェフリー・ボーモントが「まなざし」の欲求に憑かれた世界の秘密の探求者であることは、すでに明らかだろう。盗んだ鍵を使ってドロシーの部屋に侵入したジェフリーはクローゼットの中へと隠れ、そこからドロシーとフランクによる倒錯的な性行為の様子を覗き見る。この「クローゼットの中からの目撃」というモチーフは物語の序盤からクライマックスまで三度にわたって繰り返され、サドマゾヒズムやフェティシズムばかりでなく、ジェフリーが抱える窃視症的な欲望もまた、アブノーマルな作品世界を構成する重要な要素となっていることがわかる。

しかし「まなざし」ということで言えば、やはり圧巻はジェフリーの前に〝純粋な悪〟として立ちはだかるフランク・ブースの存在だろう。地元の悪党たちを取り仕切るボスでありながらひとに注視されることを極端に嫌い、ドロシーとのセックスの際にも（母子相姦プレイを強要しておきながら）「俺を見るな」という台詞を連発する。そこには他人からのまなざしに対する、極度のオブセッションがある。自分だけが一方的に相手を見つめる権利を所有するということは、やはり快楽であり、そして（歪んだ形であるとはいえ）愛なのだ。

それでもフランクは、ただ異常なだけの男ではない。ジェフリーが善側のキャラクターでありながら平気で他人のプライベートに侵入して覗き見を行うように、フランクもまたドロシーに対して倒錯的な性行為を強要しておきながら、その歌声には純粋な涙を流す。本作がそのような人間の不思議さ（二重性）に捧げられていることは、言うまでもないだろう。あるいはだからこそ、ひとは二重性の裏側に隠された人間の闇を、覗き見たくなってしまうのかもしれないのだが……。（梟木）

ネコの視線によって色分けされてしまった人々の騒動

猫に裁かれる人たち

ボイチェフ・ヤスニー監督

★裁くのはネコである。しかも眼鏡をかけたネコで、サーカスとともにやってくる。きれいな飾りもついたオシャレ眼鏡をつけている。

そのオシャレ眼鏡を外すと、視線に当てられたひとは、色わけをされてしまう。サーカスの団長いわく。全身がムラサキに染まるのは、「偽善者、差別主義者」。浮気者は黄色に、恋をしているひとは真っ赤に染まる。普通のひとは何色でもなく、ネコに見られても色に染まらない。

サーカス団に連れられて、パレードとともにあらわれたそのネコは、サーカスのショウでももちろん主役である。首と胴体の離れた男、透明になったカップルのダンスなどのサーカス団の奇術のあと、お待ちかねのネコがあらわれる。

さいしょは眼鏡姿で、空中玉乗りしてでてくる。そして、果たして眼鏡をはずして、サーカスの観客たちをカラフルに染めていく。男女のカップルの片方は赤に、片方はムラサキに染まったりする。赤に、黄色に、ムラサキに染め上げられた人びとは、なぜかそのまま踊りだす。全身が赤色の男女たちや、黄色の集団がダンスするシーンは、謎の迫力で見応えがあった。

このネコは、或るひとたちに目のカタキにされる。すなわち、ムラサキの人物と、何色にもならないひとたちだ。「殺してやる! 殺してやる!」って怒るひと、「あれはただの害獣だ」、「狩猟免許をためすときだ」って殺戮準備はじめる人物もいる。

この地のあくどい校長は、もちろんムラサキに染まって。校長と現場の教師とのあらそいに、この猫が巻き込まれる。校長はムラサキに染まった姿を、そばにあった飾りのヨロイをさっとかぶって隠す。そして、おなじくムラサキだった人びとと、あのネコをねらう計画を立てる。クラスの子供たちが預かったネコを、奪い隠してしまおうとするのだ。

校長の計略を知った生徒たちは、いっせいにいなくなってしまう。街のどこにもいない、文字どおり消えうせてしまう。子供の保護者たち、校長や教師はパニックである。

猫に裁かれてしまうのか、と、タイトルが気になりすぎて観た映画だけれど。ほんとうに面白かった。チェコ映画って、「ファンタスティック・プラネット」、「悪魔の発明」とかわけわからんイメージだったんですが、やっぱりこの映画も、すばらしく意味がわからなかった。アマゾンのレビューなどでは酷評されていたりもするが、その酷評されてる部分もふくめて、なんだか奇妙な魅力に満ちた作品だった。この映画の最後で、謎の老人が言う。「これは昔々、本当にあった物語」。

ウソつけ、と思いましたが。「神と和解せよ」という聖書の文句を書いた教会の看板を、「ネコと和解せよ」とイタズラした画像はネットにでまわっている。ほんとうに、われわれはネコと和解しないといけない。私はそのネコと出会ったら、どんな色に染まるだろう。レインボーに染まったら笑うな。(日原雄一)

REVIEW

眼鏡のまやかしによって右往左往する泥棒たち

★落語にでてくるのは間抜けな泥棒と相場が決まっている。と、高座で落語家さんがよく言っている。ねずみ小僧の弟子でハムスター小僧、石川五右衛門の弟子で石川二右衛門半、なんてくだりは大好きで。

三人組の泥棒たち。眼鏡屋に目をつけて、店のなかをのぞきこもうとしてる。それに気づいた眼鏡屋の小僧さんは、泥棒がねらう壁の穴に「遠眼鏡」をかぶせ、レンズのすぐ前に立つ。

穴からのぞいた泥棒さん、果たして驚いた。この店には大入道がいる！

そんなはずはあるまいと、べつの泥棒氏が覗き込む。小僧さんはまたちがう眼鏡を、その穴のところに当てがう。ものが七つ八つにもつらなって見える、万華鏡みたいな「将門めがね」だ。小僧ひとりと猫いっぴきだけで留守番してるのを、小僧が七、八人もいるように見せる。みんな同じように机にむかってる。猫もそろってアクビしてる。

桂米朝
眼鏡屋盗人

CD「米朝珍品集 その八」所収

なんだこのぶきみな家、と泥棒たちがあたふたしていると、何やってんだと泥棒のオヤブンが登場する。親分さん穴を覗き込んで、ちょっと考えて、いま何時か確認する。時刻をきいて、そりゃいけない、あの家に入ったら朝までには出られない、なにしろめちゃめちゃな広さだとびっくりしてる。小僧さん、親分氏の番のときには、「遠めがね」をウラオモテ逆にかぶせて、やたら家じゅうを広く見せてたんである。

地味なホーム・アローンみたいな噺だが。こんなのを語る桂米朝自身、「めずらしい噺」とマクラで語っている。でも、奇妙に素敵な話である。米朝師匠のおだやかな口調ゆえ、この不可思議な話の魅力がすばらしく映える。店のちっちゃな小僧さんの手にある眼鏡で、ちょっと見えかたがかわるだけで、ドロボウたちは右往左往させられる。眼鏡を通して観る者の視界をまやかすことで、小僧さんは大入道にも、大人数にもなれる。視界をあやつる眼鏡の魔術師だ。

落語の小噺に、こんなものがあった。ケチな男。目を両方あけているのは無駄であると、左の目はつぶって生活していた。十年が過ぎて。そろそろ逆の目をつかおうか、と、右の目はとじて左の目をあけた。そこで見えたのは、まったく見知らぬひとばかり。左右の眼球って、まるきり同じような気がしていたが、全然ちがうわけである。睾丸も左右で微妙にちがうように。

いまのメガネショップに泥棒が入ったら。バイトの小僧さんどうするだろう。カラコンやらサングラスやら、謎の気球を見せてピントを測るオートレフ・ケラトメーターなんて機械とか、つかえる武器はもっと多い。スマホにはSNOWってアプリもある。撮った写真をめっちゃデコり、被写体をかわいく?見せるアプリだ。店頭には、メガネをピカピカにできる洗浄機もある。泥棒の足をそこでピカピカに洗って、真人間にできたらいいのに。私も心をそこで洗いたいが……。はて、その穢れは落ちるのかどうか。（日原雄一）

眼鏡をとおすことでもたらされる魅力の深み

書店男子 メガネ編

リブレ出版、1300円

★小学二年から乱視と近視だから、メガネを外すと、ずいぶんみえにくい。視界の輪郭はだいぶぼやぼやで、安っぽい水彩画の世界にいる。中学校で水泳のとき、とうぜんメガネはずして泳いでいたら、うざい同級生に「え、日原？ イケメンじゃん」と言われた。若き日の美しい思い出だ。その後、大学生にもなると、メガネを外すとそのぶん目を凝らして見なきゃいけなくなるから、「イケメン」より先に「目つきがこわい」と言われた。若き日のうっとおしい思い出だ。

逆に言うと、眼鏡をかけているあいだは、べつにそんなふうに言われたことはない。メガネを通したひとの視線は、ときにやさしく、おだやかに見せる。ひとを真面目に理知的にも見せる。あくまで「的」であって、真面目系クズやバカメガネもいるわけですが。

本書は、書店員の男性を魅力的に撮った写真集。いろんな本屋さんのいろんなかたがいて、書泉に長くつとめたおじい様もいれば、アニメイトの若いイケメンさん、ヴィレッジヴァンガードのやんちゃそうな人物もいる。

それぞれ、メガネを外してみた写真も載っているのだけれど、そのことでかえってわかる。ひとの姿というものが、眼鏡というものをとおすことで、それぞれの魅力にさらなる深みをもたらされたり、優しさやお洒落さのようなものがプラスされるような気がした。

おなじアニメイトにおつとめのかたでも。新宿店の海堀さんと、札幌店の三浦さんとでは、やっぱり色合いが違った素敵さがある。海堀さんは人当たりが柔らかくお客からも人気で、三浦さんの仕事ぶりは丁寧で周囲からも信頼されているという。そんな部分も、眼鏡を通じた視線、表情にあらわれている、ような気がする。海堀さんが書棚の前で、お店の研修生のほうを見るにこやかな視線は、なんともあたたかい。こういう先輩のいる職場で働きたいものだ、としみじみ思いますね。

三省堂書店神保町本店の鷹森さんは、いかにも三省堂らしい写真うつりだった。神保町には小学生時代から通って、三省堂は行きつけの本屋のひとつだが、鷹森さんの眼鏡姿は、ザ・三省堂ってイメージだ。本棚の隅に立って、メモを真剣にみつめるひとみに、メガネのレンズがちらりと光る。そういえば三省堂オリジナルの栞には、眼鏡がデザインされたものもあった。

リブレ出版からは、ほか、「メガネ編」でない「書店男子」シリーズの本もあるが。こちらでも、眼鏡姿の書店員さんの御姿が楽しめる。澁澤龍彦、中井英夫の黒縁眼鏡姿も好きだし、江國滋とか、小沢信男みたいなタイプもいいとおもう。眼鏡フェチでもある私は、眼鏡姿のイケメンに目がねえのである。こないだのアエラスタイルマガジンでは、眼鏡特集で、神木くんがいろんなメガネをつけて……。もちろん、どれもかっこよかったしかわいかったわけですよ。それは眼鏡フェチというか神木信者って話だけど。（日原雄一）

〈少年の眼〉の逆襲
――ヘルマン・ヘッセ「少年の日の思い出」を読む

◉文＝宮野由梨香

ヘルマン・ヘッセ「少年の日の思い出」を、中学校の国語の教科書で読んだ人は多いはずだ。

この作品が教科書にはじめて採用されたのは、一九四七年のことだった。それ以来、順調に掲載率を伸ばし続け、二〇二一年度には、すべての検定教科書が中学一年生の文学教材として採用するまでに至っている(註①)。現役の中学生から八〇代の老人までが、この作品を教室で読まされていることになる。

日本では抜群の知名度を誇っている「少年の日の思い出」だが、本国のドイツではヘルマン・ヘッセのごくマイナーな短編のひとつにすぎず、ほぼ知られていないという(註②)。

もともとは、一九一一年に「Das Nachtpfauen-auge」というタイトルで書かれ、発表されたものだった。「Nacht」は夜、「pfau」は孔雀、「auge」は眼であるから、直訳すると〈夜の孔雀の眼〉ととなる。これは主人公の少年が恋い焦がれた鱗翅類の名前だ。それを最初はそのままタイトルにしていたのだ。この鱗翅類は、古くは「楓蚕《ふうさん》蛾《が》」今は「クジャクヤママユ」と訳されているものである(註③)。

★ヘルマン・ヘッセ『少年の日の思い出 ヘッセ青春小説集』(草思社)

この作品は、一九三一年に改作されて新聞に掲載された。その時にタイトルも「Jugendgedenken〈少年の日の思い出〉」に改められた。しかし、改作のタイトルと本文は、現在、ドイツ国内ではほぼ見ることができない(註②)。

日本で広くこのタイトルとそれに基づく本文の翻訳が知られているのは、訳者の高橋健二が一九三一年にヘッセを訪問した際、この改作が載った新聞の切り抜きを渡されたからだ。彼はそれを翻訳し発表した。それが中学校の教科書に教材として採用され、現在にいたっている。

「少年の日の思い出」は、せめぎ合う三つの〈眼〉の物語である。

三つの〈眼〉とは、〈少年の眼〉〈エーミールの眼〉〈夜の孔雀の眼〉である。

主人公の少年は〈少年の眼〉で世界を見ている。鱗翅類を追いかけ、その美を見つめ、喜びに浸る。

彼の隣に住む教師の息子エーミールは、それとは全く異質な〈エーミールの眼〉の持ち主だ。

少年があこがれ、エーミールが蛹から羽化させた鱗翅類が〈夜の孔雀の眼〉だ。その名の通り、大きな眼状紋を特徴とする。眼状紋とは、眼のように見える模様のことだ。本物の眼ではないからこそ、その眼は魔力に満ちている。物語はその魔力によって突き動かされている。

○

物語は、次のようなシーンから始まる。

散歩から帰ってきた「客」に、私は「子供ができてから、蝶や蛾の採集を再開した」と言い、求められるままに、自分のコレクションを披露する。

「客」はその中からひとつを取り出して、羽の裏側を眺めて「蝶の姿ほど子供のころの思い出を強く呼び起こしてくれるものはない」「少年時代に僕もコレクションを持っていたが、自分でその思い出を台なしにしてしまった。それを聞いてもらおう」と言う。

そして「客」は、笠をランプの上に載せ、出窓に腰かけ、自分の姿をほとんど暗闇にまぎれるようにしてから、「少年の日の思い出」を語り始める。

いったいこの客とは何だろうか?

なぜ、物語の冒頭で、散歩から帰って来るのだろうか?

最初に書かれた「Das Nachtpfauenauge」では、この客には「Heinrich Mohr（ハインリヒ・モーア）」という名前が与えられていたが、改稿時に消されてしまった。また、身体的な特徴も「日焼けした細おもての顔」「すらりとやせた姿」などと書かれていたのが、すべて消されている（註④）。

これも、なぜだろうか?

また、彼はどうして暗闇の中に自分の姿を隠してから語るのだろうか?

○

蝶や蛾の採集に夢中で、「そのためにほかのことを何もかも忘れて」しまうくらいだった少年は、「むさぼるような恍惚状態」で蝶や蛾に見入り、その美しさに浸った。

「百聞は一見に如かず」ということわざが成り立つのは、見ることが世界の様相の確認と強く結びついているからだろう。

美しい蝶に見入る時、少年は、自分と自分が属する世界が確かに存在することを感じていたに違いない。

世界は自分の思考とは関係のないところに実在する。世界は決して自分の見ている夢ではない。夢がこんなに美しいわけがない。夢なら自分の経験や思考の範囲を越えないはずだ。見たことのない美しさ、考えられないほどの精妙さを提示してくる世界の中に、自分は確かに存在している。

こんなふうに世界と対峙するからこそ、〈少年の眼〉にとって、見ることは喜びそのものとなる。

エーミールは〈少年の眼〉を持たない。

同じ蝶を見ても、少年とエーミールとでは、違うものを見ている。

それがよくわかるのが、少年が「珍しい青いコムラサキ」を見せた時のエーミールの反応だ。彼は「お金で買えば二十ペニヒはするだろうと、判」定」し、「展翅の仕方が悪いとか、右の触覚が曲がっていて、左の方が伸びている」などと指摘する。

〈エーミールの眼〉は、値踏みの眼、あら探しの眼だ。それは、〈少年の眼〉とは相容れないものだった。

★〈夜の孔雀の眼〉クジャクヤママユ

〈夜の孔雀の眼〉は四つの眼状紋を持つ。

眼状紋の不思議さは、何も見ていないはずの眼が心をざわつかせることにある。こんなにも、こちらを見つめてくるものが、実は眼ではない。そんなことがあり得るのなら、この世はすべて疑わしいものに思えてくる。

世界は「見えている」ものとは違うものなのかもしれない。「見えている」と思い込んでいるだけなのかもしれない。そもそもこの世は、実は無いのかもしれない。「胡蝶の夢」のたとえのように、すべてが夢なのかもしれない。

意識は、ここで折り返す。

そうだとしたら、どうしてあんな眼状紋が夢の中に登場してくるのだろう?

あれこそ、世界が思考を超えたところに実在している証拠ではないか!

眼状紋には、世界の実在性をいったん揺るがせながら、ゆっくりと確信させるような力がある。つまり、揺るがされるような感覚がそもそも無い者には、見ることができない〈エーミールの眼〉には〈夜の孔雀の眼〉は単なる模様としか見えないだろう。

この認識が、「少年の日の思い出」という物語を成立させている。

○

少年は、〈夜の孔雀の眼〉について、こんな話を仲間から聞いていた。

> このとび色の蛾が木の幹か岩にとまっているとき、小鳥やそのほかの敵がそれを攻撃しようとすると、その蛾はたたんでいた黒っぽい前翅を引き上げて、美しい後翅をあらわにする。その後翅の明るい大きな眼状紋がとても奇妙な、思いもかけない様子に見えるので、小鳥はびっくりしてその蛾をそのままにして行ってしまう
>
> （ヘルマン・ヘッセ『少年の日の思い出』岡田朝雄訳（草思社）十二頁）

訳者の岡田朝雄はこの箇所の訳注で「本文中に書かれているようなことをする習性がある」のは「Nachtpfauenauge（夜の孔雀の眼）」＝クジャクヤママユではなく「Abendpfauenauge（夕方の孔雀の眼）」＝ユーロウチスズメの方だと指摘している。前者には前翅にも後翅にも灰褐色の眼状紋があり、後者には後翅にだけ明るい色の眼状紋がある。それをふだんは地味な色の前翅で覆い隠していて、敵に襲われると後翅を見せる習性が後者にはある。ドイツ語での両者の名前が「よく似ているので、ヘッセが混同したのではないだろうか」と、岡田は推測している（同書二二頁）。

しかし、この「混同」は、意図的なものかもしれない。少年は、名称や姿に関する知識を「自分が持っていた古い蝶蛾図鑑の図版」から得た。一方、習性に関する知識は、「ある仲間」から得ている。これは故意に情報源の信頼性を低めた可能性がある。

ヘッセは作中の蛾に、この名称とその習性を持たせようとしたのではないだろうか。

少年が固執した蛾は、その意味では少年の頭の中にだけ存在する架空の存在である。

この幻の蛾の名称は「クジャクヤママユ」「楓蚕《ふうさん》蛾《が》」と訳すよりも、むしろ〈夜の孔雀の眼〉というドイツ語直訳をそのまま採用するという判断も、検討の余地があるのではないだろうか。

○

エーミールが〈夜の孔雀の眼〉を蛹《さなぎ》から羽化させたという噂を、少年は耳にする。

すっかり興奮した少年は、見せてもらえる機会を待てずに、隣の家の二階にあるエーミールの部屋に忍び込む。

標本箱の中にはなかった。それはまだ展翅版に載っていて、眼状紋は展翅テープに覆われていた。

少年の頭の中にある幻の習性どおりに、蛾は眼状紋を隠していた。少年はそれを取り除ける。

幻の蛾を求める〈少年の眼〉と、蛹《さなぎ》から羽化して以来、〈エーミールの眼〉にしか晒されて来なかった〈夜の孔雀の眼〉とは、こうして出会ってしまった。歓喜に満ちた悲劇の出会いだ。

わけがわからない衝動にかられた少年は、宝をそっと持って部屋を出る。その時、階段から誰かが上がって来る音がする。その眼を恐れて、少年は、脆い宝をつつむように持っていた手を上着のポケットの中に突っ込んでしまう。

かくて、宝は破壊された。

階段を上がってきたのはメイドだったが、少年が音で恐れたのは、自分の行為を咎める〈エーミールの眼〉だ。

その意味で、〈夜の孔雀の眼〉を破壊したのは、〈エーミールの眼〉なのである。

〈少年の眼〉の届かないポケットの暗闇の中で、それは行われた。

少年の告白を聞いたエーミールは、少年をじっと見つめて、「そうか、そうか、つまり君はそんな

やつなんだな」と言った。

少年は〈エーミールの眼〉によって、「そんなやつ」と判定された。

少年は「ぼくのおもちゃを全部あげる」とか言うが、エーミールはただ軽蔑的に見つめるだけだった。「ぼくのコレクションを全部あげる」とも言うが、彼の返事はこうだった。


「どうもありがとう。きみのコレクションならもう知っているよ。それにきみが蝶や蛾をどんなふうに扱うか今日またよく見せてもらったしね」


〈エーミールの眼〉にかかっては、少年の宝物は一顧だに値しないようなものなのだ。しかも、彼は少年が蝶や蛾にかける情熱も愛も、その眼によって否定した。それは〈少年の眼〉に対する完膚なきまでの否定だった。

帰宅した少年は、自分の大切なコレクションの箱をベッドの上に置き、暗がりの中でふたを開け、蝶や蛾を指で粉みじんに押しつぶしてしまう。

ポケットの暗闇の中で破壊は、こうして寝室の暗がりの中での破壊へとつながっていく。

それは〈エーミールの眼〉によって〈少年の眼〉を殺す行為である。

こうして、物語は再び夕暮れの書斎に戻ることなく、寝室の暗がりの中で唐突に幕を閉ざす。

〈エーミールの眼〉の前に、〈少年の眼〉はかくて敗れた。

○

しかし、我々はこの出来事のはるか先を、最初から知っている。

子供ができてから再び蝶や蛾の収集を始めた「私」の前に、「散歩から帰ってきた客」がいる。てっきり私を去ったと思ったものは、ただ散歩に行っていただけだった。

今、書斎で私のそばに腰かけている。

私のコレクションの中の一つを取り上げて眺め、かつての敗北の物語を語る。

語り手の「客」とは、〈少年の目〉なのだ。

そう読めるように、ヘッセは最初の形にあった「客」の名前や特徴を消している。

子どもを持つことによって、再び蝶や蛾の採集を始めた「私」のもとに、〈少年の眼〉は帰ってきた。

「客」と「私」の姿は、「快いうす暗がりの中」で溶け合っていく。

〈エーミールの眼〉の呪いは無効化された。

勝ち残ったのは、〈少年の眼〉だ。

「少年の日の思い出」は、〈少年の眼〉の逆襲の物語なのである。


（註①）文部科学省発行「中学校用教科書目録（令和3年度使用）」に拠る。

（註②）ヘルマン・ヘッセ『少年の日の思い出　ヘッセ青春小説集』岡田朝雄＝訳（草思社）「訳者あとがき」一八七頁の説明に拠る。

（註③）「楓蚕《ふうさん》蛾《が》」と訳した高橋健二に対して、昆虫に関する知識を踏まえて「クジャクヤママユ」とした方がよいのではないかと進言したのは岡田朝雄である。一九三六年の高橋の最初の訳では「白蛾太郎」となっているという。（岡田朝雄「ヘルマン・ヘッセ『少年の日の思い出』とその初稿『クジャクヤママユ』」朝日出版社〈未定　XXV〉八二頁参照）

（註④）岡田朝雄「ヘルマン・ヘッセ『少年の日の思い出』とその初稿『クジャクヤママユ』」朝日出版社〈未定　XXV〉八五頁～八八頁参照。
☆本文の引用は、『少年の日の思い出　ヘッセ青春小説集』岡田朝雄＝訳（草思社）による。ただし、エーミールの「そうか、そうか、つまり君はそんなやつなんだな」だけは、『ヘッセ全集2』高橋健二＝訳（新潮社）に拠った。
【謝辞】（註③）（註④）に示した資料〈未定　XXV〉は、一般流通していない同人誌です。同人の一人である茂木政敏さまが岡和田晃さまに贈られた一冊を見せていただくことによって、この原稿を書き上げることができました。厚く感謝申し上げます。

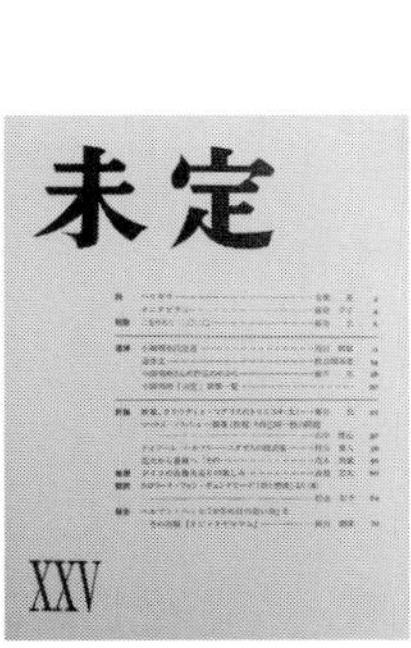

★「未定 XXV」

★ジョン・コリア「ゴダイヴァ夫人」

窃視というタブーをめぐって

◎文＝並木誠

窃視《スコプトフィリア》について

窃視症という言葉がある。窃視の窃は、窃盗の窃であり、盗み視るという事である。現在でいう盗撮などが典型であるが、元祖は出歯亀である。出歯亀とは、明治時代、殺人犯で捕まった男に女風呂を覗く窃視の癖があり、亀吉何某とかいう名前とその男が出っ歯だったことに由来する。主に昭和の劇画で柵板の丸穴から、行水する女性を覗き見する男というベタな場面を見た方々も多いだろう。行水という文化も今では壊滅的であるが。

窃視は、世界にも類型があり、イギリス発祥で出歯亀に相当するピーピング・トムという呼称がある。ある領主の夫人が領民に課した重い年貢を諌めるために、裸で馬に跨り領内を巡る。領民は伯爵夫人に敬意を表し、誰もその姿を見るものはなかったが、一人だけその裸身を観たものが、ピーピング・トムという男だったという訳だ。勇敢にも裸身で馬に跨ったゴダイヴァ夫人の名前が、有名なベルギーのチョコレートメーカーのゴディバの由来となった。もっとも、ゴダイヴァ夫人のエピソードは、史実ではないという見方もある。ちなみにベルギーには、ポスト・ピナ・バウシュと目される、ピーピング・トムという名のコンテンポラリーなダンスカンパニーがある。

デュシャン『遺作』とベルメール

映画で言えば、アルフレッド・ヒッチコック監督の『裏窓』(1954)が窃視の典型であろう。美術では、マルセル・デュシャンの遺作がその俎上に挙がる。『1・水の落下 2・照明用ガス、が与えられたとせよ』(1944-66)と題されたその作品は、フィデルフィア美術館にデュシャンの死後寄贈されたもので、大きな木の扉に空いた小さな二つの穴から覗き見る仕掛け。覗いた先にはガスランプを手に持った裸婦が薪の上に横たわっている。遠方には、森林と山々と靄のかかった湖と滝が、下に

★マルセル・デュシャンの「遺作」の扉(左)と、その穴から覗いて見える光景(右)

★ハンス・ベルメールの人形

はチェスの盤が見える。デュシャンのレディメイドの集大成的な作品と言われている。

裸婦のモデルは、1946年から51年の間デュシャンの恋人だった、ブラジル人のマリアン・マルティスと2番目の妻ティニー夫人。実は私には、この裸婦が昔からハンス・ベルメールの球体関節人形に見えた。裸婦はデュシャンの窃視症の作品に相応しく、たいへん淫靡に見えるが、ベルメールの人形も窃視症的な作品であると思う。球体関節人形の重度の卑猥さの禁忌が、禁断の扉の向こうにあるように思わせるのだ。しかし、実はベルメールの人形は、言語学的な倒置、ごく簡単に云えば、主語つまり頭を手に入れ替え、胴体が述語になるような構造に影響を受けたという説があり、目から鱗だった。

邪視、正視と窃視

元々、陰陽道などでは邪視という考え方があり、妖魔からの視線を邪悪なものとして見做した他、窃視も邪視のひとつとして考えられている。妖魔からの邪視を封じるのが、臨、兵、闘、者、皆、陣、烈、在、前とグリッドを切る九字法で、その縦横に区切られた格子目を妖魔が読む間に、逃げるか呪文で身を隠す。安倍晴明など陰陽師が得意とした魔除だ。

★（左）「アンダルシアの犬」（右）今道子の作品集「Still Lives」

眼とは、心の窓であり、理性でもある。死んだ魚の目も独特であり、今道子の写真のモティーフにもなっており、その作品に生理的嫌悪感を持つ人も少なくないが、魚や肉片が内臓感覚と直結するのが正視出来ない理由であるのかもしれない。有名なダリとブニュエルの映画『アンダルシアの犬』の眼玉を切り裂くシーンも、邪視や内臓感覚等の生理的嫌悪感と無関係ではない筈である。このシーンは、スキャンダル性によって人々の耳目を引く意図もあったが、キリスト教的倫理や形骸化した権威に対してのアンチテーゼでもあったろう。ニーチェ的なニヒリズムの最たるものといえる。

邪視に対して正視という言葉もあるが、窃視は正視してはいけないものを見ようとするものだ。それゆえ窃視は淫靡でタブーなものであり続ける。

眼を潰せ！ そして、眼を開け！

――〈現実〉をめぐる戦場としての網膜

◎文＝石川雷太

0 欲望のスクリーンとしての網膜

私たちの眼は欲望する機械だ。私たちの眼は、私たちの内なる「世界」を完成させるためにヴィジョンを捏造する。そしてその欲望は、外的なメディアに波及し、時に現実をも捻じ曲げる。メディアは我々の眼の端末として、私たちが欲する「虚構」を現実化し始めるのである。

1 勝利のヴィジョン、イラク戦争、硫黄島…

メディアは視聴率を気にする。それは我々の快楽原則に即したヴィジョンが実現されているかどうかのバロメーターだからである。ナチスを始めとする優れたプロパガンダが常に「美しい」のはそのためだ。

9・11同時多発テロの3年後に始められたイラク戦争は、米軍が各国のメディア記者を同行させ、最前線での米軍の戦果がテレビを通じてリアルタイムで全世界の家庭に届けられるという異常な戦争だった。開戦の論拠とされた大量破壊兵器が発見されなかった事実はなおざりのまま、報道は「強い米軍」と「正しい米国」のイメージを人々の眼に焼き付けていった。一方には米国の軍事介入に対して最後まで懐疑的なアルジャジーラなどの地元メディアもあったが、結局はメディアをジャックできる経済力のある米国の提供する「勝利のヴィジョン」が世界を覆い尽くすことになった。

★ジョー・ローゼンタール撮影『硫黄島の星条旗』

また、「勝利のヴィジョン」といえば、第二次大戦中の従軍カメラマン、ジョー・ローゼンタールによる写真『硫黄島の星条旗』を思い出す。これは太平洋戦争の日米の命運を分けた戦場、硫黄島で撮影された米国の勝利のシンボルであり、いかにもカッコいいこの写真を見て高揚した米国民により、戦争の資金源となる戦時国債の売り上げが大きく伸びたのだという。

こうしたことは支配者によるプロパガンダの効果というより、私たちの眼の欲望の属性を熟知したメディアが、それを利用し機能させた単なる結果だということもできる。私たちの眼は、敗北の末に弾丸に千切れて死ぬ惨めな人間の姿より、強く勇ましく美しい勝利のヴィジョンを欲する。それが私たちに返されただけのことかもしれない。

2 死を欲する眼――チェチェンの首切り動画、ISIS

「チェチェンの首切り動画」というのがある。2000年代前半からネットに出回わり出したいわゆるグロ動画で、「検索してはいけない言葉」などとして現在でも度々マニアの間では話題となる。ソ連崩壊後、バルト三国を始めとする旧ソ連の国々は独立を果たしたが、埋蔵量世界一といわれるカスピ海油田のパイプラインを有するチェチェンを手放したくなかったロシアと独立を願うチェチェンの間でチェチェン紛争が起こる。その最中にチェチェンゲリラが、捕まったロシア兵を見せしめに首を切って殺害する一部始終を撮影し流出させた残酷な動画がそれである。これは圧倒的な大国の軍事力に対抗するために考え出された、インターネットを活用した弱者による新しいタイプのテロ(=抵抗)だと言えるだろう。「俺たちに逆らえばこうなる」と人々に恐怖を与えるには十分の内容だ。

同様のテロは、イラク戦争以後、こうした方法の効果を確信したアルカイダなどの反米武装組織によって繰り返されることになる。また、2006年頃から台頭し始めるISIS(イスラム国)に至っては、組織内にメディア対応のセクションを持ち、ハリウッドのホラー映画を

★ISIS(イスラム国)の処刑動画

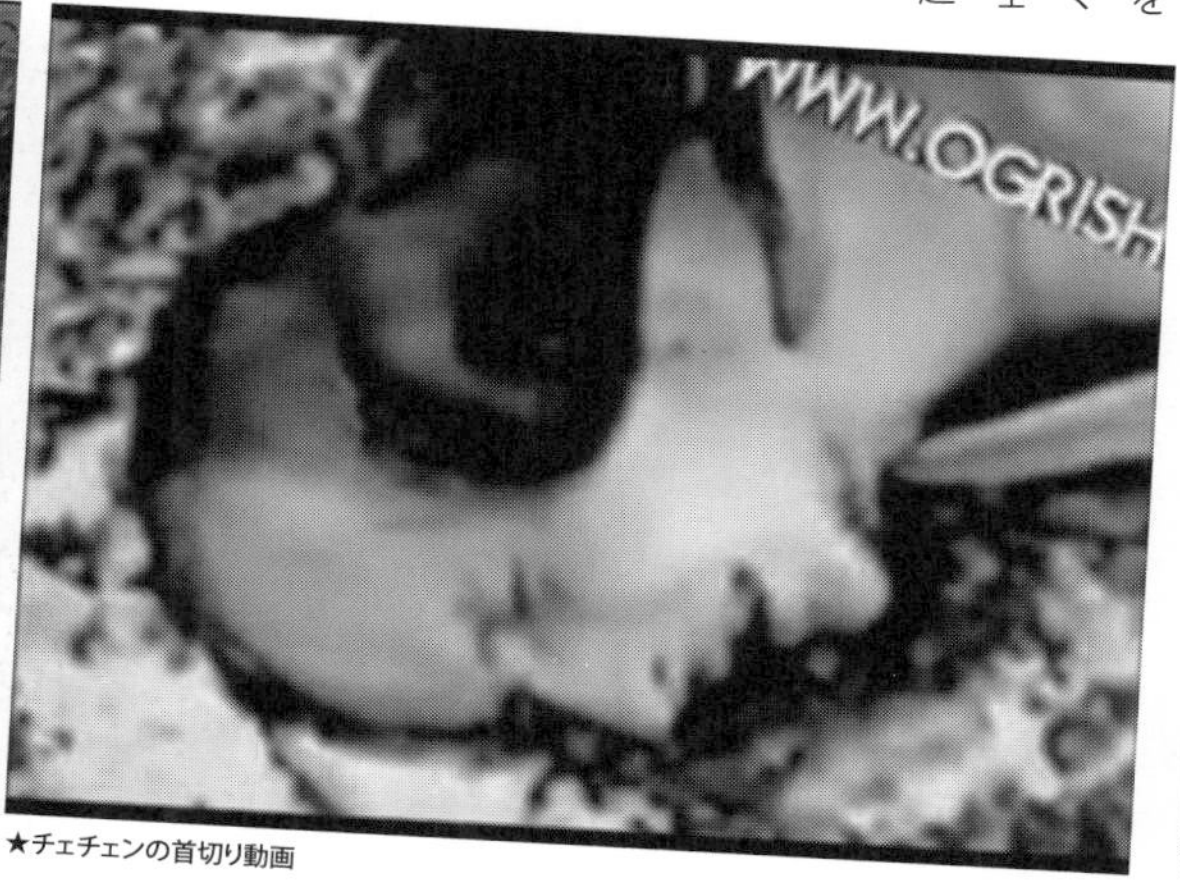

★チェチェンの首切り動画

思わせる高度な編集を施されたスタイリッシュな処刑動画が様々なメディアに大量にアップされていった。大手メディアも飛びつきそれらを放映した。ネット民は刺激的なネタとして面白がってそれらを拡散した。結果、現在では規制の届かないネット空間には数え切れないほどの死体画像、処刑動画が溢れている。どうしてこんな状況になってしまったのか? それはそのような画像や動画にバリューがあるからである。つまり、この状況は、死を欲する私たちの眼が作り出した「現実」なのである。

私たちの眼が死を欲するという属性は、認めたくはないが否定のしようのない事実だ。マリーアントワネットのギロチン処刑、江戸時代の日本の晒し首、ほんの100年ほど前まで行われていた中国の凌遅刑、公然と遺体を逆さ吊りにされたムッソリーニ、チャウシェスクの公開処刑、豊田商事会長刺殺事件、等々、例をあげれば枚挙にいとまがない。戦争や戦闘が映画やアニメの主要なテーマとなるのも欲望の原理として同根だろう。

死のセンセーショナリズムや、テロや戦争に伴う高揚感、勝利に伴う甘味な快美こそ、私たちが最も警戒し敵視すべきものなのかもしれない。それらが時に現実の「地獄」を生み出してきたことも私たちは知っているはずだ。

3 「現実」を補正するアートの試み——SYプロジェクト

見えているものが全てではない。見えないものをこそ見なければならない。そして、見えないものを見えるようにするのがアートである。もし、見えている「現実」が網膜の欲望の反映でしかないとするなら、その合わせ鏡から抜け出して「現実」の外の現実にこそ眼を向けなければならない。

筆者もそのメンバーとして活動しているアート・グループ「SYプロジェクト」を紹介したい。SYプロジェク

トは、美術家、音楽家、ダンサーなど、様々なジャンルのアーティストによる混成グループだ。私の他に、今井尋也、万城目純、内田良子、多田美紀子、佐野友美、山田裕子などが参加している。

当初は自由なミクストメディアの展示や即興表現によるパフォーマンスを主な活動としていたが、2011年3月11日の東日本大震災と福島第一原発事故を契機に『ゼロベクレル・プロジェクト』というコンセプトを立ち上げ、ある方向性をもった活動を始める。3・11に際しアーティストも何かしなければという使命感によって突き動かされた。まず始めたのは、オリジナルのゼロベクレルTシャツを着て震災や原発事故の被災地に実際に出向いて写真を撮り、それらをパネルにして展示するというものだった。

「私たちはかつて平和で安全な世界に住んでいました。3・11の震災と原発事故によりそれが破壊されました。チェルノブイリに匹敵する放射能に汚染された現在の日本で、失われた「ゼロベクレルの世界」の大切さ、〈いのち〉を守ることの大切さを私たちは知りました。それがこのプロジェクトの名前の所以です。」「ゼロベクレルTシャツを着たメンバーの眼は、拡張されたあなたの眼です。現地に行けなくとも現地に行ったメンバーの眼と身体感覚を通じて、誰もが少しでも現地のリアルに近づくことができるかもしれない。写真はその記録です」（以上、オフィシャルサイトから）

★SYプロジェクト／ゼロベクレルプロジェクト
＝上から、石巻（2011）、陸前高田（2011）、浪江町（2014）

メディアを通して私たちに見えているものは自身の眼が見たがっている「現実」でしかあり得ず、必ずしも現実ではなかった。福島で実際に測った放射線の数値は、メディアが報道する安全な数値とは違っていた。テレビに映し出されていた瓦礫撤去に従事する大勢の自衛隊の姿は、実際には数キロ車を走らせても数えるほどの人数だった。着々と復興が進んでいるかのような報道とは裏腹に、知名度のない小さな港町は置き去りにされたまま住民の嘆きも聞こえた。「現実」と現実のギャップを埋めなければならない、私たちは私たち自身の眼をこそ疑わなければならないと思った。

ＳＹプロジェクトは、現在も「日本アンデパンダン展」などを中心に様々なギャラリーや美術館で展示やパフォーマンスを続けている。戦争中に国の指示で殺された上野動物園の動物の慰霊碑や、予科練のあった茨城県阿見町の人間魚雷回転の模型の前、国神社の零戦や軍馬軍犬の慰霊碑の前での撮影、「暮しの手帖・戦争中の暮しの記録」の朗読など、3・11や原発関連にとどまらず、私たちの死角で風化し消えつつあるものたちに光を当てる活動を続けている。

4 心の分離壁を破壊する猫 ——バンクシー

覆面アーティスト、バンクシーが2015年にYoutubeにアップした、パレスチナに取材したビデオ作品『Make this the year YOU discover a new destination』に登場する廃墟の壁に描かれた猫の絵は印象的だ。ネットファンに多い猫好きの興味を引くために描いたのだという。眼の欲望の原理を逆算して作られたヴィジョンという意味では、この猫も、先に述べた「勝利のヴィジョン」や「復興のヴィジョン」を描き出すメディアと方法としては同じだが、バンクシーが私たちを導く先は、支配者や大メディアが作り出す心地よい嘘の「現実」とは真逆のリアルなパレスチナの現実だ。いわばこの猫はトラップである。

　ビデオの中で、鉄くずで遊ぶ猫の壁画の周りに集まる子供たちを眺めつつパレスチナ人の男が語る。

「この猫は遊ぶおもちゃを手に入れたようだ。でも、私たちの子どもはどうだろうか?」

　さらにラストでは赤い文字で書かれたバンクシーのメッセージが映し出される。

「強者と弱者の間の紛争を無視しようとするとき、われわれは強者の側に立つことになる。中立ではない」

ここにはもはや安全な心地よい「現実」は無い。私たちのアイデンティティを揺さぶり、私たちを甘やかしてきた繭のような嘘の「現実」に対峙し、それを乗り越えるための行動を私たちに促す。「現実」を破壊できるのは現実だけだ。「現実」を現実によって破壊すること。私たちの眼が捉えなかった現実、私たちが避けてきた真実、それらの向こうにしか希望はないだろう。その行動を放棄すれば、私たちの眼の欲望の原理を熟知した強者によってヴィジョンをジャックされ、道具として使い倒されるだけだ。

　バンクシーがパレスチナの分離壁に描いたヒビ割れの隙間に見える〈空〉は、私たちが見ようとしなかった、自ら打ち立てた心の分離壁の外側へと私たちを誘っているようにも見える。自らの眼を潰せ！ そして、眼を開け！

★（上2点）バンクシーのビデオ作品『Make this the year YOU discover a new destination』より／上がパレスチナ・ガザ地区の廃墟に描いた猫、下が赤い文字で書かれたバンクシーのメッセージ
（下）バンクシーがパレスチナ・ガザ地区の分離壁に描いた壁画

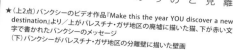

街角からはじまる不条理

——panpanyaが「見る」世界

◉文=高槻真樹

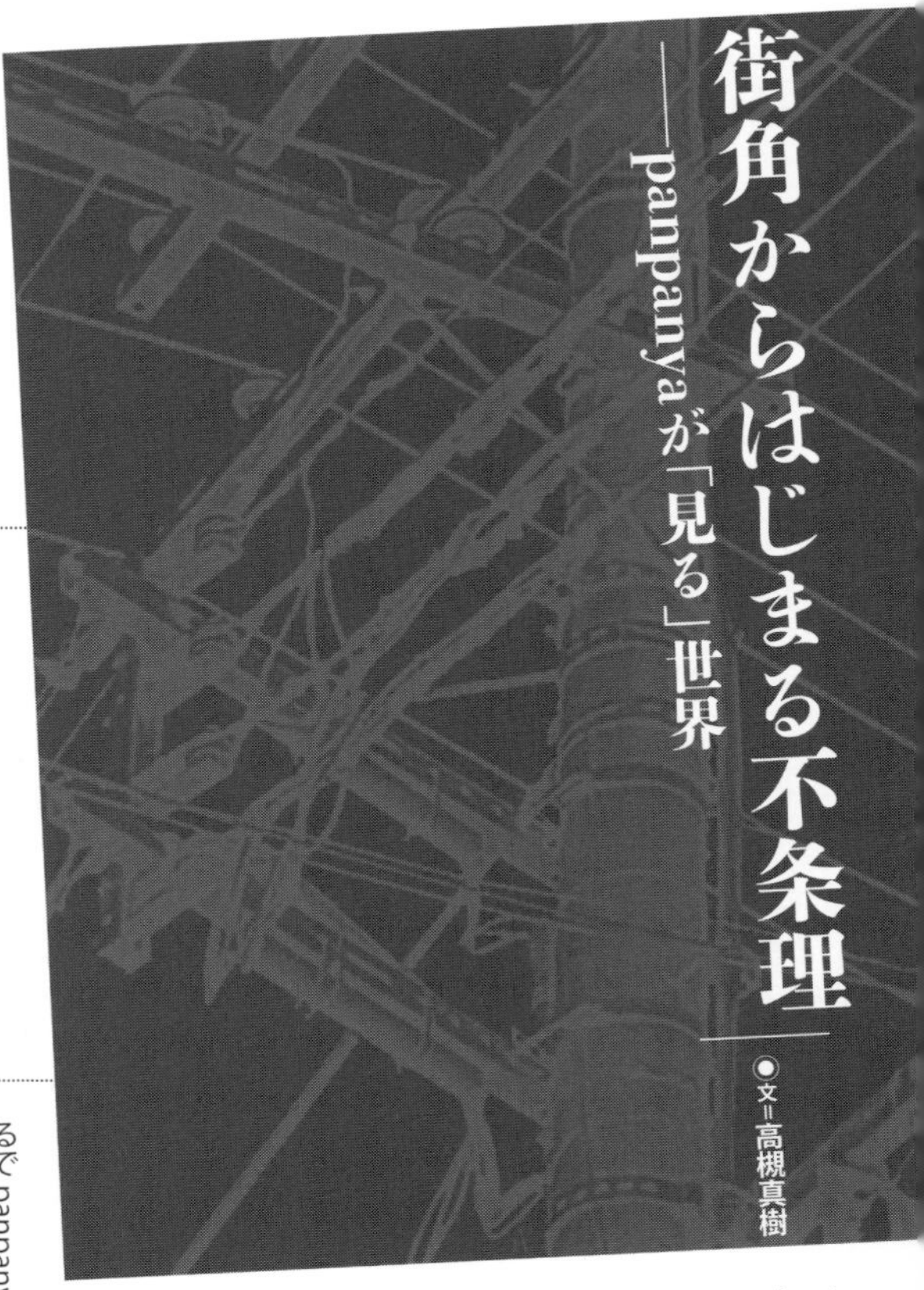

義母の介護の一環で、散歩のお供をすることになった。地元に特に関心があったとは言えない。古い城下町ではあるが、観光地というわけではない。妻の実家がある縁で住むようになって久しいが、勤め先と自宅を往復するばかりだった。

だが、義母のゆったりとしたペースに合わせて街を巡るうちに、あちこちに隠されていた思いがけない個性が見え始めた。今日はこのコース、今日はこの道と、道一本変えるだけで、見える景色はガラリと変わる。見たこともない風変りな花や野菜を庭で育てる家も結構あるし、意味ありげな看板やモニュメントも目に入る。ふと立ち止まって見上げれば、電柱ですら、「こんな風だっけ」と戸惑う妙な形状の付属物でいっぱいだ。細長く伸びた四角い筒が、何本も枝のように突き出ている。じっと見ていると、そこには頻繁に雀が出入りしていた。あきれ返るほど、次から次へと。何羽も何羽も。

「中はどうなっているんでしょうねえ」

義母と二人でしばし、時間を忘れて眺めてしまった。ひょっとすると、あれは雀の公民館で、中で雀たちは、来期の自治会長を押し付けあって紛糾しているのかも……。気が付けば、何の変哲もない街角にも、不思議があふれている。まるでpanpanyaだ。

「主観」を追いかけて

ひねりすぎのハンドルネームのような名を持つ、このマンガ家の存在を初めて知ったのは二〇一三年、初作品集『足摺り水族館』(一月と七月)が刊行された時のこと。

その後、個性派が集うマンガ誌「楽園」(白泉社)を拠点に定め、ほぼ年に一冊のペースで、着々と作品集を刊行していく。最新刊『おむすびの転がる町』(同社刊)で、はや七冊目。

スタイルはデビュー時からほぼ変わらない。おかっぱ頭の少女が自分の住む街をぶらついているうちに、思いがけない不条理な世界を発見してしまう。

緻密に描きこまれた街の中を、鉛筆で適当に走り描きしたような少女が歩き回る。風景は限りなく黒く濃く、人物はどこまでも白く淡い。地と図が逆転したような世界があまりに強烈なので、そのことばかりが語られがちだが、最初の作品集『足摺り水族館』に立ち返ってみると、最初から必ずしもそうではなかったことがわかる。

★panpanya『足摺り水族館』(1月と7月)

人物も背景も荒っぽいデッサンで済まされていたり、人物がある程度描きこまれていたりと、コマごとの揺れ動きが激しい。これについての作者本人のコメントが興味深い。
「適当によそ見をしているシーンであれば、よそ見の対象となる周囲もしっかり描かれていなければ『よそ見をしていること』が描けない」（このマンガがすごい!WEB「魚は、ほかの動物より甘く見られている…?『足摺り水族館』panpanya【後編】」）

つまりpanpanyaが描こうとしているのは、「人間の主観から見た世界の姿」なのだろう。それを表現するために、画面は複雑に操作されている。まるで歪んだ夢の世界のように見えるが、実は視覚の不思議を描いた物語なのかもしれない。手がかりを得るために、サイモン・イングス『見る——目の誕生はわたしたちをどう変えたか』（早川書房）を手に取ってみた。

私たちの目が、他の人間を識別する仕組みは、かなりぞんざいだ。目鼻口の位置などで、記号的に処理しているにすぎない。相手の感情は、目と口の動きで判断される。外部の映像を、カメラのように、まるごと取り込むことはない。

panpanyaの描く人物が、簡単なラフスケッチのようなのも当然だ。人間は実際にそのように、他人を識別するのだから。再び本人の言葉を引いてみよう。

「動いているものは、呼吸をして動いていますから、固定された背景などにくらべ、ゆらゆらしています。生きたキャラクターを描く際の必要な情報として、『怒ってる』とか『笑ってる』などが最低限認知できる程度の、いい加減な描き方が適切だと思いました」（前掲インタビュー）

進化の長い過程の中で、ひとまず不要な情報は振り捨てられてきた。だが、捨てられる情報は私たちが意識的に選択したわけではない。

「わたしたちが見ているすべては見る前に操作されているとしたら、どうやって何が真実かを知るのだろう?　世界はいきなり二つに分裂する。五感で感じる世界、そしてそのもとの五感によって表象される世界。わたしたちが感じとるのはすべて実際に存在するものの表象だとしたら——それなら、実際に存在するのは何なのか?」（サイモン・イングス『見る——目の誕生はわたしたちをどう変えたか』）

日常こそ非日常

初期のpanpanyaは、人間の主観を可視化した。つまりそこに描かれていたのは、実は「五感によって表象される世界」の方だった。私たちは、心の内側もまた、ちゃんと直視していない。

第三作品集『枕魚』に収録された、「地下行脚」では、「変わったピザまん」を買ってきてほしい、という依頼を受け、異形が彷徨う陰鬱な地下世界へと向かう。それは、精神を削って、黒くドロドロとした世界へ降りていく、危険な旅となる。主人公の少女は、常に何かに怯え、世の中を諦めたような悲しい眼をしていた。

だがその後の作品では、少女の目からは暗さが消え、現実から飛躍した表現は少なくなっていく。転機となったのは、第五作品集『二匹目の金魚』に収録された「かくれんぼの心

★右：panpanya『枕魚』（白泉社）／左：同書収録の「地下行脚」より

★左：panpanya『二匹目の金魚』（白泉社）
右：同書収録の「かくれんぼの心得」より

得」かもしれない。かくれんぼの奥義を極めようとした主人公が、これぞ究極の隠れ場所、というべきスポットを発見してしまう。それは別に異空間などではなく、そんな場所も確かにあるかも、というような物理的に「あり得る場所」でしかない。だが、自分の力でそれを発見できたのなら、それはやはりワクワクするような「不思議」を感じる空間となる。

panpanya の関心は、次第に「五感で感じる世界」の方へ向かう。つまり、視覚から漏れ落ちてしまった、外側の知られざる世界。初期作品は内側への旅だったから、人物と背景がせめぎ合い、混沌としていた。だが近年は外側への扉を探す旅だから、黒い背景と白い人物という構図は安定している。

続く『グヤバノホリデー』の表題作は、冷静に考えれば、特に何の変哲もない「フィリピン旅行記」にすぎない。だが、輸入食品店で出会った未知の果実「グヤバノ」を探す旅は、いつもとまったく同じ異世界の探索記となっていた。本格的な取材を体験することで、何かを掴んだようだ。

不思議を手に入れるために、覚悟をもって何かを代償にする必要などなかったのだ。実は見えていないだけで、不思議は私たちのすぐそばにある。

★panpanya『グヤバノ・ホリデー』（白泉社）

★panpanya『おむすびの転がる町』（白泉社）

あなたのそばにいるゴリラ

私たちの暮らしている世界は、私たちの見る世界と違うかもしれない。じっと対象を凝視することで、目の前のフィルターが外れ、異世界への扉が開く。だがそれは外側ではなく、ドロドロとした内側の世界に繋がっている。だからこそ初期の作品はどんよりと暗く、不安に満ちていた。

だが、そこまで自分を追い込む必要はない。普段は行かない裏通りを散歩したり、知らない国を旅してみればいい。そこから何かを見つけるためには、ある程度工夫が要るが。

サイモン・イングスは、前掲書の末尾で、興味深い実験を紹介している。被験者は、バスケットボールの試合を記録した短い映像を見せられる。どちらのチームのパスが多かったか、数えてほしいという。終わったら同じ映像をもう一度見る。今度は、数えなくていい。ただ映像を見ればいい。ここで多くの被験者が驚くことになる。画面の中を、大きなゴリラの着ぐるみが横切っていたのだ。「パスを数えよ」と促すだけで、無関係なゴリラは人間の視界から外れてしまう。私たちは普段から、会社に行く、食事をする、人と会話するなど、常に何かの目的を持って行動している。「パスを数える」ことを止めるのは、意外に難しい。

panpanya の目下の最新刊『おむすびの転がる町』は、様々な知恵を絞って、街角に潜むゴリラを探す日々の記録といえるだろう。ゴリラを見るためには、心の内側と外側から同時に掘り進めて、新しい風穴を開ける必要がある。実在するレア菓子を探し求める「カステラ風蒸しケーキ物語」も、筑波山へ旅しておかしな世界と出会う「筑波山観光不案内」も、著者は積極的に足を使って、取材を重ねている。幻想派作家としては意外なことに思われるかもしれないが、そうやって思索と体験の両側から攻めることで、思わぬ場所に潜む不思議が現れるのである。

筑波山に旅した主人公が東京に戻った時、そこに待っているのは、当たり前の日常などではない。信じがたいものを目にして、ただ混乱してしまう。ガイドは淡々と「不思議でしょう？ 知ることで見えるようになるものもあるんですよ」と諭す。主人公も気づかざるを得ない。

「見慣れた景色が変容する　これも旅の醍醐味ということなのか」

日常を生きることは、決して退屈などではない。ふと目をあげれば、そこには、見たこともない大きなゴリラがいて、笑顔で手を振っているに違いない。必要なのは、ほんのちょっと目線を変えることなのだ。

二人称単数

◉文＝本橋牛乳

深夜近く、ハンバーガーショップの二階。広さは10メートル×8メートルほど。君は窓側の席に座っている。黄土色のジャケットの下には、くすんだ青色のシャツを着ている。一番上のボタンは外している。向い側にいるのは、君よりもずっと若い女性。君の娘だ。窓の外は雨が降っている。さほど激しい雨ではなく、窓ガラスにはおだやかに雨粒が当たる。ただし、雨の音はほとんど聞こえない。それは、店内を流れる音楽のせいでもあるし、ガラスの防音効果のためでもある。壁には白地に黒い文字で意味不明の英文が書いてある。そういうデザインなのだ。

君の娘は、灰色のカーディガンとその下には白いブラウス。手を動かすことなく、大人しく座っている。君と彼女との間にある60㎝四方程度の小さなテーブルには、深緑色のトレーが乗っている。そのトレーにあるのが、紙に包まれた2つのハンバーガーとフライドポテト、暖かい紅茶とコーヒーで、これはいずれもMサイズのカップに入っている。君はハンバーガーの包み紙をとりはずし、娘に手渡す。彼女はハンバーガーを見ることはなく、手で感じ取るように受け取る。それから、フライドポテトとコーヒーの位置を伝える。なぜなら、彼女は視力がほとんどないからだ。

君は、彼女がハンバーガーをかじるのを見届ける。紅茶の中からティーバッグを取りだし、クリームを3つも入れる。砂糖は入れない。

二階にいるのは、君と君の娘の他には、離れたところにあるソファで宅地建物取引士の参考書を読んでいる中年の男性、別のテーブルにはそれぞれの雑誌を読んでいる若いカップルがいるだけだ。

北向きの窓からは、緑色のカーテンとの隙間から、部屋にわずかに光が入り込んでいる。紺色の上掛けに下に、君の身体がある。

スマートフォンから音楽が流れる。君は充電中のシャンパンゴールドのスマートフォンを手に取る。画面には、7:00の表示。いつもより遅い時刻に、セットしておいたものだ。

キッチンに降りる。洗っていない食器がシンクにたまっている。君の妻はとっくに出勤している。娘は起きてくる気配はない。まずは、たまった食器を洗うことにする。

娘が通う中学校から君のスマートフォンに連絡があったのは、三日前のことだ。この1か月ほど、学校に来ていないという。

日常であれば、君が出勤してから、娘が最後に家を出て、学校に向かっているはずだった。

5階建ての古いマンション。クリーム色の建物に、北側に面して、25世帯分のドアがある。南向きのベランダと大きな窓。カーテンによって、窓からほとんどの部屋の中を見ることはできない。

マンションをとりまくわずかな緑地には、いくつかの木。南側には濃い緑色の夏みかんと柚子の木がある。マンションの南東には柿、北東には枇杷の木、その間にもいくつかの木。夏に入り、南東高い位置の太陽が、樹々の緑をより濃い色に見せる。足元に生えているのは、ドクダミや、とりわけ日が当たらない場所にはシダ。それと、回収されないゴミも落ちている。スーパーのレジ袋や、ペットボトルなど。それらはすっかり色あせているか、劣化してぼろぼろになっている。

君の娘は、学校に行くふりをして、緑地の木の間に逃げ込む。君は娘を追いかける。娘は木と木の間をすりぬけようとする。柿と枇杷の間、夏みかんと柚子の間。

ハンバーガーショップにいる君の耳に、遠くから、救急車のサイレンの音が聞こえる。

窓に赤い光が当たるような気がする。でも、雨が屈折させるたくさんの光の、そのひとつでしかない。

救急車をよぶのに、どのくらい躊躇したのだろうか。

娘は君に、フライドポテトにケチャップを出して欲しいと言う。君は、入れ物から紙ナプキンの上にフライドポテトを広げ、小さなプラスチックの皿に、小分けの袋のトマトケチャップを入れる。君にとっては、フライドポテトは塩味で十分なのに。ケチャップの赤と救急車の赤い光が、君の目の中で重なる。

君は救急車をよぶのを少し躊躇したし、仕事に行かなくてはいけないということがずっと頭の中にあった。制服を着て血を流し、大声で叫ぶ娘に対し、何もしないわけにはいかなかった。

6畳ほどの洋間。すっかりあったものが片づけられている。そこで妻が暮らしていたことなど、跡形もない。黄色い秋の光が、カーテンすら外されたまどから入り、茶色い床板に影をつくる。クリーム色の壁には、家具が置いてあった痕跡が残っている。

けれども、このからっぽの部屋の、その光景を娘は見ることができない。

娘は君の後から、部屋に入ってきて、何にもないんだね、と話し、床に横たわる。横たわり、手足をのばす。そのまま床に吸い込まれていく。君は、吸い込まれていくようすを、じっと見ている。

君はフィッシュバーガーを手に取り、包み紙を外す。手触りのないパンの間に、白身魚のフライとタルタルソース。包み紙はまるめて、トレーのはじに置く。そうしてから、君はフィッシュバーガーをかじる。

娘はすでに、ハンバーガーを食べ終えて、フライドポテトを手にしながら、コーヒーを飲んでいる。

もうとっくに救急車の音は聞こえなくなっていて、窓にうちつける雨粒の姿が、雨の音の幻聴を誘う。君は、夏の夜に、同じハンバーガーショップの窓にヤモリがいたことを思い出す。ヤモリはあの庭にもいた。

いつの間にか、カップルは店から消えている。かわりに、奥の席に4人の学生らしい男性が座っている。テーブルの上にあるものは、かすかに見えるところでは、ハンバーグを何枚かはさんだハンバーガーのように思える。何かを話しているようだが、音楽にかき消されて、話の内容を聞くことはできない。

参考書を広げている中年男性は、変わらず同じ場所にいる。コーヒーを飲む様子を見せない。もう飲み終えてしまったのだろうか。ボールペンを右手に持ち、少しも目を上げることなく、参考書を見ている。

何かを学ぶことは、生きるために必要なことだと、君も君の妻も考えていた。だから、娘が学校に行かないということは、ありえないと思った。それがどういった理由であれ、もし学校に行かないのであれば、そのままうまく生きていくことができないのではないか、そう思っていた。

でも、うまく生きることに、どのような価値があるのだろうか。学校に行かないということを受け入れられない妻は、家を出ていった。君は、うまく生きられないということを受け入れることにした。

2階に上がってきた、背の低い女性の店員が、ゴミ箱の中を片づける。扉を開け、紙のゴミとプラスチックゴミのそれぞれが入った袋を入れ替える。

女性はまだ20代だろうか。特に感情を出すことはなく、てきぱきと進めようとする。ゴミ箱のある台の上には、焦げ茶色のトレーがあり、コーヒーの紙カップやハンバーガーの包み紙、使用済みの紙ナプキン、フライドポテトやチキンナゲットの入っていた箱が載っている。それらも、店員は手際よく、ゴミ袋の中に入れ、トレーを積み重ねる。フライドポテトを食べながら雑誌を読んでいたのであれば、雑誌は多少は油で汚れたかもしれない。汚れてもいい雑誌だったのかもしれない。

君の娘は君に何かをお願いする。君はバックパックから薄くて大きな冊子を取りだす。銀色の表紙だ。取りだしたあと、開く前に、思い出したように紙ナプキンで指を拭く。それから、冊子を開き、何かのページを探す。冊子は、さっきまで二人が行っていたコンサートのパンフレットだ。

そこには、なぜ、今、この音楽を演奏することになったのか、そこにはどのような想いがあるのか、そうしたことが書かれている。

優れた音楽は時に、人を飛翔させる。人の存在を肯定してくれる。そうしたことが書かれている。心地良さというコード、高揚感をもたらすリズム、それはその一部でしかない。

君は娘に、今日の演奏者の言葉を伝える。

君は娘と和解できたと思っていないし、今後も和解できないと思っている。結局のところ、人は取り返しのつかないことを積み重ねて生きていくしかない、それがとりあえずの結論だと考えている。

君と娘の二人だけで、新しい生活を始めたときはどうだっただろう。会話らしい会話もないまま、過ごしていた。最初の朝も、やるべきことをやる、それだけだった。そのことが、ずっと続いている。これからも続く。

君から遠く離れた席に、コーヒーを持った中年の女性が座っている。奥の椅子にもたれかかり、疲れたように天井を見上げている。仕立ての良いグレーのスーツを着ているが、化粧はすっかり落ちている。それから、白い大きめのバッグからメモ帳を取りだし、Sサイズのコーヒーを飲みながら、それを読む。

そのようすを、君は遠く離れた席から見る。

雨は疲れた人をさらに疲れさせることがある。

君は銀色の表紙のパンフレットをバックパックに戻し、食べかけだったフィッシュバーガーを食べる。君の娘はかすかに雨の音がする窓の方をずっと向いている。

君は残った紅茶を飲むと、バックパックを右肩にかけ、トレーを持って立ち上がる。娘は目を開き、君を見上げる。君は娘に声をかけ、先に立って、ゴミ箱の上の台にトレーを置き、ゴミを仕分けして中に放りこむ。娘は君を追い越し、先に階段を下りていく。君はバックパックを背負い直してから、娘を追いかけるように、下に降りていく。

君と娘のいた席には誰も座っていない。60センチ四方の小さなテーブルの上には何も乗っていない。

参考書を読む中年男性はあいかわらず、ボールペンを走らせながら、没頭し、コーヒーに口をつけることもない。学生らしい男性4人は、会話を続けている。中年女性はコーヒーを飲みながら、天井を見上げたまま。時間が停止したように、そこにいる。

窓にはあいかわらず、おだやかな雨がぶつかっている。

movie

カノウナ・メ

——可能な限り、この眼で探求いたします

第42回 WW20²

加納星也

■冬

さて、今回は他の季刊誌でもよくある企画、過ぎゆく年のまとめといこう。毎年、師走になるとこの手の事が試みられるが、考えてみると本連載では初めての試みだ。言うまでもなく、昨年は映画館で映画を観ることでさえ、大いなるチャレンジ精神をもたないといけない時代。試写会もネットでの配信に一部移行したり、毎年行われている映画祭の中止や延期などもあった。

こちらは、やはり映画はライブであると思っているので、できる限り生のスクリーンに対面する方法を選択してきた。それでも映画状況は刻々と変わり、特に海外の映画の上映状況は厳しく、なかなか現在の映画の姿を描くことが難しい年であった。

そこで今年から備忘録代わりに、その日観た映画の感想などを短いコメントでネットに投稿しているので、それを転載して振り返ってみよう。結構当時の印象の濃淡にばらつきがあったり、自分で書いたものが何のことか今や思い出せなかったりもするが、字数制限がある中、無理無理コンパクトにまとめた文章。あまり改ざんしては、当時の生のライブ感が損なわれるというもの。だからできるだけ、原文ママで羅列したい。ただ、何のタイトルの映画かわからない場合や、読者の理解を深めるのに意味がある場合には、注釈的に追加コメントや修正を加えておく。いわば、フリーズドライの食品みたいなもの。お好みでほぐしてもらって、後はタイトルをググってもらって、数多い映画のグルメ専門家の御指南を仰ぐなりして、ご自身の好みの味に自由にアレンジして、おいしく食していただければ幸いである。そう、これが映画の鑑賞方法、細かい干渉は野暮というものである。

まずは、そんな中行われた、秋の東京国際映画祭から時を遡っていこう。

■秋

◉『Alaya（無生）』は、仏教感に彩られた中国・シーモン監督の長編デビュー作。息子を失い隠遁する男、暴行された女、私生児として孤立する少女の生が運命の歯車のように瞬間出会う。極めて知的な構成、蔵識の現代的な映像解釈。#東京国際映画祭

◉『チンパンジー属』は、フィリピンのヨゴレと呼ばれる孤島に蓄積される黒歴史を猿芝居にも似た寓話で辿るモノクロ映画。ジャングルに今も潜む悪魔の道行は現代にまで続く。#東京国際映画祭

◉『トラブル・ウィズ・ビーイング・ボーン』は、少女型アンドロイドの孤独な生を描く静謐で思索的なアートSF映画。画像は単なる虚像。理解せず耳を澄まし感じることが大切。一般公開がのぞまれる。#東京国際映画祭

▽ここまでが、東京国際映画祭、今回は規模もかなりコンパクトになり、海外からのゲストのティーチインも難しく、ウェブで行われるケースが多かった。そんな中で、ここに挙げた3作は珍しい映画グルメも唸らすもの。ぜひ日本での配給が決まり、できるだけ早い一般上映が実現してほしいものだ。

そんな映画祭のさなか、東京での劇場で初試写会が実現した映画。

◉ソ連崩壊でイスラエルに移住した吹替声優夫婦のビターな映画『声優夫婦の甘くない生活』は、コロナ禍で未上映な本国に先行しての日本プレミア。ガスマスクが家庭に配布される当時のイスラエルの日常を背景に映画愛と移民としての現実から漏れる「Golden Voices」とは?

▽上映に先立って監督より「本国イスラエルではまだ劇場で上映できない状況の中で、ここ東京の映画館で作品を見ていただけてることに感謝します」というコメントが披露された。

◉『異端の鳥』は、チェコ出身のヴァーツラフ・マルホウル監督がポーランドで発禁になったピカレスクの原作を映像化した傑作。特定言語を使用せず台詞も希少。映像の力で一気にみせる3時間のモノクロ絵巻。方々で異物とみなされる少年＝Painted Bird の寓話は極めて現代的

▽これも、前年の東京国際映画祭でも前評判が高かった映画。かなり重いテーマを繊細

な演出と映像構成で描く。

◉『キーパー／ある兵士の奇跡』、元ナチスの兵士が捕虜から敵国・英の名門マンチェスターのサッカーチームの守護神として両国の勲章を受章する英雄に。実話に基づく感動の物語。国家間の対立が現代的解釈のフットボールの challenge 精神で貫かれる独英合作は見事！

▽英独の国境を越えたチームプレイが見事。

◉クリストファーノーラン監督・脚本・製作『TENET テネット』は、コアなSFファンでも初見では全貌が解明できず。時間をモチーフにヒット作連発してきた彼のこだわり全開のご褒美の様な映画。時の逆行を経験した後は映画館から出ても、目の前の現象が前と後ろに同時進行？

▽時間の問題を追及する監督の野心作。映画内の時間が、見終わっても現実の時間の進行に影響を与える？ 一度でわからなければ、2度、3度と鑑賞チャレンジしたくなる映画

◉『鵞鳥湖の夜』は、『薄氷の殺人』のディアオ・イーナンの5年ぶりの新作。武漢を舞台にフィルムノワール調の映像。警官殺しの逃亡者と謎のファムファタールが織りなすクライムストーリー。実験性と娯楽性が危ういバランスで湿度ある湖の畔で成立する。圧倒的なアート映画の現在。

▽撮影場所が、コロナ禍で注目される前の武漢。そこで、現在の中国の社会状況をスタイリッシュな構成で描く。

◉中国貴州省凱里市の映画監督で脚本・詩人・写真家であるビー・ガンの作品群は、物語・夢・詩・写真の断片なショットとリアルに生きる人間をまなざす40分にも及ぶ長回しのショットの構成。僅か2時間に描写された風景と人、思索的なモノローグは比類のない至福感を呼び起こす！

▽第一長篇「凱里ブルース」、第二長篇「ロングデイズ・ジャーニー この夜の涯てへ」でも、奇跡的な「長尺長回し」にも夢が深く結びつくという。後者の舞台は、中国の少数民族モン族（他称：ミャオ族）の住む地域。この辺の風景がまた素晴らしい。

◉『シラノ・ド・ベルジュラックに会いたい』は、モリエール賞5部門受賞した自身の舞台版を自ら映画化したアレクシス・ミシャリクの監督作品。いわゆる名作誕生のバックステージものだが、喜劇が書けない詩人が、結果的に100年以上も愛される作品を生み出す奇跡を描く！

▽原作が戯曲だけあって、全編を通して完璧なストーリーテリングが見事。いわゆるバックステージものだが、その伝統的舞台の奥行きは深い。

◉タイ映画の新世代ナワポン・タムロンラタナリット『HAPPY OLD YEAR』。ミニマムな生活スタイルに憧れ、過去の記憶の断捨離を試みる若者の「今」を的確に描写。デビュー作『36のシーン』から一作ごとに成長する奇才。アジアンフィルムの現在を語るには欠かせない。

▽タイ映画には、今新しいウェーブが来ている。

■夏

◉今注目の18歳の演技派・清原果耶初主演、桃井かおり助演、児童文学の野中ともそ原作の奇跡と愛の物語の映画化としてはアリだが、野心作『新聞記者』の藤井道人監督の新作として何一つコメントないこの国の映画事情。気が付けばよかった！「途中でいちばんあっ軽いヤツ」ね！と。欧米の新聞記者的に書くと「今や樹木希林の後継者として資格十分なカオリモモイが案内する日本の家庭帝国主義の再編を読み解く最適なコドモ身体映画」かな（、ま、）。

▽主演・清原果耶×桃井かおり×監督・藤井道人（『新聞記者』）による『宇宙でいちばんあかるい屋根』。懐かしくて愛おしい、奇跡と愛の物語の映画化。

◉女優オリヴィアワイルドの初監督作『ブックスマート 卒業前夜のパーティーデビュー』は、お約束の青春映画の形式に今時の政治経済人種やジェンダーなどあらゆる社会問題を詰め込み、おおらかな視点と肯定的なユーモアで笑い飛ばす快作。

▽ま、原題を意訳すると「頭でっかち、世間知らず」か？ 実は違う映画目当てに行ったが時間が合わず、予告編でまあまあなだと思った映画を選んだが、これが予想以上に「今」を描いた見事な映画だった！ 宣伝のイメージは一般客に訴求するような無難なものだけど、これがヒップな傑作だった。

　このところよく聞かれる「マンスプレイニング」「ミソジニー」「トーンポリシング」。まず略語でなく、元の意味とこの言語の背景を学習しておこう。これからお爺さんとして生きてくために、覚えておかないといけないこと多いな。特に「マンスプレイニング」って何となく意味辿っていくとわかるけど、知らないとね。ま、逆にこういした新しい造語を

英語でバシバシとパワハラおじさんに向けていくのも有効かな！とも思ったり。

◉マイケル・パウエル『血を吸うカメラ』は、ヒッチコック『サイコ』の陰で花開いた呪われた傑作。サイコパスの心情に寄り添い描くには60年前は明らかに早すぎ。溢れる才能は見事な仇花を咲かせた後、バッシングで映画監督生命を絶たれた。カメラは赤い靴、死ぬまで撮ってほしかった。

▽原題Peeping Tom。訳すと「覗き屋」かな。当時は心理学用語の新しい造語だったらしい。当時風に邦訳すれば「デバがめ」。でも、何と主演男優はあのカールベームの子供で未完成交響曲のシューベルト役、格調高い変態映画の傑作。

◉『Blackmoon』はルイ・マルの不思議の国のアリス乳版。『ロブスター』はヨルゴス・ランティモスのテーバイの預言者テイレシアスとオイディプスの痛い婚活話。双方とも相当に奇想天外な映画だが、現実が現実なんでとてもクールだ！

▽ヨルゴス・ランティモスの映画はひとことで説明しがたい。その彼の新作も。

◉奇才ヨルゴス・ランティモス監督『聖なる鹿殺し』は、ギリシャ悲劇「イピゲネイア」を現代に移し込んで完璧な奇想の物語を完遂した。遅ればせながら『籠の中の乙女』『ロブスター』『女王陛下のお気に入り』も観たくなる。知の内臓から痺れだす大胆な演出術に魅了された。

▽あの俯瞰ショットとステディカムの移動撮影はキューブリックのリスペクトか？ ダンケルクの彼は新世代のヤング・ジャック・ニコルソン役か？ あの斜に構えるスタンスは、彼はどうやらボクシングで鍛えられたらしい。監督は、ロベール・ブレッソンも好きらしく、結構の映画マニア。

◉『ナイブズ・アウト／名探偵と刃の館の秘密』『9人の翻訳家 囚われたベストセラー』は1月末近くに本邦公開。隠された本格ミステリー／サスペンスの傑作。検索して映画館で是非。特に若い演劇関係者には刺激になるはず。マニアや高齢者のエンタメで終わらすにはもったいない！

▽しかしネットに書き込みしてる若者からは難しすぎるという声が。サブスクでもいいけど、一期一会で映画に向き合えば、かなり面白い作品なんだけど。いずれも密室劇の傑作。

◉トレヴァー・ナン『ジョーンの秘密』は、半世紀後にKGBスパイと判明した実話が原作。これをロイヤルシェイクスピア演出で描く英国映画。主演ジュディ・デンチは007のM役の名女優。老境から現代に甦る信念の形。回想場面の『キングスマン』のソフィー・クックソンも好演！

▽実話と齟齬があろうと劇作として素晴らしい。しかも今回は広島の原爆の話も入り、共産主義者に対するありきたりの描写でなく、世界の抑止力としての原爆開発の問題も。日本の『太陽の子』には、とてもできない懐が深い演出。75年前の「知識の共有が平和を保つ」。この辺がイギリス伝統の演出の射程の深さ。シェイクスピアでもアップデイトな現代の問題が語られる。どうも引き合いに出してしまうが、2020年のウィズコロナ時代に『太陽の子』じゃね？竹槍では戦えない。

◉「バウハウス100年映画祭」A&Bプロ。神話に隠された事実。ナチス政権下、抵抗や亡命どころかナチスのプロパガンダや政策に協力し米のcapitalismにも貢献したメンバーも。男性優位の陰で才能を潰されていった女性アーチスト。むしろ本展より批評性があり楽しめた。

▽バウハウスの美術展の関連プログラムとして上映された作品。2プログラム、3本ともドイツのドキュメンタリー。これを観ると、ナベツネやアメリカの原爆投下責任者を同じ人間なんだからと批判も加えられない国営放送のプロパガンダ映画とは雲泥の差。

◉才女グレタ・セレスト・ガーウィグ『ストーリー・オブ・マイライフ／わたしの若草物語；Little Women』はオルコットの分身・次女ジョーの回想で再構成された名作。現代を生きる女性のドラマの射程は深い。地味だが文学的な語り口は男権的な批評家もうならせる出来栄。

▽監督はインディーズ映画の運動にもかかわっている。とにかくあまりにも有名なこの原作を現代に映画化という難事業、特に時制の扱い方に素晴らしい手腕をみせている。これ、原作を知らない今どきの若い女性に予備知識なしに観てもらいたい。

◉スペック劇場版を見た時に確信したが。元AKBの大島優子はカルト女優として更に大化けする。不動のセンターは天然演技だが、№2の子役からのキャリアに加えキレた演技は凄みある。少ない場面でも結果残すカメレオン演技には今後に期待。

▽大島優子出演、石井裕也監督『生きちゃった』

◉ホセ・ルイス・ゲリン監督『ミューズ・アカデミー』は、大学教授の高尚な恋愛詩の講義が、いつの間にか下世話な男女の日常に横滑りする。自然光とガラスの反射を利用した自然コラージュは限りなく美しい。映画自体がDocumentaryタッチの優れた詩劇であり、その批評文。
▽映画自体が映画を想像するという行為に対する批評になっている点が興味深い。しかも美文。

◉ライアン・ホワイト『わたしは金正男を殺してない』は、歴史的暗殺事件の闇と真相を描く驚愕のDocumentary。10月10日から制作国アメリカに先駆け世界最速公開で必見。逮捕された2人の若い女性はプロのアサシンか? 日本向けイタズラ動画撮影に巻き込まれただけなのか?
▽まるで、虚構のような現実。

◉キリル・セレブレンニコ監督『LETO』は、何と監督が露政府による自宅軟禁1年半の間に完成させたROCK映画。T・レックス、トーキング・ヘッズ、イギー・ポップの名曲カバー&伝説的バンド・キノの音楽が全編に彩られ。ペレストロイカ目前のレニングラード、若者たちの夏の日々を描く。

◉大林宣彦『海辺の映画館—キネマの玉手箱』は映画愛の壮大なプロモーション。3時間に及ぶ集大成は、国家によって翻弄される市井の市民が夢の力によって現実とどう闘争してきたか?を描く。個人的な視点から、映画は時空を超えた読み物として。斬新な形式で提示した作品。
▽主演の美少女役・吉田玲が地元で出ていた映画『隣人のゆくえ　あの夏の歌声』は以前、某映画祭で観て非常に記憶に残っている。大林監督もこの映画を観てすぐに主役に決めたとか。考えてみたら、この映画のミュージカルシーンは大林のロリータ世界にクリソツ。

◉京アニ『聲の形』。実写では描きにくい社会に潜む若者のイジメの実態を繊細に。心理的な風景描写と物語展開は秀逸。一方、この民族の特質か?同調圧力で友人を追い込む構造が個人に帰してしまうのがあまりにも、嗚呼、あまりにも日本的故に両義的な意味で泣ける。

◉ウッディ・アレン新作はNYの人間模様を描く傑作。セレブ界の小ネタ連発し最終的にギャツビーからカサブランカ越え。素朴な郷土愛と庶民感情へと、風ならぬ馬車と共に落とし去る展開は見事な名人芸。雨に煙る南北部問題も微かに滲む。ボギー俺も男だ! 天晴れ。しかもAmericaでは、まだ公開できない裏事情がここに。
▽『レイニーデイ・イン・ニューヨーク』

◉『オーバー・ザ・リミット』はロシア新体操選手マルガリータ・マムーンのリオ五輪・金獲得までのダイレクト・ドキュメンタリー。全編コーチからのパワハラの罵声が飛び交う程、彼女の内なる美が際立つ限界超えの一編。
▽これがシナリオのある演技じゃなくて、ドキュメントだからびっくり。

◉『アングスト/不安』はハネケを彷彿させる1983年の墺太利映画。音楽タンジェリンのクラウス・シュルツェ。脚本・撮影・編集リプチンスキー。実際の事件をベースに幻想を排した殺人鬼のリアル。キッチリ過ぎる日常描写に戦慄せよ! ギャスパー・ノエ絶賛の納涼恐怖映画。
▽どうも既視感があったのだが、「日本では88年に『鮮血と絶叫のメロディ　引き裂かれた夜』のタイトルでレンタル用VHSとして発売された作品」。もしかすると以前観てたのかも。当時は凄い数を観ていたから。

◉『Pain and Glory』はアルモドバルの自伝的新作。滲み出る密な味は、このディスタンス時代にあって貴重品。映画館で見るべき映画。やはり主菜は愛すべきマンマだが、副菜の美男・美少年も旨味成分多め。
▽ラストはフェリーニか?

■春夏秋冬、そして春

といったところで。キム・ギドク監督の訃報に接し、本原稿も、そこにも踏み込んでいこうかと目論んでいたが、逆回りにしても春にたどり着く前にもう紙面が尽きたらしい。この続きは、新しい年にまた続くのか?コビットと同様に全く予測ができない。

世界ではまだ、ワールド・ウォーが継続するらしい。現実は現実として、映画の中でも闘争は継続する。

最後にタイトルの解説を簡潔に記しておくと、「全米でクリスマス上映が予定されていた『ワンダー・ウーマン1984』、原題「WW84」は米帝国のコスプレ人気作。鬼滅と共にハッピーホリディ商戦でシネコン複数スクリーン上映。家族連れやカップルで観る映画の本命なのか?これらを観ると、fiction から2020年が如何に懐メロのWorldWar時代劇の真っ只中にいるのか良く解る」。

とりあえず、『$WW20^2$』は、時短要請が来る前に、おとなしく自粛して締めくくろうか。さて、後は忘れていてもやがて訪れる、新春、新年度に思いを託して…。

バリは映画の宝島・番外編

アジアフォーカスで特集されたタイの前衛映画
～民族のアイデンティティを探る作品群

友成純一

タイのインディペンデント映画は難解だった!?

去年九月下旬に開催されたアジアフォーカス・福岡国際映画祭で、アピチャッポン・ウィーラセタクンという、ジジイには絶対に覚えられない名前の監督の「世紀の光」(06)という作品が特別上映された。一三年に〈福岡アジア文化賞〉を受賞しているとかで、今回はそれに因んでの回顧上映である。

タイを代表する監督とのことだが、私は全く知らなかった――「トロピカル・マラディ」(04)という作品は見ているのだが、あまり記憶に定かでない。

ウィキペディアでチェックしてみると、「ブンミおじさんの森」(10)という作品でカンヌ映画祭のパルムドールを、タイ映画として初めて受賞しており、他の作品もやはりカンヌやベネチア等の国際映画祭で高い評価を得ているんだと――知らんかった。もちろん、見ていない。

私好みの映画ではないように思えたので、あんまり期待しないで見たのだが……期待以上に私好みではなかった。世間で、特に専門家の方々に物凄く高く評価されているものの、私には全く理解できない映画というのが確実に存在し、これもその一本だった。

映画の前半はジャングルの中、ど田舎の病院が舞台で、後半の舞台は大都会の病院。お話も登場人物もほぼ同じである。つまり同じようなエピソードが、大自然の中とコンクリート・ジャングルのまん真ん中とで、対比されるように展開する。どんなお話かというと……若き女医のターイと新任医師ノーンとの面接、医師と坊さんとのやり取り……大自然編ではターイが唐突に一人の青年に愛を告白され、問われるままに自分の恋愛経験を話し始めたり……都会編ではノーンが先輩医師に案内され、病院の地下で二人の女医に出会ったり……何でこんなことをやっているのかさっぱり判らないのだが、本作のモチーフは〈記憶(つまり過去か?)〉と〈未来〉であり、"微笑み"と"驚き"に満ちた独特の世界が描かれているのだそうだ。

★アピチャッポン・ウィーラセタクン監督「世紀の光」©2006 Kick the Machine Films
2006年/タイ、フランス、オーストリア/105分

カンヌ映画祭でパルムドールを取るとか、国際映画祭で高い評価を得る作品には、しばしばこういうのがある。

例えば日本の河瀬直美が「萌の朱雀」(97)等々でカンヌで篦棒に高く評価され、一時期は日本を代表する監督のように言われた。が、河瀬直美の作品、何を喋ってるのかセリフは聞き取れないし、私にはただただ退屈なだけだった。ヨーロッパの映画祭では河瀬作品は頻繁に上映され、成り行きで私も見てはみるが、付いて行けなくてすぐに退出した。私に限らず、たくさんの人間が途中で出て行く。河瀬作品はカンヌ映画祭で満員にはなるが、上映が始まって五分と経たないうちに、場内にパタンパタンと、折り畳み椅子の跳ね上がる音が響きまくる。いちおう念のために見には来たジャーナリストたち、「またかよ」ですぐに出てしまうのである。最後まで見ている観客、どれだけいるのか……

賞を取ろうが、メディアで高評価を得ていようが、実情はこんなものである。映画祭に参加する際、何が何賞を取ったとか、私はそういうことは一切気にしないことにしている。レポートを書く際にも、そうしたことには一切触れない。自分がどんな映画に刺激されたか、面白いと思ったか、またその時の映画祭を通じて見えた事柄を書くだけである。

何が何の賞を取ったかというのは、映画祭自身の自己表現であり、それはそれで重要だろう。映画祭にも〝人格〟があり、それは受賞作品にこそ良く現れる。有名な映画祭になると「グランプリを受賞した」とか「監督賞を取った」とか、世間がそれを絶対視し、権威と見做したりする。それに巻き込まれ、曇らされるのが嫌なので、私は賞は極力無視する。私の映画祭レポートが、新聞や映画雑誌に向かない理由である。

今年の〈アジアフォーカス〉は、アノーチャ・スウィチャーゴーンポンという、やはりタイを代表する前衛映画の監督の特集を組んでいる——ううう、これまたジジイにはとても覚えられない名前——彼女の最新作を含む長編三本と、短編映画プログラムが一本、上映された。

私や、タイのエンタメ映画、ホラー映画やムエタイ・アクション、爽やかな青春恋愛モノに浸り切って来た。そんな目に、タイの前衛映画は確かに斬新ではある。が、「世紀の光」に〝ダメだこりゃ、俺には判らん」と嫌になり、アノーチャの一本目「クラビ」(19、最新作)にもとても付いて行けず、続く長編二本はパスしようかと思った。しかし、せっかく自宅から上映会場のキャナルシティまで出掛けて来て、見ないと次のプログラムまで時間の潰しようがない。頑張って見ましたよ、他の二長編も短編プログラムも。

最新作「クラビ、2562」(19)を最初に見て、続けて二作目「暗くなるまでには」(16)、最後に初長編「ありふれた話」(09)を。いちおう長編三本ともドラマ仕立てということになっている。

「クラビ、2562」の〝2562〟とは仏教での年号で、西暦の2019年に当たる。クラビはタイ南部のリゾートとして知られる地域で、郊外に出れば昔ながらの伝統が生きている一方、国際的な観光地でなので観光客やガイド、ビジネスでたくさんの人々が往来する、グローバルな地域でもある。

映画撮影のロケハンに来た可愛い娘さんを、地元のガイドが有名無名の名所に案内する。それはそのまま、観客に対するクラビ案内にもなっている。そのロケハン美女は不意に跡形もなく消失、行方不明になってしまうのだが、当のガイドも宿の女将も大して気にする風でもない。ロケハンするうちに、土地に根付く古来からの脈動に飲み込まれてしまったのだろうか……彼女が最後に訪れたのは閉館になった映画館で、そこで五十年、映写技師を務めた爺さんの回顧談がある。一方、ビーチでCMの撮影をするヨーロッパの監督と現地スタッフに俳優たち。彼らは撮影の合間に、島のマーケットで買い物をしたり食事をしたり——島に土着の人間と、物見遊山の余所者、両者を繋ぐガイドとが並行して描かれる。昔ながらのお話が語られ、霊の話もあり……古来の海と岩場、密林と、近代的なコンクリート・ビルが同居する不思議さ。

石器時代の〝原始人〟カップルが登場し、島を徘徊する連中を困ったように不思議そうに眺めていたりする。島の近代化なんて、せいぜいここ数十年とか百年のこと……今は仏暦2562、島にはそれよりもはるかに長い歴史があり、それが岩に海岸に、洞窟に刻まれている。

「暗くなるまでには」は、アノーチャ

★アノーチャ・スウィチャーゴーンポン監督「クラビ、2562」2019年／イギリス、タイ／93分

自身の原点を探る映画と言えようか。

映画監督のアンは脚本執筆のために、作家のテーウにレストランで取材している。テーウは軍人の一人娘として何不自由なく育ったが、やがて学生運動にのめり込み、タイを揺るがせた一九七六年の〈タマサート大学虐殺事件〉に、活動家として関わった。〈血の水曜日事件〉とも呼ばれるこの出来事は、この年に生まれたアノーチャ監督にとってはトラウマとなっているようである。

インタビューする監督のアンに、レストランの従業員の女の子ノンが、バッサリと言う。「彼女の人生は彼女の物語なのだから、作家である彼女が自分で書いた方が良い」。その通りだ。アンもまた、テーウへのインタビューでなく、アン自身の物語、幼い頃の記憶を、カメラに向かって語り出す。

タバコ工場で働くピーターは、芸能人になりたくて田舎からバンコクに出て来た。そして「あなたのために書いた」と言われたシナリオを手にする。続くエピソードは、彼の実生活なのかシナリオを演じているのか判らない。レストランのノンも、しきりに登場する。掃除係だったりウェイトレスだったり、尼僧だったりクラブで踊っていたり……不意に登場して、語られている人物のお話を中断させる。一種の座敷童か、似てるだけの別人か、定かでない。

★アノーチャ・スウィチャーゴーンポン監督
(上)「暗くなるまでには」2016年／タイ、オランダ、フランス、カタール／105分
(下)「ありふれた話」2009年／タイ／82分

冒頭で、上半身裸の学生がコンクリートの床にうつ伏せに、腹這いに寝せられ、その間を銃を彼らに向けた兵士たちが歩き回っている。タマサート大学での事件の際の、鎮圧シーンの再現である。このシーンが、強く印象に残る。タイでは目下、学生を中心に軍政に反対する活動が展開しており、憲法の改正を求め、タブーとされた王政への疑問も投じられている。違う土地とは言え、香港の出来事もこれに呼応していないだろうか。一六年の本作には、今日のこの事態を予見する胎動が感じられる。

初監督作品「ありふれた話」は、アノーチャ作品で最も判り易いかもしれない。

事故で下半身付随となった青年エークと、実業家で裕福で、故に権威主義的な父親、両者の間に立つ介護の青年パンや使用人たちの物語である。青年がどんな事故に遭ったのかは全く語られないが、どうやら父親が関わっていたらしく、父親はそれに苦しんでいるのだが、態度には全く表せないでいる。

二人とも似た者親子というか、頑なに自分を閉ざしている。一所懸命に世話をしようとする介護士パンを、エークは最初は煩がる。が、パンが問わず語りに、「自分は昔、作家になりたかったんだ」と呟いたのをきっかけに、エークは心を開き始める。「僕も作家に憧れたんだ。そして映画が好きになって映画学科に入った。映画監督になりたかったんだよ」……この会話をたまたま部屋の外で漏れ聞いた父親の表情が、初めて綻ぶ……エークとパンの距離が少しずつ縮まり、次第に兄弟のようになって、一緒にプラネタリウムに出掛けたり、草の上に寝そべったり、雨に打たれる感触を楽しんだり……エークは地球について、超新星の爆発について、一人語りのように語り始め、その心境が、まるで命の誕生と死のサイクルを示すように抽象的前衛的な映像で語られる。抽象映像には、デモ映像などタイの社会現象を示すフィルムも交えている。それは人の命の誕生と死、そして再生を、社会そのものに対比させて描いているとも見える。

最初は退屈で「なんじゃコリャ？　付いて行けん」と投げ出したが、三本を通して見ると、さすがに見えて来るものがある。

タイの民衆はついこの前まで、大自然と一緒になって暮らして来た。原始の時代から変わることなく自然の精霊とともに、あらゆる命を敬い、祈りを捧げて。祝祭＝儀式はそのまま生活でもあった。それがごく最近、それこそここ百年の間に〝近代化〟がなされ、外国人が事業と開発のために訪れ、都市を築き、伝統の地は無神経な観光客に踏み躙られて行く。一方で、〝近代化〟はタイの民衆が望んでいることでもあり、都市の生活も開発事業も観光客も積極的に受け入れている。

原始の自然と現代都市の同居――これは、私がいたインドネシアはバリ島でも全く同じだった。市街地はコンクリートで囲まれているが、一歩、ほんの数百メートルもそこを離れると、昔ながらのジャングル、ジャングルの合間に切り開かれた農地が広がっている。バカでかい爬虫類が生息し、得体の知れない昆虫が溢れている。

私は当初は退屈だと感じてしまったが、アノーチャのカメラは登場人物と共に、昔ながらの大自然、岩場や海辺の伝統的な祝祭空間を克明に追いながら、並行して、都市の風景も舐めるように映し出す。それも絵葉書的な風景でなく、下町の裏小路はゴチャゴチャと入り組み、薄汚れた身なりの住人でごった返し、香辛料が匂い立つ。小洒落た大都会の市街地は逆に、奇妙に清潔で人々も着飾っている――昔ながらの暮らしと現代の暮らし、ワイワイと働く老若男女とディスコに集う若い衆、高級住宅街やオフィス街の小洒落た連中――それらが一緒くたになったタイの有様を、アノーチャはどの作品でも追っている。

★アノーチャ・スウィチャーゴーンポン監督ショート・フィルム傑作選より
「グレイスランド」2006年／タイ

詳しく触れる余裕がないが、最後に見たアノーチャのショート・フィルム傑作選で、これを強く意識させられた。短編映画では仕切りに、観光客には見えない都会で働く労働者の姿が、日常生活が克明に描かれる。百年前、タイの王室や政府がシンガポールやロンドンを訪れた時期を当時の映像フッテージと演説の朗読で振り返る短編で、近代化に取り組み始めた時期を検証しようとする。

アノーチャの作品群を見て、「世紀の光」が抉ろうとしたテーマも、見えて来た気がした。ジャングルの中の病院と、大都会の病院の対比――記憶（過去）と未来の対比――いかに近代化、都市化が進んでも、タイの人々が古来の原始的な感情を忘れることはないだろう。いかに日本や欧米の産業が流入し、グローバルに世界中の観光客が押し寄せようと、東南アジアで唯一植民地化を許さなかったタイは、タイであり続けるだろう。今、政治的な大問題が起きているけれど、何が起きようと民族が変わることはない。これはタイに限らず、東南アジアのどの国にも言えることと思う。

これって奇しくも、前号に書いたインド映画、リジョー・ジョーズ・ペッリシェーリ監督の「ジャッリカットゥ」のテーマでもある。アピチャッポンだアノーチャだというタイ前衛映画の枠組みを越えて、今回のアジアフォーカスのテーマでもあろう。

よりぬき［中国語圏］映画日記

秋の映画祭に描かれた香港
——『デニス・ホー』『The Crossing』『七人楽隊』

小林美恵子

　この原稿の締め切りも近づいた一二月初め、香港の民主運動家黄之鋒・周庭氏らに「公共の秩序と安全を壊し、市民の生命と安全を脅かした」として一年近い禁固刑が言い渡された。日を置かず香港の民主主義の拠り所と言われた蘋果日報社主・黎智英氏も収監。先立つ一一月には、立法議会で香港独立を主張したとして四人の議員が中国政府によって資格を剥奪され、これに抗議した民主派議員一五人が辞職するという出来事も。一二月にはさらに八人が七月の国家安全法反対デモ参加を理由に逮捕された。意見の相違による議会での資格剥奪、デモ参加による逮捕とはまさに強権独裁、何のための議会か。日々報道される出来事に香港の民主主義は息の根を止められたのだと、暗澹たる思いを禁じ得ない。にこやかな習近平の映像を見るさえ怖くて怖くて、というのが実感だ。

　さかのぼって一〇月には中国・東京映画週間、東京国際映画祭、東京フィルメックスと恒例の秋の映画祭が今年は一〇日ほどの間にぎゅっと凝縮して行われ、印象深い中国語圏映画をたくさん見ることができた。前号でも述べたように中国（大陸）の統制強化で香港映画や香港映画人にとっては厳しい状況が続いている。その中でも状況に目を据えて、そこから新しい道を見出そうとしている意欲的な内外（必ずしもすべて「香港製造」とはいかないが）の作品を見ることができたのは大収穫だったと思う。

★デニス・ホー：ビカミング・ザ・ソング（二〇二〇米国／監督＝スー・ウイリアムズ）

　香港の歌手デニス・ホー（何韻詩）が政治状況に体を張って立ち向かい、闘いつつ歌っている姿にしびれ、希望を感じる。映画は彼女の半生を追って、昨夏の逃亡犯条例のデモの時期までを描いたドキュメンタリー。アメリカ人の監督が香港に来られない間も、デニス自身のスタッフも含めた香港の撮影クルーが体を張ってデモの光景やそこでのデニスの姿を映像化した。監督によれば撮影自体への当局の介入や妨害はなかったというが、デニスの友人や関係者が、彼女と関係を持っていると知られると仕事を失うと言ってなかなかインタヴューに応じてくれなくて苦労したそうだ。香港の映画人や芸能人の置かれた厳しい立場が思われる。デニス自身も立場表明と活動の結果、中国大陸での市場を失い収入は九〇％減、香港でのスタジアムコンサートなどもできないのだそうだ。そこでワールドツアーをしたり、新しい曲を作ったりしているとのこと。心から「頑張れ！」と言いたい。

　デニスは香港ではアニタ・ムイの弟子として出発したということで懐かしいアニタの映像もたっぷり、今この時期香港を思うにぴったりな東京フィルメックス上映作品だった。

★TheCrossing 香港と大陸をまたぐ少女 過春天（二〇一八中国／監督＝白雪）

　こちらは中国・東京映画週間での上映時点ですでに劇場公開が決まっていた作品。劇場での二度目の鑑賞で、さらに作品世界を深められたという気がする。深圳で暮らし、香港の高校に通う少女が、毎日の大陸・香港の往復の中でアイフォンの密輸にかかわる話だ。

　返還から20余年が過ぎた香港と、その間に大発展を遂げた深圳の二つの都

市の歴史は少女の両親の歴史でもある。発展する深圳を目指して中国の一地方から出稼ぎにきたらしい母と、海外から大陸へと視線を変えた香港から深圳に稼ぎに来たがそれも行き詰まり、今や香港の家庭第一になっている父との出会いが、二つの街をバックボーンに持つ少女を生んだ。広東語と北京語を駆使しながら、少女は二つの街を行ったり来たりする特権を享受しつつ、しかしそれは同時に二つの街の間でアイデンティティが分裂する不安をも伴うものである。そんなふうに二つの街を浮遊する彼女の危なっかしい生活が彼女を取り囲む人々の動きとともに描かれ、観客もそれを共有することになる。

少女の密輸生活は補導と保護観察により一応終わり、少女は母と香港市街を見下ろす山に登って北京語で「これが香港」とつぶやくのだが、その香港、少女の不安を支えたような事情も今後は変わっていくのかもしれない。香港の過去を振り返りつつ、未来は見えないながらもそこにいるしかないという少女を通して、大陸人の若い監督の眼が香港を見つめている。

★七人楽隊（二〇二〇香港／製作＝ジョニー・トー（杜棋峯））

これからの香港が見えない、のである以上、眼はどうしても過去に向かうのだろう。そんな気にさせられたのは、香港の大御所的七人（それぞれに共同監督もいるが）の監督が作ったオムニバス映画。久しぶりに「香港映画」と銘打った娯楽作品を見た気がする。時間的にいうと一本一五～二〇分くらいのはずだが、どの映画も話のまとまりとか展開がうまくてコンパクト版という感じがしないのはさすがだ。

映画では一九五〇年代から現代までの各時期を舞台に、香港の故事がリレーされていく。一話『練功』はサモハン（洪金寶）の少年時代の武術学校の話、二話『校長』はアン・ホイ（許鞍華）で、八〇年代の小学校と四〇年後の同窓会を繋いで、リベラルな校長先生の淡い恋？の話（呉鎮宇が中年から老いた校長を好演）、三話『別離』は返還直前の香港で海外移住をすることになった娘とその恋人の逡巡の物語でパトリック・タム（譚家明）作品、四話『回帰』は袁和平による、家族が海外移住した後一人で香港に残る老人と、彼のもとで暮らすことになる孫娘の話。老若それぞれの個の自立と、世代を超えた思いやりが後味の良い一作だった。五話『遍地黄金』はこの映画の呼びかけ人でもあるジョニー・トー作品。サース禍の二〇〇三年を挟む前後三つの時を背景に、一攫千金をもくろんで携帯電話で株を買う若い三人（男性二人と女性）を、それぞれの時代の餐庁やファストフード店を舞台にした会話のやりとりでテンポよく描く。注文伝票の番号と買う株券の番号が入れ違って…というオチがおもしろい。それぞれに今の香港からは失われてしまったともいえる懐かしい時代回顧の感じが満ちている。変わってしまった街で迷い戸惑い、かつての香港を懐かしむ老人（任達華）が死んで香港の海に散骨されるという六話『迷路』は、それを象徴しているかのようだ。本作は監督リンゴ・ラム（林嶺東）の遺作となった。

最後の七話『深度対話』はツイ・ハーク（徐克）作品。近未来の虚実の境目（患者と医者、男性と女性など）もわからないような精神病院での治療の一コマを映画の話題がらみでコメディとして描き、さらにそれを見守るツイ・ハークとアン・ホイ（それぞれ本人）のとぼけたメタ映画的な掛け合い（この映画を指して「映画祭狙いのハッタリ作品」などという爆笑セリフもある）で終わる。相当に冒険的にこの映画のスタンスを示しながら、中国支配の進んでしまった香港権勢への批判・皮肉を込めているようでもある。

七本、どの映画もだが、かつての香港映画の物語や役者などを知っていることにより、より楽しめるというしくみで、そのことも含め、失われた時への無念の思いや、先行きの見通しのない香港の時代・社会や映画への思いが満ちている。批判や皮肉はせんないあがきにも見えて少し複雑な思いにもさせられた。満席の東京フィルメックス観客賞受賞作品。

ダンス評［2020年11月〜12月］

志賀信夫

身体の挑戦 深谷正子、ひびきみか 勅使川原三郎、笠井叡 今貂子

四谷三丁目の喫茶茶会記の舞台は客席を含めて二〇畳ほど。ホリゾントには木のスリット状の壁があり、その前に腰高の黒いパイプでできたイス二客。向かって右に座る深谷、左には水の入ったガラスの広口瓶。ただ座っているのだが、意識が緊張を見せる。

体を傾けて広口瓶に手を突っ込み、両足を延ばして動く姿は、身体の変化そのもので、舞踏ともダンスとも名付けにくいが、行為やパフォーマンスでもない。やはり踊っている。深谷の踊りは、身体と意識の緊張を重ねたりほどいたりしながら、精神の緊張を際立たせていく。その精神とは踊る意識だ。だからこそ観客はそれを踊りと認識する。身体の緊張と存在の強さは類をみない。それは長年の鍛錬で獲得し、さらに研ぎ澄まし続けているために生じる身体の力だ。

喫茶茶会記は二〇〇七年に開いたジャズ喫茶で、奥のスペースで音楽やダンスなどの公演が数多く行われ多くの踊り手に愛された場所だが、二〇二〇年末を持って閉じた。移転予定とのことなので再開を期待したい（『かたまりにならないこと』二〇二〇年一二月二〇日）。

ひびきみかは、かつて競技ダンスのラテン部門で日本一に輝いた。それが大野一雄との出会いで舞踏にのめり込む。大野スタジオに通い、ダンスを学びにキューバに渡った。キューバは激しいラテンダンスの印象があるが、ひびきによればそうではない。人々が日常に踊るゆっくりとしたダンスには舞踏に通じるものがあるそうだ。そこからひびきは新しいオリジナルなダンスを生み出そうとする。競技ダンスから離れ、ジャズダンスに近いエンターテイメント的なダンスを教えながら、自らのダンスを探し続ける。今回の舞台はそれらが盛り込まれた。

冒頭はボディコンの秘書的な女性が机で踊る、ちょっとエロティックだが過剰ではないダンス。そして、舞踏的ともいえる衣装で静かな踊り。さらにラテン感覚をにじませながら、それを抑えようとする踊り。大野悦子の衣装が多様なひびきの踊りを支えていた。すべてを舞台に載せる欲望と、アンコールで観客とともに踊るという、観客を楽しませる意識が伝わる温かい魅力的な舞台だった（『湧出の途』両国シアターカイ、二〇二〇年一二月二八日）。

アラン・ロブ＝グリエ原作、アラン・レネ監督『去年、マリエンバートで』（一九六一年）はフランスの新しい映画のなかでも抜きんでて個性的だ。何も語らず移動するだけの人物たち。シュールとも不条理ともつかない世界に観客は放り込まれる。

両国の劇場シアターカイは特異な構造をもっている。舞台の床が木製のブロックに分かれ上下する。そのため奈落をつくり、全体を階段状にするなど自在に行える。勅使川原三郎はその機能をフルに使い、舞台をさまざまな空間に変え、光と影で佐東利穂子の姿を浮かび上がらせる。佐東は踊りのヴォキャブラリーをさらに充実させ、勅使川原も対抗するように次第にダンスの比重が増し、歩行と動きといった抽象的な情景から、ダンスのエネルギーが増していく。原作の映画が抽象的な不条理世界を彷徨するのに対して、勅使川原はそこから動き、踊りの世界に観客を引き込み、巧みな演出とともに、類のない舞台だった（KARAS『去年―「去年マリエンバードで」より』、二〇二〇年一二月一三日）。

新型コロナウイルスの流行が長引き、舞踏家もネット配信に挑戦してい

る。二月二四日には、慶應義塾大学新入生歓迎行事『日本国憲法を踊る』が配信された。笠井叡が二〇一三年に横浜BankARTで踊り、芸術選奨文部科学大臣賞を受賞、以来、毎年憲法記念日上演を基本に取り組んでいる作品だ。慶應の行事は、一九九四年から七年間の大野一雄に始まり、毎春、日吉の来往舎で舞踏家が踊るが、二〇二〇年はコロナで開催できず、一〇月二八日に無観客で収録した。軍服の笠井とセーラー服の原仁美、浅見裕子の姿は、憲法の意味を問いかけるもので、舞踏とオイリュトミーを一つの舞台に載せる笠井ならではの挑戦でもある。

大駱駝艦から独立した大須賀勇の白虎社は一九九五年に解散した。二〇一六年に、出身の今貂子が率いる綺羅座『夢衣—ユメノコロモ』を見た。劇場は京都の五條會館、七条新地の元五條楽園歌舞練場で、昔ながらの芝居小屋の雰囲気たっぷり、着物姿や三味線などの生演奏とともに上演され、魅惑された。同じ二〇一六年、三条に開かれた京都舞踏館、蔵を改装した劇場で、おかえり姉妹の三味線とともに踊った今のソロも、京都ならではの舞踏だと思った。今はこの地で一九九九年に独立し、二〇年以上暮らし演じてきた。群馬出身だが、その舞踏は京都の美学を感じさせた。

二〇一九年には、今がスペインのベゴニャ・カストロとともにスペイン大使館で踊る姿を見た。着物に日本髪白塗りという姿でありながら、日本的エキゾチズムを強調せず、踊りたい気持ちに素直な踊りだった。その三月、今は還暦記念『闇の艶』を踊り、二〇二〇年の一月の七～九日に、京都のアーバンギルドでソロ公演『金剛石—Diamond』を踊った。これを配信の映像で見た。

この会場では舞踏公演の企画でトークをさせていただいたこともあるが、名前のように京都のアヴァンギャルドのメッカだ。京都は「京都エクスペリメント」など舞踊公演にも積極的で、一九九二年に開館しフランス政府が運営するヴィラ九条山には、常にフランス人アーティストがレジデンスを行っており、国際的なアートの場でもある。アーバンギルドはその京都前衛文化の先端といえる。

★今貂子『金剛石—Diamond』撮影：三村博史

静かに闇に浮かび上がった今は、薄鼠色の薄物をまとって全裸に赤フン姿、日本髪。全裸なのにエロティックでないのは、乳首を白塗りしているためもあるが、それ以上に、今の意識が身体を身体そのものにしているためだ。白塗りに赤い隈取り、紅をささない唇はキリっと引き締まり、世界をまっすぐ見る強いまなざし。この精神的な姿勢が彼女を舞踏家として立たせている。

彼女は乱舞し始めると目をつぶり口を開けるが、鉄漿を塗ったような口腔は闇を象徴し、笑うと無言の狂気を感じさせ、身体は動物的な存在感を獲得する。踊る空間は一〇畳もないが、会場の壁＝ホリゾントの景色も絡み小空間が大きく見える。その壁に向かい立ち続ける今が、正面を向き水音とともに踊りだすと、身体に水が滴るようだ。暗黒舞踏のオカメ的表情から笑う老婆の表情に変わると生命が満ちてくる。白虎社が追求した笑いの表情が溢れ出し、そのまま下手の光に向かって進む姿は感動的だ。

Ryotaroのアコーディオン生演奏中心の音も今の舞台に寄り添い、次第に激しい踊りを導いていく。そして光を求めた動きから、右手を高く上げて闇に消えていく今の姿は何より美しい。作品としての表情が豊か、完成度が高い舞台で、ストイックでありつつも生の喚起を感じさせる素晴らしい舞台だった。今は、「Diamond」はギリシャ語の「屈服されない」という語源から、「人間が持つべき強い意志」を守護するものとするが、コロナ状況で私たちが求めるべき姿を、この石に重ねたのだろう。

この公演は文化庁芸術祭優秀賞を受賞した。舞踏の受賞は快挙で、数一〇名の小劇場公演の受賞はきわめて珍しい。東京バレエ団のモーリス・ベジャール振付「M」や、市川猿之助・藤間勘十郎の春秋座花形舞踊公演などと並んで、今貂子の名前が受賞・記録されたことは、本当に喜ばしい。

 ★著者Facebook https://www.facebook.com/shiga.nobuo.1227

「コミック・アニメ・ゲーム」×ステージ評

VR能『攻殻機動隊』、スタミュ、ハイスクール奇面組！

高 浩 美

2020年は、新型コロナウイルスの蔓延により、舞台芸術全般が中止や延期に追い込まれた。2・5次元舞台も、もちろん例外ではない。夏ぐらいから少しずつ公演が始まったが、まだまだである。また初日直前に関係者が感染し、開幕できなくなる事例も幾つかあった。演出面では、特に2・5次元舞台ではポピュラーな通路を使う演出ができなくなった。通路で芝居をする、歌う、キャラクターがまさにそこにいる！という臨場感が好評だったが、今はもちろん、将来的にもこの表現は難しいであろう。

それを補うというわけではないが、配信が一般的になりつつある。ライブ生配信、アーカイブ配信で、自宅が劇場になるという趣向である。中にはVRを使う配信も出現している。客席使用は通常の半分、つまり1000席あっても500人しか座れない。その収入減を配信で補う。ところが、これが思わぬメリットが。劇場まで足を運べないファンが手軽に見ることができる。また、細かい表情などもじっくり見られる。ミュージカル「スタミュ」の最新作を配信で視聴したが、キャラクターがアップになれば、目の動かし方や、手の表情などが良くわかり、新しい発見もできる。しかも映像なのに映画を見ている感覚はなく、やはり舞台は舞台。贅沢に劇場で見て配信でも見ると作品がよりよくわかり、楽しめる。21世紀の観劇の形なのかもしれない。

★VR能『攻殻機動隊』

また、2・5次元というと、好きなキャラクターが原作から抜け出てきたように目の前にいて、よく知っている物語が目の前で展開されるという臨場感と高揚感が真骨頂であるが、VR能『攻殻機動隊』はその真逆。容姿を似せるのではなく、原作から抜け出てきたような素子とバトー、原作のイメージを残しつつ、キャラクターの真髄を凝縮して能の形態に落とし込んだ。これは2・5次元舞台なのか、という意見もあるかもしれないが、その枠を超えて世界に発信できる新しい日本の伝統芸能として昇華されている。しかもゴーグル不要、さらに作品で描かれていた最新技術、光学迷彩も使用。映像技術の最先端を総動員して創造したこのVR能『攻殻機動隊』は、もちろん技術に寄りかかったものではなく、能としてもきちんと成立していた。

先に書いたミュージカル「スタミュ」最新作、タイトルはミュージカル「スタミュ」スピンオフteam柊&team漣 単独公演「Storytellers」。主人公の同期生にスポットライトを当て、また、アニメ第3期後の彼らのもう一つの物語。アニメとうまく連動されており、登場するキャラクターそれぞれに人生がある、ということを示してくれる。同級生と四六時中顔を合わせてワイワイやっていたが、いざ卒業の2文字が見え始め

★ミュージカル「スタミュ」スピンオフ team楪&team漣 単独公演「Storytellers」
© ひなた凛／スタミュ製作委員会 © Storytellers製作委員会

てくると、一緒にいる時間が愛おしく感じる。観客も学生時代の頃を思い出し、胸が熱くなる。そんな作品であった。

また、『ハイスクール！ 奇面組』第3弾の舞台化は修学旅行を描いたものであったが、それ以外のエピソード、痩猪エルザを交えて物語を深めて成功。シンプルに舞台化をするという手法を超えて舞台ならではオリジナル作品に仕上げた。映像演出もせず、ひたすらアナログな手法で昭和的なギャグを連発、客席からは笑いが絶えなかった。

★舞台「ハイスクール! 奇面組3」
©新沢基栄/集英社・2020舞台「ハイスクール!奇面組3」製作委員会

2021年は早々から公演が始まるが、予断を許さない状況が続き、これからは配信が加速化していくであろう。また配信ありきの演出も出現する可能性もある。2・5次元ではないが、カメラワークを駆使して収録して配信する主催者も出てきている（音楽座ミュージカル「SUNDAY」）。それによってより多くの人が舞台作品に興味を持ち、劇場に足を運ぶ可能性もある。課題は多いが、コロナ禍により、新しい展開が始まった。

CULTURE

ケロッピー前田

作家にしてBURST創刊編集長ピスケンとは何者か?
~コロナ禍で彼の頭に舞い降りた言葉を綴った処女詩集

ピスケン(Pissken)こと曽根賢は、雑誌『BURST』創刊編集長にして、現在は作家として活動を続けている。

一昨年は4ヶ月のアル中病棟入院生活を経て、死の淵から生還したところでパンデミックの渦中に投げ出された。それでも、予定外に転がり込んだ定額給付金10万円を使い、コロナ禍の巣ごもり生活で彼の頭に舞い降りた言葉を綴った処女詩集『火舌《かぜつ》詩集 I ハードボイルド・ムーン』として自費出版した。

表紙を含め、多数のドローイングを佐藤ブライアン勝彦が手がけ、ブック・デザインは『BURST』の表紙も担ってきた王様(村藤治)が担当、編集は『点線面』の立花律子(ポンプラボ)が行なっている。

ところで、ピスケンが立ち上げた『BURST』は、90年代半ば、最も過激なストリートカルチャー誌として時代を疾走し、ゼロ年代半ばに休刊している。3年前、筆者が責任編集を務め、その血統を継ぐ雑誌『バースト・ジェネレーション』創刊号&第2号(東京キララ社)を作っている。

ピスケンが作家として目覚めたのは、初期『BURST』の編集後記を素材に大幅に書き下ろしを加えた自伝的小説『バーストデイズ』(河出書房新社、2000年・絶版)で、野間文芸新人賞にノミネートされたことが大きい。その後もいくつかの短編小説を発表し、ゼロ年代後半、『BURST』および『BURST HIGH』の休刊に伴って、執筆活動に専念していくことになる。

★曽根賢(Pissken)『火舌(かぜつ)詩集 I ハードボイルド・ムーン』(限定300部・96頁)
※タコシェ、模索舎などで通販取り扱い中

90年代サブカルの全盛期に『BURST』をともに作ってきた"戦友"である立場からすれば、雑誌休刊後のピスケンのスランプはある種の戦争後遺症であったと思う。

その後、「The SHELVIS(シェルビス)」による短編小説集三部作を発表しているが、今回は待望の初詩集となった。

この詩集のタイトルにある「火舌」とは、もともと未完の長編小説のタイトルとして考えられていたものである。

ピスケンは一貫して破天荒な人生から究極の作品を絞り出そうとしてきた。確かに『BURST』はムチャクチャな雑誌だった。編集部での日々そのままが雑誌となり、読者がますます過激さを求め、まさに雑誌自体がバースト(破裂)していった。筆者を含めた執筆&制作陣が『BURST』の日々を"戦場"にたとえる所以である。

『バースト・ジェネレーション』のあとがきにも書いたことだが、ピスケンはある種の霊的感受性を持っていると思う。つまり、彼がその力を十分に発揮したなら、瞬時にして物事の面白さを判断する力を持っているのだ。そんな彼の才能が炸裂したのが雑誌『BURST』であり、作家になるきっかけとなった『バーストデイズ』であったろう。

その後、長いスランプもあったが、今回、詩というジャンルに挑んだことで、そんな瞬発力で物事を掴み取る感性がコンパクトにまとめられている。確かにあらゆるところで実験的ではあるだろう。それでも、読者にしっかりと語りかける感じは、名物編集長として一世風靡した時代を思い起こさせる。確かに彼でなければ作り出せないような言葉の世界がそこにはあると思うのである。

これを機会に「ピスケンとは何者

か?」「彼が作った『BURST』とはどんな雑誌か?」「彼が生きた90年代カルチャーの全盛期とはどんな時代だったのか?」と思いを巡らせていくと、彼の詩をもっと立体的に楽しめるようになるだろう。

もちろん、それは読者の勝手な思い込みでも構わないのだけれど。

取り急ぎ、彼の文章に触れてみたいという人には、曽根賢(Pissken)のBurst&Balls コラム(https://ameblo.jp/pissken420/)をお勧めしておこう。

ちなみに、今回の詩集の発売記念は、渋谷にあるちょっとおしゃれなDJバー「頭バー」での朗読ライブとなった。

DJ TKDが作ったトラックに筆者が太鼓やシンセ、オーストラリアの民族楽器ディジュリドゥなどの演奏をかぶせ、ピスケンが詩集のなかから3編を読み上げ、好評を得た。

また、この1月からは、阿佐ヶ谷のバーTABASAで、BURST公開会議としての定期的な配信&観覧イベントも準備している。こちらはもう一人のBURSTの戦友である死体写真家・釣崎清隆も交えて、90年代サブカルから世界のカウンターカルチャーの最新事情まで、いろいろな情報を発信していくものとなる。

まだまだ厳しいパンデミックが続くが、僕らに会いたい読者はぜひ会場に来て欲しい。合言葉は、ただひたすらに生き残れ!

ピス★ケロ朗読ライブ(with DJ TKD)@渋谷頭バー

★(左)雑司ヶ谷霊園の文豪(夏目漱石)の墓にて、20代のBURSTファンのユミちゃんと(右)ピスケン

チェーザレ・ロンブローゾの思想とその系譜〈39〉

「天才は狂気なり」という学説を唱え
犯罪人類学を創始した奇矯な精神病理学者

LOMBROSO

村上裕徳

コーラ・ディ・リエンツォ

　ロンブローゾは中世ローマの政治家だったコーラ・ディ・リエンツォについて語り始める。ただし、ロンブローゾの拘りが強いために、このリエンツォに関する一項目は、異常に長い。そのため一般的には知られていないリエンツォの略伝を、まず記してから、ロンブローゾの拘った点に焦点を当てて、そのロンブローゾの見解を紹介していこうと思う。

　コーラ・ディ・リエンツォ（一三一三〜一三五四。訳者の辻潤表記では「コラ・ダ・リエンヂ」および「リエンジ」。以降の表記は「コーラ」ないし「リエンツォ」に統一）はローマ下町出身で父は宿屋経営者、母は洗濯女の息子として生まれ、若くして公証人になる。非常に弁舌が巧みで、当時の政治に対する不満から古代ローマの政治に憧れ、熱烈な古代讃美者になった。また市民の税金を浪費する貴族を批判する急先鋒でもあった。

　当時のローマの政治状況を記すと、カトリックの中心である教皇庁はローマではなく、一時的だが七十年以上フランスのアヴィニヨンにあった。と言うのも、フランス王との対立のために、イタリアの山間都市アナーニに進軍してきたフランス軍によって教皇ボンファテイウス八世が捕らえられた一三〇三年のアナーニ事件のため、教皇権が弱まり、一時フランス王の支配下に置かれていた。この教皇庁がローマに還るまでの期間を「アヴィニヨン捕囚」と呼び、事件後に教皇が憤死した後、一三七七年までの七代の教皇はフランス人に換えられ、教皇権はローマを離れていた。このアヴィニヨン捕囚の時代にローマは、しだいに荒廃してゆく。

　それを憂いたコーラはローマの使節団に参加してアヴィニヨンの教皇庁を訪問し、フランス人の教皇クレメンス六世に謁見する。そこにはイタリア人の詩人で人文主義者のペトラルカ（一三〇四〜一三七四）がおり、教皇から聖職位や使節の地位を与えられていた。ペトラルカは半世紀の間にアヴィニヨン教皇庁が退廃的な「西方のバビロン」に堕落したと憤《いきどお》りを感じていた。そのため教皇庁の腐敗ぶりやローマを見捨てていることに対して、イタリア人として激しい怒りを感じていた。そこに現れたコーラが古代ローマの栄光を讃美するのに、ペトラルカは非常に感激する。教皇は一三五〇年にローマで、巡礼者に特別の免罪符を与える「聖年」祝賀行事を行うことをコーラに約束する。これは百年ごとに「聖年」があり、千年ごとが「大聖年」で、二五年ごとが「第二の聖年」で、例外もあるが二五年刻みのカトリックの大行事だった。

　聖年行事がローマでも実施されることを約束させたコーラは、遠隔地のフランスに教皇庁があるために免罪符を得るのに苦労していたローマ市民の、強い支持を獲得する。そして議会を招集し、群衆数千人を前に貴族を告発する改革綱領を発表し、大喝采で迎えられる。そして独裁権を得たコーラは、自分に神聖ローマ共和国解放者の称号を与え、後には護民官を自称した。この時から数年の政変はコーラ革命と呼ばれている。

　軍隊を掌握して独裁者になったコーラは、貴族に甘い税制を改革し、それに従わない貴族を容赦なく裁判にかけた。この頃からコーラの誇大妄想的な言行が多くなる。皇帝のように振舞い、自分を「聖母の息子」に譬《たと》えることもあった。自身を讃えるための祭典に莫大なる費用を浪費した。長老ステファノ・コロンナ（一二六五〜一三四八）をはじめとする貴族がコーラに反発し、貴族たちはコーラ打倒の軍勢を集める。それに対しコーラは貴族たちを国会議事堂に招き、騙し討ちで彼らを陰謀罪で逮捕し死刑を宣告。しかし二日間隔離した後、突然考えを変えて彼らを解放し、貴族たちはそれぞれの城に帰ることが出来た。これを契機にコロンナ長老は七百人の騎士と四千人の歩兵でローマを攻撃する。しかし戦闘はコーラの率いる民兵の勝利で終わり、長老は息子と孫たちの多くを一三四七年一一月の戦闘で失う。長老自身も「農民のくびきに耐えるより、死んだほうがましだ」として、すぐに亡くなった。

　こうした政変に対し教皇の使節はコーラに政権からの引退を命じ、従わないなら三年後の聖年祭を中止すると告げる。こうして教皇の支持を失ったコーラは一二月にローマを離れ、イタリア中東部のアブルッツィ山中の修道院に二年間隠棲し、一三五〇年には法皇権の及ばないプラハのボヘミア王カレル（後の皇帝カール四世）を頼った。その後一三五二年に、なぜか気が変わりアヴィニヨンに向かうが、その結果、教皇庁に監禁される。こうしたコーラを、教皇に対しペトラルカは、イタリアの愛国者として弁護する。

その頃ローマにバロンチェッリという扇動家が現れ、コーラの遺志を継ぐものとして政権を握り、貴族階級を政治から追放していた。事態を重く見た教皇イノケンティウス六世は、混乱を収拾するため、「毒には毒を」の政策でコーラをローマに送ることにする。一三五四年八月、ローマに着いたコーラはバロンチェッリを追放し、もう一度、政権を掌握する。

独裁者となったコーラは、またしても反抗する人々を次々に処刑したため、しだいに市民の不満が高まり、政権奪取から一カ月あまりで反乱が勃発。十月には「裏切り者には死を！」と叫ぶ群衆に取り囲まれ、コーラはいったん逃れる。しかし羊飼いに変装し顔を汚して逃亡をはかるが、すぐに捕らえられてしまう。そして、かつての部下に群衆の目の前で刺殺され、滅多切りにされたコーラの死体は、長老のコロンナ家の地区で二日間さらされた。コーラ革命に期待していた愛国者ペトラルカの願いは叶えられなかった。

ロンブローゾによるコーラの紹介と評価

コーラについてロンブローゾが述べている部分を抜粋し、一部省略して列挙しておこう。

ある日、彼（コーラ）は有名なヴェスパシアン（不詳）の彫板を公衆に示した。その中には貴族もいた。彼はその彫板に対して物語めいた説明をした。彼は白頭巾の付いたドイツ風の上着に白い帽子を被っていた。その周りにはたくさんの王冠がついており、その一つの王冠は銀の剣で二つに分割されていた。彼は、このような服装で彫板のグロテスクな象徴の説明をしたのである。これは明らかに彼の狂気を現わしている（原註・象徴を愛するあまり、それを説明しようとする事柄を犠牲にして奇矯な言説を弄するのは、今まで述べたように偏執狂の特徴である）。しかし彼がどんな説明をしたかは知られていない。（後略）

★チェーザレ・ロンブローゾ

彼はこれと同時に、様々に奇矯な言説を吐露した。「私は人々が私の言説の中に罪悪を見つけようとしているのを知っている。それは彼らの嫉妬によるものである。しかし私は天に感謝しなければならない。（なぜなら）三つのものが私の敵を滅ぼしてくれる。それは虚栄と嫉妬と火である」――この言葉が非常な喝采を博した。私（ロンブローゾ）は何故、この言葉が称賛されたのか理解に苦しむ。たぶん聴衆は、その意味を理解できなかったのであろう。ちょうど路傍の説教者が、時たま無意味な内容のない言葉を調子よく並べて、公衆の非常に熱烈な賛同を得るのと同じ心理作用であったに違いない。

一説に彼は狂人の振りをしてブルータスの二の舞を演じていたのだとペトラアク（ペトラルカの事か？）などが言っている。しかし彼の社会的地位が高くなり、相当な権力を持つようになってからでさえ、華麗な衣装や虚栄や象徴に対する偏愛が、ますます盛んになったのを見ると、我々はもはや、彼の狂気を疑うことはできない。

彼（コーラ）はまた、新しき象徴的絵画を盛んに描いた。その中には「審判の日は近づいている――一瞬たりとも油断してはならない」と題するような絵があった。この絵にはマートルの冠を鳩が小鳥に持ってくる様子が描いてある。鳩はもちろん聖霊を現わしているのである。小鳥はローマに光栄を冠すべき使命を帯びた彼自身の象徴である。一三四七年の大斎《レント》（宗教祭典）の第一日に（彼は）、サン・ジョルジオの入口に「近い将来にローマの理想国家は再興されなければならない」という張り札をした。

この集会（コーラの世論を広めようという集まり）において、これまで秘密にされていた国家復興の計画が明かされた。彼は確信に満ちた雄弁を振るった。彼の肺腑を突いて流れ出す率直な言説は、聴衆に深い印象を与えないではいなかった。彼は上流社会の軋轢、下層社会の堕落、略奪を恣《ほしいまま》にする軍人、結婚という床上より引きずり降ろされる妻（結婚と同時に下女のような扱いをされる――という意味か？）、城門で虐殺される巡礼者、肉欲飲酒に耽る僧侶、知識と力とを欠いた権力者などを片っ端から痛罵した。「我々は貴族より望むべきものは恐怖だけである。この様に無秩序な社会に彼ら（貴族）はいかなる仕事をしているのか。彼らは一日の休暇を楽しむためにローマを去ってしまうのである。都会は、このように日ごとに滅亡に瀕していくのである。」（このようにコーラは悪罵した）

彼はまた精神病者の特徴である矛盾を現わさずにはいなかった。非常に宗教的な彼は、自分をキリストに比較し、三三歳に勝利を得たことに重大な意味があると考えた。敗北してからも三三ヶ月マジェラン（不詳。隠棲した修道院の事か?）に流されていたというので、その数の類似を、いかにも意味があることのように考えた。彼は寂しい荒野で幻覚に陥った多くの男女に取り囲まれたことがある。彼らは誰もが聖霊を信じ、彼（コーラ）が再び勝利を得て、ついには世界を統一するだろうと預言した。彼の矛盾は明らかに誇大妄想のせいだとわかる。彼はイタリアの救世主のすべての期待が（彼の）一身に集約されていると信じた。彼はローマ帝国を再興するだけでなく、やがて全世界を救済すると確信していたのである。

プレイグ（プラハのこと。一三五〇年にカール四世に投獄された時）の獄中にあって死に瀕していると考えた瞬間から、自分は悪魔の想像の犠牲であると思い、また神の意志に従うものであると信じた。「私は、まるで神の賜物であるかのように（自分を閉じ込める）牢獄の鍵（錠前）に接吻した」（監獄にいることも試練としての神の思召《おぼしめ》しという意味）と彼は書いている。

ある日、彼は玉座から立ち上がり信者に向かって声高に叫んだ。「我々は自ら法廷に立ち、ローマに居住することを法王クレメントに命ずる。我々は宗教大学に対しても同様の命令を下す。我々は（要求の）請求者として帝王の称号を戴くボヘミアのチャールズ王、並びにバヴァリアのルドヴィッヒ王を召喚す。ドイツの選帝侯は、どういう口実で正しい伝統ある帝国の主権者であるローマ人のものであるべき、譲与してはいけない権力を簒奪したのか、あえて質問する」と三度叫んだ。

すべてこれ（こうした帝王のような傲慢を指す）は、コンスタンチン帝の洗盤で身を清めたから、その結果、帝王の権力を継承したと信じたのである。

コンスタンチン帝の洗盤で身を清めたことで多数の民衆の反感を買い、自分自身で聖霊の勲爵士なりと自称した彼は、その奇矯なる振舞いを、さらに推し進めて、けた外れの政治的愚行をあえてした。彼はやがてローマ人は全世界を統治する権力を掌握し、幾多の王国の君主であり、その帝王の選挙権は一つ一つ、ローマ帝、ローマ人、イタリアの勢力圏にあるというような宣告を始めた。これは明確に法王と（各国の）帝王に対する宣戦布告と見なされるものだった。（コーラは）八月一五日に象徴に対する偏執狂的傾向を現す六種の異なる植物で王冠を編んだ。彼は宗教を愛するというので常春藤《アイビー》（セイヨウキヅタのこと）を、学問を尊敬するのでマートル（芳香のある銀梅花のこと）を、（毒殺からの護身用の）毒消しのためのオランダゼリ（パセリのこと）を使った。六種の植物にはそれぞれ意味があった。彼はその他に、トロイ王の被った法冠や銀の王冠を付け加えた。しかし、それにどんな理由があったのかはわからない。

彼が初めて行政を執っていた時には沈着で節制的な人物だった。それが間もなく、まったく極端に走って、絶えず騒がしい宴を催し飲酒に耽るようになった。彼は獄中にある間、ひそかに飲まされていたと信じる毒を消すためだと言って、飲酒の弁解にした。私（ロンブローゾ）はこの現象（酒を毒消しと考えたことか、または酒の悪弊を指すか?）をもって、彼の狂気が徐々に進行したと信じている。それは彼が護民官になった頃から始まっている。そして、もし彼が毒の影響を受けていたならば肥満はせずにやせ細っているべきはずだったのだ。

彼は絶えず美食をして飲酒に耽った。彼は時間と秩序を無視していた。フラヴィアの酒（イタリアの古酒を指すか?）とギリシャの酒を混合して飲んだ、時間ごとに新しい酒を飲んだ。とにかく、彼は過度に飲酒したのである。

加えて彼の体格が頑丈になり、顔付きが托鉢僧のようになった。彼は銅像のように丸く太った。赤ら顔の髯面になった。彼の眼は白かった。しかし慌ただしく血がさして真っ赤になった。

要するに急性「躁狂患者」に恒常的な兆候が現れて体は肥満し、眼は血走り、顔が獣じみた表情を帯びるようになった。彼の精神活動は減じた。そして性格は根本から変化した。民衆から大いなる称賛を博した性格は、気まぐれと軽はずみと奇矯さによって変質を著しくさせ、彼を害《そこな》った。彼を知る人は彼の性格が変わったと感じた。彼の容貌も精神も時々に推移し、少しも同じ思想に安定することが出来なかった。彼はパレストリナの攻撃を始めたかと思うと、すぐにそれを放棄した。彼は技量ある指揮官を任命したかと思うと、たちまち、それを免職した。

コーラの偏執狂的な書簡癖

ロンブローゾは続けて言う。

彼の書簡はまるで「Antipodes（対極の人）か月世界の人」が書いた物のように珍重されて蒐集された。（中略）病理研究の材料として極めて得難い資料である。

彼が逃亡してからローマのおける彼の邸宅が没収された。その時、彼の部屋に入った人々は、出されずに堆積された書簡の量に驚かない者はいなかった。彼による多くの書簡は（口述筆記だが）、口述する言葉が多いのと早口のため、とうてい満足な文章として書き記されていなかった。彼は絶えず親交ある共和国に急使を送っただけでなく、無関係な所にも、あるいは敵である国王にさえも手紙を出した。フランス王はそれに対して嘲笑的な返事を出した。フェルララ、マシチュア、パテュアの諸侯（それぞれイタリア各地の領主を指すか？）は誰もが、その手紙を返却した。

彼の文体の冗長、本文より長いダラダラ書き、怪異なシグネチュア（手書きの署名）、東洋の君主が使うような讃美的自称、これらはすべて彼の書簡の特色だった。（しかし）これらの書簡には、もちろん独特の香りがある。彼が模範にした窮屈な古典作家の文体をも凌駕した情熱が、そこには迸《ほとばし》っている。そして一見、彼の確信の強烈さを見ると、読者は彼の（主張する）根拠のないことを、信用しなければならないように仕向けられる。彼は先天的の虚言癖あるいは、ある種の狂人のように自分もその架空の想像を真面目に信じていたのである。（この後に数々の具体的書簡が続く）

リエンツォに対するロンブローゾの総括

ロンブローゾは続けて言う。

とにかく彼は、歴史家にとって大きな謎であり、飛び離れた「現象」（「現れ」「出現例」程の意味か？）でもあった。もちろん歴史が精神病理学のように、充分なかたちで彼を説明できなかったのは無理もない。実に病理学は、（コーラ）リエンツォに付随していたあらゆる偏執狂の特徴を指摘して我々に示してくれたのだ。お定まりの容貌と手跡、象徴ならびに言語に対する誇大妄想的傾向、社会的地位にそぐわない無関係な行動、文書に充満する根拠のないナンセンスなまでの独創性、自己人格への妄信（原註・初めに、それは民衆の力を得て〈行政の？〉実行にあたり〈コーラの〉能力の欠乏を補っていたが、後には彼を駆り立て常識に反する行為だけをさせた）、道徳的観念の欠如、アルコールの乱用または、その反応によってのみ攪乱《かくらん》された早発性痴呆が間近いことを現わす沈静状態、これらのものが、ことごとく彼に備わっていたのである。

このようにロンブローゾは、珍奇な生物を見つけた生物学者のような口ぶりで、その興奮を伝えている。同じく恐怖政治を執行した独裁者であっても、前の小項目のサヴォナローラに対しては共感するところがあったロンブローゾが、コーラに関しては極端な狂気の具体例としてだけ興味を持ち、コーラの偏執癖が乗り移ったかのような情熱で力説していることがわかる。そのロンブローゾが何ヶ所かコーラを讃美するのは、次のような箇所である。

彼はローマを自治市として頭に戴く理想としてのイタリア建国を企てた発起人であった。このことは（行政官でもあった）ダンテすら思いも及ばなかったところである。その（理想とした）イタリアは教皇派でも尊王派でもなかった。彼はパリのマルセルのように真実の国民議会を招集しようと企てた。彼の思想は当時、わずか三五の自治体だけに理解された。政治思想において同時代のあらゆる人々に卓越し、近世の思想家にも負けないだけでなく、（民主主義による国家の？）統一という観念においてマジェニイおよびカヴールをさえ凌《しの》いでいた彼は、実に偏執狂者だったのだ。（中略）彼は偉大な思想を抱いていたにもかかわらず、実行においては極めて拙劣無能だった。

ロンブローゾの中には、彼の生きた時代においてすら厳密な意味では成しえなかった、理想としての民主主義による共和国幻想のようなものが付きまとっている。そこではカトリックの重圧も少なく、身分差別も民族差別も少ない、貿易や交通の盛んな自由な国家が理想としてある。そうした近世でも、また厳密には近代においても成しえなかった理想が中世の、宗教譫妄的な精神病者のイメージの中に、奇跡のように現れながら、それが正反対の独裁の恐怖政治になり、やがては自滅してしまう。そのことにロンブローゾは、時代を先走りすぎた——とか、精神病者の夢物語——という批判以上の興味をもって、拘り続けていることがわかる。それは偏《ひとえ》に、カトリックの国イタリアに住むユダヤ人の、屈折した愛国者としての理想であったと言うべきであろう。

SCIENCE FICTION

山野浩一とその時代⑭ 企業のPR映画と、劇団表現座への参画

岡和田晃

山野浩一の関わったPR映画

一九六〇年代における山野浩一の活動を調査するうえで、もっとも資料が少ないのは、一九六二〜六三年頃であるが、山野浩一の遺品から発掘された自筆の映画ノートを、時間をかけて精査したところ、山野浩一が関わった新たな映画作品を発見した。経緯は、こうである。『Note du Cinema』と題された、手書き二冊組みのノートの二冊目には、一九六二年度に山野が合計一二三本の映画を観賞したとあり、うち（学生映画八本、製作参加一本）と注記されていたのだ。その次の頁には、以下のような総評が記されていた。

ミケランジェロアントニオーニを追い回した一年。創ることの責任、行うことの責任をいろいろ考え、感じ、アントニオーニの不在論を私の新しい内部的イメージとして大切に消化する必要のある年。今年一年何も作らなかった私、私の非在と、自己の不在の体験を確認。全ゆる現象の実体内部と私のディスコミュニケイション。入り組んだ為出られなくなった袋小路。もう一度この袋小路を研究しよう。

うそっぱちの作品から、ロジェバディム、ルイマル等とフランソワトリュフォと云う無神論的状態提示が行われたことも私をしげきした。日系映画は不毛というより云うことはない。三隅研二が新しいイメージと新しいパターンで時代マンガを出したことだけであろう。学生映画も最もつまらなかった。（『Note du Cinema』Vol.2、表記はすべて原文ママ）

この年の山野浩一が「今年一年何も作らなかった」という発言を、真に受けることはできない。実は、この年の映画記録に、さりげなく「製作参加3 鋼管に生きる（関西映画）」と記されていたからだ。これには、丸一鋼管のPR映画だとの但し書きがある。この年、丸一鋼管は東京・大阪両証券取引所市場第二部に上場しており、会社としては勢いをアピールする必要があったのだろう。自筆年譜には、この年に「大学を中退して、関西映画というコマーシャル映画のプロダクションで1年間映画の

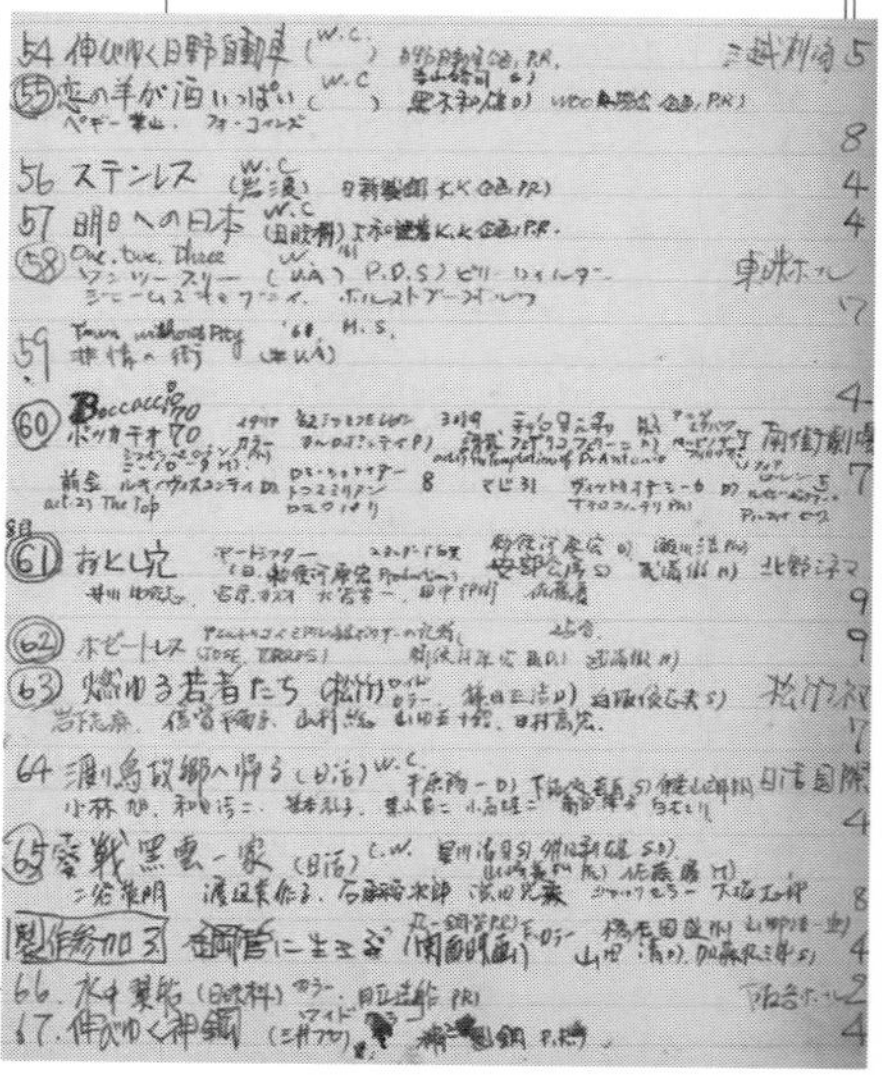

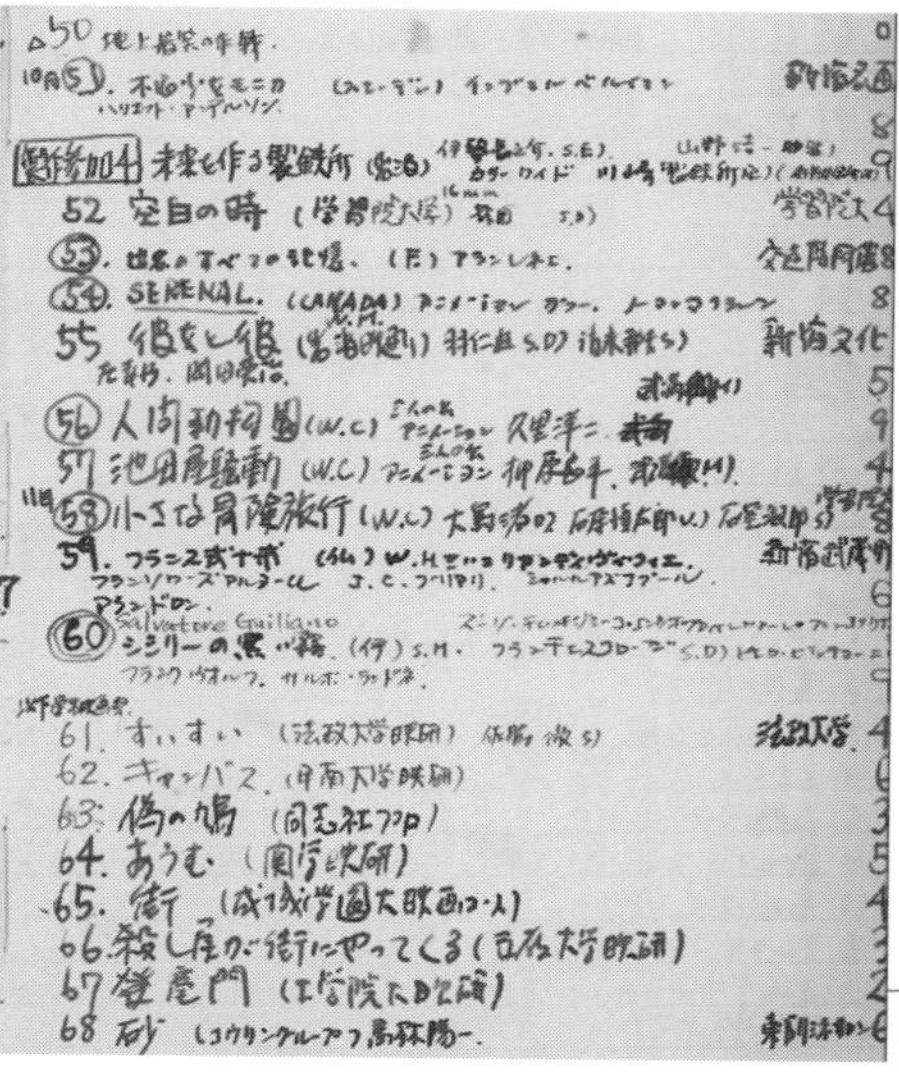

★山野浩一の映画ノート『La Note du Cinema』Vol.2
（右）1962年度。下部にPR映画『鋼管に生きる』の製作に参加したとある。
（左）1963年度。上部にPR映画『未来を作る製鉄所』の製作に参加したとある。

現場での勉強をした。それなりに社会を知る機会になった」とあり、この時の現場が『鋼管に生きる』の製作現場を指すとわかる。

前年度（一九六一年度）の総評に、山野が「私個人とすれば、最初の作品「⊿」を製作・好評と大変有意義な年だった」と書いていることに鑑みれば、『鋼管に生きる』は、山野本人にとっては必ずしも満足の行く仕事ではなかったかもしれないが、プロの現場で順調にキャリアを重ねているとみなすこともできる。余談だが、自身が「最初の作品」と記している『⊿デルタ』は、山野による一九六一年度の映画リストそのもののなかにおいては、「製作参加2」と但し書きがなされている。それ以前に「製作参加1」が存在するはずなのだが、現時点では、見つけることができていない。

続く一九六三年度、山野浩一は「製作参加4　未来を作る製鉄所（岩波）」と、リストに書き込んでいる。これは川崎製鉄所（当時）のPR映画で、「岩波」とは「岩波映画」のことだ。この作品に山野は助監督として参加したと記録している。残念ながら、一九六三年度のリストは途中で終わっているのだが、自筆年譜を参照すると、この年、山野は「放送作家協会のシナリオ学校へ行くという名目で東京にアパートを借りて、毎日、寺山修司さんや足立正生さんと議論をして過ごす。足立さんは日大映画研究部の卒業生を中心としたヴァン・プロダクションというところで共同生活をしていたが、そこに赤瀬川原平さん、オノ・ヨーコさんなども出入りしているとても魅力的な場所で、寺山さんもそこで最初の映画を制作していた。この頃、岩波映画で伊勢長之介さんというPR映画の名手の助監督をした。同世代の嵐山光三郎さんや唐十郎さんともよく遊んだ（議論していた）」と書いている。この伊勢長之介が監督したのが、ずばり『未来を作る製鉄所』であった。川崎製鉄は一九六一年に岡山県倉敷市に水島製鉄所を開設しており、これまた勢いのある企業であったのは間違いない。

竹内健の劇団表現座に参画

東京での寺山修司や唐十郎との交流に絡んでか、一九六三年の山野浩一は、演劇にも関わっている。一九六三年の三月五日〜九日に、日仏会館ホールで開催された劇団表現座第三回公演『アメデーまたは死体処理法』に、演出助手としてクレジットされているのだ。これはフランスの反演劇《アンチ・テアトル》の旗手であるウージェーヌ・イオネスコの戯曲の上演で、訳・演出は竹内健、装置・パンフレット表紙は和田誠（レイアウトは森田童子のパートナーの前田亜土）、意匠は寺山修司、この年『贅沢貧乏』を刊行した森茉莉、キャストには、表題にも採られたアメデー役に増岡弘（後にアニメ『サザエさん』のマスオさん役や、『それいけアンパンマン』のジャムおじさん役で有名になる）がおり、窓辺の女・管理人の声役には高原節子、音楽にはこの年に高原の声楽「四つの秋の歌」と「秋の風」を作曲した三善晃、振付にジャン・ヌーボ、ヌーボにパントマイムを師事した舞踏家の笠井叡が黒子にクレジットされている。劇団協力者には植草甚一（批評家）、松本俊夫（映画監督）、山際永三（映画監督）、ヨシダ・ヨシエ（美術評論家）、金森薫（舞台美術家）ら、信じられないほど贅沢な顔ぶれが勢揃いしており、当時の先鋭的な文化人が一堂に会した雰囲気すら漂わせている。

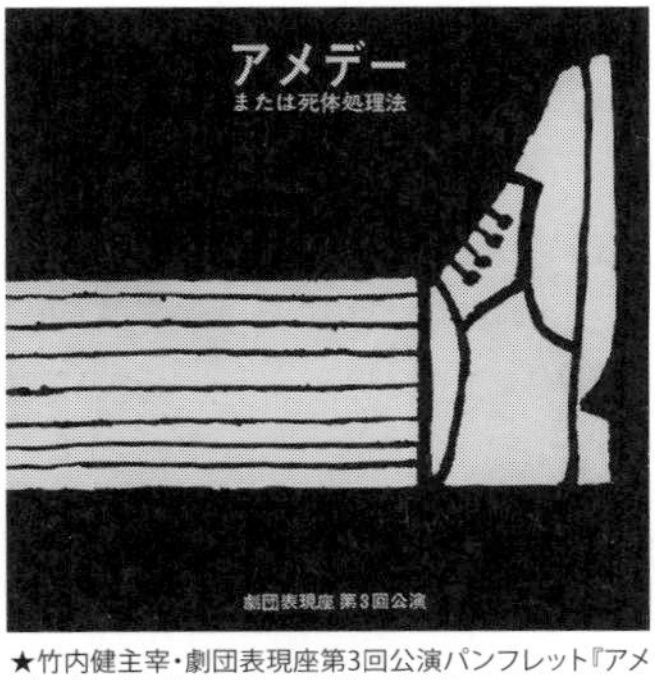

★竹内健主宰・劇団表現座第3回公演パンフレット『アメデーまたは死体処理法』、表紙は和田誠。

とりわけ山野浩一の「⊿デルタ」を高く評価した映画評論家の佐藤重臣や、ハードボイルドの先駆者として名を馳せていた河野典生が、すでに劇団協力者として参画しているのは見逃せない。年譜では一九七八年の時点で、山野浩一は「SF界とは疎遠になっていた」と書いているものの、河野は山野の熱心な支持者であり続け、一晩中飲み明かすようなこともあったという。河野典生のスペキュレイティヴ・フィクション『街の博物誌』（早川書房、一九七四）が、一九九一年にファラオ企画の原点叢書として再刊された時（同叢書は一九九二年には寺山修司の『臓器交換序説』や荒巻義雄の『白き日旅立てば不死』を再刊している）、山野は巻末解説を担当し、次のように河野との出逢いを明記している。

最初に河野典生を知ったのは友人の寺山修司を通じてだった。詩人としての河野典生は学生時代から寺山修司や堂本正樹、加納光於らとともにアヴァンギャルド活動に身を投じ、「詩劇グループ鳥」を結成して新しい演劇活動を目指したり、シュールリアスティックな詩を書いたりしていた。安保の後の前衛と大衆、労働者や芸術家や思想家や学生といった組織の分裂と連帯の拡散の中で、最初に新しい道に足を踏み入れていったのは彼ら新世代の前衛たちだった。当時まだ学生だった私は篠田正浩監督の出世作『乾いた湖』や『夕日に俺の若い顔』といった映画の脚本家として寺山修司の名を知り、蔵原惟繕監督の出世作『狂熱の季節』や『狂熱のデュエット』の作者として河野典生の名を知った。これらの作品は反抗的であること、新世代的であること、商業文化の中で新しいものを追求していることなど、まさに日本のカウンターカルチャーというべき活動の始まりだったと思う。

私は「NW―SF」という雑誌を始めたとき、筒井（引用者注・康隆）にすすめられて河野典生に寄稿をお願いした。河野が「ちょっと変わった小説を書いたからね」といって手渡してくれたのは、この『街の博物誌』の出発点となるような陰鬱で詩的な『アイアイ』というわずか十枚程度の短い作品だった。すでに河野典生は「SFマガジン」に『機関車、草原に』のような作品を寄せており、彼のファンタジーの独特の味わいについては一部の人々には知られていた。それらは『緑の時代』という短編集にまとめられ、彼のファンタジー作家としてのスタートになる。（『街の博物誌』解説）

ここでもやはり、寺山がキーパースンだったのだ。寺山修司は『アメデーまたは死体処理法』のパンフレットに、「竹内健にまつわる数学」を書いている。これはアットランダムに、劇団表現座の主宰であった竹内健にまつわる数字を切り出し、ユーモアを交えてその謂れを記すというもので、ラストは「百年………彼の可能性。」と締められ、「表現座という劇団が出来てからすでに二年経っているということだが、そのときからの座員もいまでは一人二人しかいないそうである。つまり家族温情主義的な既成の劇団にくらべると、こゝには分母竹内健一人によってクリチックしてゆく強さがあるとも言える」と注釈している。

山野浩一と寺山修司が関わった、竹内健と表現座。それはどのようなグループだったのか。山野は、『追悼文選』（読書人、二〇二〇）に採録された寺山への追悼文「十代のナイーブな結晶に戻る」（「読書人」一九八三年五月二三日号）で、この時期の寺山の活動を、「至高の芸術作品を生み出すことよりも、社会との、或いは多くの人々との強い結びつきを求めた」時期であり、寺山全体の活動歴からすれば第二期「スキャンダリストの時代」だとしている。そのうえで山野は、篠田正浩、松本俊夫、そして竹内健らと寺山の関わりを明記している。

イオネスコにこだわった竹内健

竹内健は一九三五年生まれ、二〇一六年に没した。その四年前、劇作家・僧侶の上杉清文と福神研究所が編集する「Fukujin」16号（白馬書房、二〇一二）では「特集・竹内健　ユビュ王から古代信仰まで」との特集が組まれている。巻頭言では、「泰西仏蘭西の反演劇《アンチ・テアトル》の紹介者。劇詩人。劇団表現座主宰者。『ユビュ王』の翻訳家。幻想文学作家。ロングセラー『ランボーの沈黙』の作家。『ポーカー入門』で知られた賭博の実践者。寺山修司、塚本邦雄、村上一郎の友人。五十歳を前に活字の世界から忽然と姿を隠した思想家羅浮散人」と、その多彩な活動が要約されている。

「Fukujin」16号の年譜によれば、竹内健は、神奈川県立横須賀工業高校造船科を卒業して日立造船に入社するものの、わずか一年で退社して放浪生活に入った。それから沖仲士や劇団「四季」研究生となったが、半年で退団。『アメデーまたは死体処理法』のパンフレットに載った佐藤重臣の寄稿文「われらのアメデー氏に期待」では、この頃の「四季」がやっていた前衛芝居から、主宰の浅利慶太をはじめ「体制側に組みして反共路線の一環をになうようになった」とあり、それとは違う「新劇界の窒息するような風土」を「少しでも風通しをよくするため、通風器の役目を果してくれるようなところ」として、表現座に期待する旨が書かれている。

一九五八年、竹内健は世界銀行の通訳となる。同僚の通訳に伊東守男がいた。伊東は「NW—SF」二号（一九七〇）に「地球は出血する」を寄せ、以後、しばしば「NW—SF」へ創作や翻訳を寄稿した。竹内健自身は、「実験劇場」と銘打ち、一九五五年六月（資料によっては、五七年や六〇年ともなっている）にジョルジュ・ヌヴー『ザモール』を翻訳して国鉄労働会館で上演する。ヌヴーはマルセル・カルネ監督の映画『愛人ジュリエット』（一九五二）の原作者で、竹内は直接上演許可を取ったという。

以後、表現座は、竹内健作『船が沈む』（一九六〇年二月、愛知文化会館）、イオネスコ作『未来は卵の中に』（一九六〇年九月、YMCAホール）と二回の試演を行い、表現座の第一回公演として、イオネスコ作『ウで終るマロウ』（一九六二年三月、日仏会館ホール）、第二回公演として、M・デュラ（デュラス）の『セーヌ・エ・オワーズの陸橋』（一九六二年九月、厚生年金小ホール）での公演を行ったと（いずれも竹内健訳で）、『アメデーまたは死体処理法』のパンフレットには記録されている。これら、イオネスコやデュラスの戯曲の上演許可を取る際にも、竹内健は直接、作家に許諾の手紙を書いたという。竹内が手紙を出すと、必ず十日後には返事をくれたというイオネスコは、竹内健をオーソン・ウェルズ、ジョルジュ・ヌヴーと並ぶ「友人」だと、パンフレットの「演出ノート　イオネスコに対する二十一の愚問」に書いている。

なお、この頃の竹内は、一九六一年にはエール・フランスに入社し、新宿のカウンターカルチャーの拠点、風月堂に出入りしてヨーロッパ人と面識を得る。興行会社「日進プロ」にも勤め、アンリ・コルピ監督の映画『かくも長き不在』（一九六一年）を輸入したものの、買い手がつかず、シナリオのみ翻訳発表せざるをえなかったという（実際、『かくも長き不在』の日本初上演は、一九六四年を待たねばならない）。

竹内健オリジナルの作品としては、北海道放送でのラジオドラマ『黒い塔』が、音楽・武満徹、主演・渡辺美佐子で放映されている。これは後に『竹内健戯曲集』（思潮社、一九六八）に収められ、その際には竹内戯曲に一貫した「消滅の美学」の萌芽が見られるものと、自身によって分析されていた。

寺山修司は、劇団表現座が一九六三年二月に、イオネスコの『瀕死の王様』を公演した時のパンフレットに、「下男の科学　イオネスコ上演について」という文章を寄せている。そこでは、「見たところ竹内健は、「芝居が好きで好きでたまらない」という態の芝居者でもないし、イオネスコの研究家でもない。むしろイオネスコ同様「いろんな物を作」ろうという創作家に見えるのである」と、竹内を評している。これは「Fukujin」16号の特集に掉尾を飾る一文として配置されていることからも自明のとおり、なぜ、竹内がイオネスコにこだわったのか、的確に理由を言い当てるものだ。

一九六四年九月、竹内は「新劇」一九六四年九月号の巻頭に、「表現座の場合（各劇団の主張）」というマニフェスト的な一文を草している。ここで竹内は、「表現座はいわゆる演劇共同体としての集団ではない。公演毎にメンバーを編成し、公演終了と同時に解散する。個という、もはや分割しえぬ核としてのみ劇団が存在することの逆説的意味は少なくない。（……）表現座を一貫して活動体として維持して来たつもりである」と書いている。こうした、「個」を基体とした単発のプロジェクト型式だったからこそ、イヨネスコの三つの時期の演劇を本邦初演できたと、竹内は分析している。ただ、一九六四年の段階で、すでに竹内にとっては、演劇を介して「状況変革という錦の御旗を掲げられるほど甘美な時代でも」なくなっていた。他方、この年、山野浩一は「寺山修司さんに映画なんか簡単につくれるものではないから、小説か戯曲を書いたらどうかといわれ、およそ1週間で戯曲「受付の靴下」と小説「X電車で行こう」を書き上げる。寺山さんはとても面白いといって、すぐに茨木憲さんに電話してくれたが、茨木さんも気にいってくれて「悲劇喜劇」誌に掲載されて処女作となった」（「山野浩一自筆年譜」）。「X電車で行こう」と並ぶ山野浩一のプロ・デビュー作が戯曲だったのは、PR映画での現場経験、新劇批判としてのアングラ演劇への参画が、背景に根ざしていたのである。

CREATION

いわためぐみ

弦巻稲荷日記

映画「陶王子 2万年の旅」との出会い

人には偶然が積み重なって、出会うべき人に出会うということが、人生にはあるんじゃないかと想う。それはたとえば家族のような存在になることもあるだろうし、仕事を続けるなかで一緒に作業をすることを続けていくことになる人だったりする。もちろん、それが、一瞬だけ道が重なる人もいるし、この仕事を続けるうえで、長いこと一緒に作業をすることになる人もいる。

2020年、年末に私は素敵な出会いをした。今回、冒頭カラーページで紹介した映画「陶王子 2万年の旅」と柴田昌平監督だ。

そして監督の映画は、私が出会ったように、様々な奇跡のような出会いがあって生まれた映画だった。

私のきっかけは、THやNLQに寄稿いただいている浅尾典彦さんのインタビューに同行したこと。

私がその日に、大阪にいて、別の打ち合わせがあって、その時間が空いていた…その次の時間に、浅尾さんと打ち合わせをいれた。

そんな偶然が、私とこの映画をひきあわせた。

時々、私は本当に神様の存在を感じてしまうことがある。

偶然という必然という言葉があるが、出会うして出会う本、であうして出会う映像。自分の知りたいこと、リサーチをしたいこと。そのアンテナにひっかかってくるということだけじゃなく、出会えてしまえる作品。

浅尾さんとの出会いも浅尾さんは「僕は岩田さんに発見されたんだよ」とおっしゃるのだが浅尾さんが私をたくさんの偶然にひきあわせてくれている。今まで身近だったはずなのに、見直すことのなかったような作品の違う側面に気がつくということの驚き。

映画会社から届くリリースの膨大な数の中から、え?こんな作品が?と気がつかせてくれるアンテナの広くて浅くて、ピンポイントな深さ。それが、とてもありがたく想うし、浅尾さんの映画にまつわるコレクションの深み。

現在NLQで連載してくださっている井村君江先生のつぶやきを掲載しているフェアリー協会京都支部のTwitterがあるのだがそこにこんな言葉があった。

「人生は収集よ。大好きな事を夢中で集めるの。夢中になるって素敵な事よ。私はずっと夢中なの。でも思い出に残すだけではだめ。反映させなきゃね。それが大事なのよ」

今回、この言葉を思い知った。

たくさんの会社からプレスリリースがやってくる。夢中で集めてる。でも集めるだけではだめなのだ。その中から、私が必要とする情報をちゃんと抽出できなければ。

それが、人と話すこと、人と出会うことで見つけられるとしたら…。

インタビューを収録するから、一緒に来る?と軽く誘われて、出かけなかったら、先んじること三週間前に配給協力のポレポレ東中野から、リリースをもらっていたのだが、これが私がこうして出会うべき映画であったと気がつくことはなかったのだ。

「アジア」「身体」「ジェンダー」というキーワードを核にして、私が表現を探している作業の中で、ああ、私が観たかったものはこれなんじゃないかと想うものに出会ったとき。私は少しだけ、私の捜しものが前進したと感じるのだ。

ところで、この映画は、監督にとっても出会うべくしてであった企画であったのだと想う。

この映画は、柴田昌平監督だからこそ成立した幸せな作品なのだ。

それが、浅尾さんのインタビューから感じられた。

浅尾さんもインタビューの中でおっしゃっていたが、ドキュメンタリー作品は、インタビューなどを通じて、世の中の辛いことやしんどいことをありのままに語る作品が多い。けれど、柴田監督が撮っている作品は、ありのままでは気がつかなかった日常の価値を再認識させてくれる作品だ。

陶王子の企画のきっかけは、柴田昌平監督の前作である日仏合作ドキュメンタリー『千年の一滴　だし　しょうゆ』のフランス公開だったという。

この映画を気に入った陶磁器の研究をするフランス人が、陶磁器のドキュメンタリーを作って欲しいとメールを送ってきたという。それまで柴田監督は、とくに陶磁器に興味があるわけでもなく日常使っている器を考えることもなかったが、その人の話を聞くうちに、心に響くものがあったという。

もし、この話が美術品や国宝の品々の素晴らしさを語るだけの映画だったら、引きうけなかった。

陶王子《とうおうじ》
2万年の旅
2万年の人類が、大丈夫だよ、と呼びかけてくる
土と炎とその色と
これは一杯の「器」の向こうにある
人類の探求心の物語
2021年をこのポジティブな映画で始めませんか?

人と器の関わり。日常の中で器の置かれている意味。

「僕はなんとか焼きには興味がなかった。でも、粘土と炎の物語ならやってみたいと思った」

たぶん、私も陶器の王子さまが語るなんとか焼きの物語だったら興味がわかなかった。そして、フライヤーデザインになっている綺麗なティーカップと西洋的な衣装の陶王子に、最初は興味がわかなかった。

でもインタビューのあと、もう一度フライヤーとリリースを見直してみると、気がつくことが、たくさんあった。

ああ、なんと私は情報をおろそかにみていたんだろう。

映画に込められた監督の想い。インタビューでこの想いを聞いて、これは観なければと思ったのだ。

こんな瞬間に想う。作品が本物であるだけでは、作品は伝わらない。作品を紹介する形や言葉が作品へ誘い、観て初めて作品の本質は伝わるのだ。広報という仕事のむずかしさと、インタビューと言う手法の伝える意味。批評が存在する意味を本当に噛みしめる。

手慣れた広報担当者の洗練された言葉ではなく、たとえば浅尾さんのシンプルな「この映画すごいんだよ」と目をキラキラと輝かせる熱量が語るもの。映画への愛情。

浅尾さんが、ニュートラルであるからこそ、リラックスして、専門的な言葉をつかわず、わかりやすく噛み砕いて語ろうとする柴田監督の言葉は響いてくる。

たとえば、インタビューの中で語られた言葉にこんな言葉があった。

ルポルタージュとドキュメンタリーは違う。

物事を外側から客観的にみていくものがルポルタージュ。一時的なもの。ドキュメンタリーとは、インサイドから語って初めてドキュメンタリーといえる。フランスでは明確にそういう差があるという。

ルポルタージュは一瞬で終わる、けれどドキュメンタリーは、インサイドであるからこそ、長く理解される。

この映画はドキュメンタリーなのだ。しかし、歴史、器というどう撮影しても外側からしか撮れないこのルポルタージュ的な素材を、どう「ドキュメンタリー」にするのか。

こんな、根源的なところで、映像作品を考えているんだということに、私はまず引き込まれてしまった。

今、私は実は映画を制作するという現場にとても興味がわいている。本をつくることは、ずっと繰り返してきたし、それを売るためにイベントをやっていると、必要リソースを編集して求められる形にするという作業は本づくりやイベント運営も変わらないと感じる。

　映画もきっと根本的には必要なものを集めて、映像という形に落とし込む作業であるということは想像していたのだけれど、今回のインタビューで映像をつくるという現場の一端が透けて視える瞬間がたくさんあった。

　監督が、陶磁器の歴史の内側に本当に入り込んで、自然と人との関わりから根源的なものを出発点として、器の進化が人の文化の進化になっていく。

　それを、ドキュメンタリーにするからこそ、ファンタジー映像の手法であるとしか思えない「精霊」が登場する。その逆説的な構造に、私は本当に驚いた。

　器の歴史を精霊に語らせよう。陶磁器の精霊は、その身体を進化にあわせて土器から磁器へと姿を変容させていく。それと実際に粘土を訪ね、窯を訪ね、人を訪ね、描いていく世界。

　精霊が「僕は生まれた」と語る私小説ではなく、人類の歴史の物語に変容する魔法のような技法。

　粘土をこねるように、もしかしたら人は手をうごかしさえすれば、エレガントな回答に自然と到達するんじゃないか。試行錯誤の歴史よりももっと根源に、人間の自然との関わりの中での可能性を再認識する作業。これが物語の役割だったのだと改めて気がついた。

　ところで、器は、粘土をこねて形にすることで生まれる。

　映像も同じように情報と素材を、監督が頭の中でこねて形にしていくものなんじゃないだろうか。

　映画の中で、子供が粘土を渡されて、誰に教えられるわけではなく自然になにかの形をつくるためにこねて伸ばす。これがものづくりの根本。

　なにをしたいということがあったら、人は手を使って、ものをつくる。

　人の歴史の中で、こんなものが欲しい、こんなことを望む。それが、技術の進化につながっていく。それを監督は、資料をまとめるという作業ではなくて、本当に自身が咀嚼していく作業をしていったことがうかがえた。

　その先に、この作品がうまれたということ。

　監督は、器の歴史を撮るというどうしてもアウトサイドからしかカメラワークとして撮影できないことを、インサイドにするために、アーティストと仕事をしようと思ったという。

　そこから、セラミックとアートでリサーチを世界中の素材にむけて重ねていった先に、今回の物語の核となった、陶器の王子の作者である人形のアーティスト耿雪（Geng Xue ゴン・シュエ）の「海公子」という映像作品に出会ったという。

　素朴な陶製の糸あやつり人形は、こまかな機構で表情を変えることはできないが、糸あやつりの表現は、微細な傾きや、しぐさで感情を伝える。その表現の細やかさに、監督は惹かれたのだという。

　そのことは、私がTH叢書で、人形使い黒谷都や、糸あやつりの結城座の作品に感じていた人形表現に共通するものを、監督も気がついていたんだということの共感だった。この人が撮った人形なら、きっと私が観たい人形に違いない。

　そして、こんなに丁寧に表現者の表現を感じることができる監督の作品であること。

　私がこのインタビューでこの映画を観なければと感じた瞬間だった。

　器の歴史を垣間見ることができる土器は、最古のものだと二万年前を記録するものがある。

　それは実はアジアの片隅日本と中国から出土しているものだ。ヨーロッパの遺跡から器が発見されるのはもっともっとあとの時代になる。器は、さまざまな想いから文化の間を交流し、進化していく。用途だけでなく装飾的なもの、こんな色を出したいという宗教的な意味あいからの発色への探求。金属器の出現からそれに対抗するように、割れにくい陶器が生まれ、人類の未来にむけてまだまだたぶん進化していくのだろう。

　耿雪の人形は、そんな歴史をこの映画の中でインサイドから表現するために、時代時代の技術の移り変わりで変化していく精霊として物語をつむぐ。

　そんな耿雪 との仕事は、監督が中国にかつて映像を学ぶために留学していたときの人脈からつながったという。中国時代の友人たちに「だれか耿雪をしらない？」と聞いたところ、友達の友達の友達だったそうだ。

翌日には、中国のLINEのようなトークアプリで、連絡先がつながり、監督は耿雪と仕事をしていたという。

　人類学を学び、中国に留学した監督が、「だししょうゆ」を日仏共同作品として作り、フランスで公開され、「陶器の物語は日本の文化の価値を伝えること」とサジェスチョンされながらも「ナショナリズムに陥らない」で撮影することを考える。

　中国と共同作業をしようとするその姿勢。

　どちらが最初でもどちらが優れているのでもない。中国の器、日本の器、それぞれの美と歴史もまた映像の中で描かれる。

　人形の制作は景徳鎮で行われた。

　そこには、たくさんのいろいろな技術の窯があって、多くの作家たちが、窯をシェアして制作を行っているという。

　そういう場所がなかったら、今回のように、さまざまな技法の人形をつくるというアイデアを実現することも難しかっただろう。

　この話を聞いて、人と人との出会いと偶然が、大切なものを紡いだ瞬間だと思った。

日本は人の暮らしと器が近い。種類が多い。と、改めて言われないと気がつかないことがある。

　マイカップを決めて大切に暮らしたり、四季折々に器を変えて食事を整える文化は日本の特徴なんだと、改めて言葉にすることの意味。

　日本ってすごいねって言わないけれど、日本の文化ってすごいんだね。と、残していけること。

　まだまだできることがあるんじゃないか？

　絶滅危惧種の日本文化を継承する立場の人間として、自分が身につけてきたものを言葉にすることの必要さを、改めて感じた。

　私の感と脊髄反射に従って、なにかを探していく作業の過程を想った。

　浅尾さんが収録したインタビューは、サブカルワンダーランドというyoutube の番組の m267 として配信されている。ぜひ、「陶王子 2万年の旅」を観るだけでなく、インタビューにあふれる監督の熱い想いを感じて欲しいと思う。

「イラストレビュー」 ◎絵と文＝三五千波

連続上演「幻（GEN）」
能「隅田川」（演出・観世善正）
オペラ「カーリュー・リヴァー」（演出・彌勒忠史）
よこすか芸術劇場（10月18日）

ブリテン「夏の夜の夢」
演出・ムーヴメント・レア・ハウスマン
（マクヴィカーの演出に基づく）
指揮・飯森範親　東京フィルハーモニー交響楽団
新国立劇場（10月8日夜観劇）

2012年藝大奏楽堂での
オールドバラ凱旋公演から8年
「隅田川&カーリュー・リヴァー」の
上演をずっと筆者は心待ちにしていた
困難を乗り越えてやっと上演できた
彌勒さんのプロダクション
百合の花を持ち豪華な衣装で踊り狂う
狂女に逢えたのは
嬉しいが
覆面オペラになってしまった
少し…いいや
かなり残念だったりする
4月に横浜公演の
切符を取ったはよいが
予定変更で
あきらめた
BCJの
「リナルド」
公演真近に
映像配信が決まる
藤木大地さんは
ゲーム少年で
森麻季さんはゲームの
囚われの姫
10月にはブリテン
上演がふたつも
こちらも演出変更を
余儀なくされた
恋人たちが
離れて眠り
妖精たちも
離れて並んで
お行儀よく…
カウンターテナー騎士団は
青木洋也さんと久保法之さん
2009年のBCJ上演では
外国人チームだった
ほとんど
演技なし
妖精王は藤木さん
新国のブリテン
次は「ねじの回転」
やってほしい
「ヴェニスに死す」
とは言わない
よい
良い魔女も
悪い魔女も今回はメゾ
演出・砂川真緒
ドラマトゥルク・菅尾友
でした〜
わるい

日本音楽学会　第71回全国大会
（11月14日・15日　オンライン開催）
早稲田オペラ・音楽劇研究所例会に出入りしてて
その流れで音楽学会関東支部の発表を
聞きに行ったことはあるものの…
しょせんシロートだし
私なんか場違いだし
学問の敷居が高くて…
アカデミックしきい
今年はリモートで
Zoom総会!
参加費を払えば
だれでもおうちで
聴講できるよー
チャンス!♪
実は日生の「ルチア」
と重なってたので
最初は参加を迷ってた
そこで配信の話ですよ
レジュメは開始前に
ダウンロード
開始時刻になったら
分室に移動
のーと
mac Book
さっそくHPを見て
タイムテーブルを
チェック
SF大会と同じね
古楽・アナリーゼ・音響
アジア洋楽史・歌詞分析
日常では出会えない
世界の扉を開いてみたいが
やはり自分の研究テーマに近い?
近代日本文化史に寄せたセッションを
聞くことにした
1日目午後
2018年の
加納悦子さんの
ヘルダーリン詩
リサイタルが良かったので
子安ゆかり先生の
「ヘルダーリンを通して見える
20世紀ドイツ歌曲の新側面」に参加
「生の半ば」五題など歌唱映像を
交えながらレクチャー
生の半ばは
五人五様
下段へ
2日目はほとんど日本近代音楽史
武石みどり先生
「大正~昭和初期の映画館の音楽」
この時代の映画の楽師は
長唄に合わせて
調弦してたとか
白菊の歌
映画館のロシア楽士の宗教はなに?
先生方のあつい質問
小田智美先生「地域展開する浅草オペラ」
鈴木聖子先生「ベートーヴェン人生劇場
《残侠篇》」の歴史的意義」
葛西周先生『聴取の場』としての観光地」
李雅心先生「日本による
再占領期の青島における
音楽活動」
中辻真帆先生
「柴田南雄の民謡観
《追分節考》および
『俗楽旋律考』の
再考」などなど…
聴取論
おかみ
観光地楽団
ひとんちのZoom飲み会
大先生乱入
発表後は
情報交換会と
いう名の
打ち上げ
質疑応答の
続きを
聴いてたら
大先生の
世間話が
始まり
雑談3時間
リアル学会の
雰囲気を
バーチャルで
堪能しましたわ
藤倉大「アルマゲドンの夢」
演出・リディア・シュタイアー
原作・H・G・ウェルズ　台本・ハリー・ロス
指揮・大野和士　東京フィルハーモニー交響楽団
新国立劇場（11月18日観劇）
そのころ
加納さんは
ディストピア
白装束集団の
インスペクター
を熱演
なんだかリゾートで
甘いアバンチュール
してたり
デカダンなサロンで
パーティーしてたり
世界最終戦争といったら
前世紀末のトラウマ
ノストラダムスとか
全面核戦争の恐怖である
それなのに…
原作の短編小説を
上演後読んで
気づいた
これは
最終戦争の
話じゃなくて
電車の中で見た
「夢」についての
お話なのね
衣装は
めっちゃ
カワイイ!

歌劇「ヴォルフ　イタリア歌曲集」
演出・構成・岩田達宗
歌唱・老田裕子　小森輝彦
ピアノ・井手徳彦　ダンス・山本弘　船木こころ
東京文化会館小ホール（11月28日）
曲順を入れかえ男女で歌うことでドラマが浮かび上がるイタリア歌曲集
海外では色んな解釈の盤が出てるこれをオペラとして小さな舞台で上演小さな思いの日々の重なり
Auch kleine Dinge können uns entzücken,
Auch kleine Dinge
歌手の心を可視化するダンサーがくっついて上演するオペラバロックや現代曲で何度も見てるけどこの上演では蛇足かな？なぜなら小森さんや老田さんが十分に相手の歌のあいだにも伝わる演技をしてるから踊りが邪魔してる
東京二期会「メリー・ウィドー」（日本語上演）
演出・眞鍋卓嗣　装置・伊藤雅子
指揮・沖澤のどか　東京交響楽団
日生劇場（11月29日観劇　嘉目＆与那城組）
伝統の日本語訳詞に台詞に混じる時事ネタ可笑しハンナとダニロも色っぽいが三戸大久さんのミルコがはまりすぎで大収穫大使館の建物がよきモダニズム上手に見切れた庭園の奥行感がすばらしい
二期会では初めて？なんと腰越・宮本組の無料全曲動画配信が年末にあった
「ルチア　あるいはある花嫁の悲劇」
演出・翻案・田尾下哲　指揮・柴田真都
日生劇場（11月14・15日 配信にて鑑賞）
高橋維さんと森谷真理さん両方のルチア
ソーシャルディスタンス配慮の短縮版というからナレーションや寸劇のハイライトと思ったら
大胆にも背後で各役が歌ってるのに舞台にはルチアと黙役の死神？だけ
息詰まるような月明かりの心理劇に仕上がっていた
接写での細やかな没入の演技では維さんが圧倒的舞台では森谷さんが迫力ありそう
日生劇場の配信では9月の上演だけど「MISHIMA2020」がナイスだった…これで味を占めた感がある
ルチア以外の歌手見たかった人は怒るかもだけど

「ペンテジレーア」
演出・あごうさとし　原作・クライスト
翻訳・ドラマトゥルク・仲正昌樹　音楽・伊左治直
出演・太田宏　太田真紀　葛西友子　辻本佳
マリーハーネ　村岡優妃
THEATRE E9 KYOTO（10月26日）
KÜSSE
BISS
「これから薔薇祭を始めます」
「ペンテジレーア」は20世紀に何度も
オペラ化されている
フーゴー・ヴォルフもこの戯曲に
魅了されて交響詩を作った
日本語とドイツ語が混じる台詞と歌
（実は音楽と歌目当てで遠征した）
赤い紗幕の上に字幕を投影し
舞踏と歌で断片的に演じられる物語
この物語はどのように
アレンジした所で
人として倫理的に
破綻してるの
ではないか
この秋
映画館に行ったのは
アテネ・フランセでの
オリヴェイラ監督
「繻子の靴」のみ
セペテ様
テッセラ音楽祭・高橋悠治の耳
「修羅の子供達」（11月3日）
B→C　景山梨乃（11月10日）
B→C　會田瑞樹（11月30日）
松平敬「声のひとり旅」（配信で鑑賞）
鈴木治行「室内楽パノラマ」
（12月16日）
野外パフォーマンス「雁」（即興歌唱）
（12月18日・上野仲通り）
低音デュオ（12月23日）
今季の現音系タイトルのみ記録
アマゾン女族それは
「男性を人間として
扱ってはいけない」
という法のもとに
成り立つ
王国なのだ
アートスケープの
レビューで高嶋慈氏が
Q「バッコスの信女」を
想起したように「ペンテジレーア」は
新しい物語でしか解けない
この戯曲もその試行では？
さてこのドリーこそは
「人形を人間として愛することのできる」
女なのであ～る！
夢を見てるのね
でも夢を
見ることは
人間が出来る
ことの中でも
最も醜悪なこと
文学座12月アトリエの会
「ガールズ・イン・クライシス」
作・アンネ・レッパー　翻訳・小畑和奏
上演台本・演出・生田みゆき
（12月5日映像収録・配信による鑑賞）
ラブリンモンロー
「人形さんあんたが
父親にちがいない
この赤ちゃんは
あんたたち人形に
そっくりよ」
主人公
ベイビーは
夫も恋人も人形も
気に入らなければ棄てる
「わたしの初めては
あんなにいいものじゃなかった」と
人形と愛し合うドリーを見てつぶやくベイビー
つまり
そういうことやで
※2017年
リーディング公演の
台本より台詞引用

TH特選品レビュー

(イ) イガラシ文章
(市) 市川純
(岡) 岡和田晃
(高) 高浩美
(沙) 沙月樹京
(関) 関根一華
(田) 田島淳
(馬) 馬場紀衣
(日) 日原雄一
(並) 並木誠
(放) 放克犬
(三) 三浦沙良
(M) 本橋牛乳
(八) 八本正幸
(吉) 吉田悠樹彦

荻原魚雷

中年の本棚

紀伊國屋書店

★アラサーになってから、だいぶたつ。気づけばアラウンドどころでなく、フツーに三〇を越えていた。気づいたときにはびっくりした。

　三〇になるまでに、やっておかなければならないことは、山のようにあった気がする。その山を脇に見ながら、スルーして今日まできたのだからしかたがない。しかたがないのだけれど、その山を横目にしながら、何度もくよくよ思いなやむ。

　そんなときにこの本が新刊ででた。荻原魚雷の本にはハズレがない。困っているときに、やさしい言葉をくれる。気軽に相談できる先生のところへ出掛けるような感覚で、荻原氏の本を手にとる。

「二十代、三十代前半のころと比べて集中力が続かない。眼精疲労、腰痛、肩こりにくわえ、寝転がって本を読む癖がたたり、季節の変わり目になると両肘がしびれるようになった」。三十代後半の荻原氏は、そんな体調だったという。

　私の集中力は既にうしなわれている。二十代からあった頭痛肩こりは、歳を重ねるたびひどくなる。荻原氏はつづける。

　「おぼえたことは忘れるし、できたことはできなくなる」。「この先を生きるためにメンタルを鍛えねばならない」。

　「そうこうするうち、中年に関する本が蔵書の一角を占めるようになった。前向きに蒐集したわけではない」。「わたしの中年の本棚は、気力、体力の衰えをかんじつつ、行き当たりばったりに手にした書物の軌跡ともいえる。あまりにもとっちらかりすぎて、どこに向かっているのか、自分でもわからない」。

　そんな「中年の本棚」には、これからの人生を生きてゆくのにだいじなことばが詰まっていた。「不安や焦りをおぼえたら、今、自分は疲れていると考えるようにしている」、「わかっていてもできないことがある。それがわからない人がいる」、「上の世代のように働いて、下の世代のように家事や子育てを頑張ろうとすれば、どこかで無理が生じてくる。だからこそ、仕事に依存しすぎず、うまく力を抜きながら、現実に則した大人の夢を持つ余力を残す技術、訓練が必要なのだ」。

　そのとおりだなあ、とうなづく。

　ジェーン・スーの、こんな言葉もあった。

「三十代前半は体力があるから無理ができる。大人ぶって守りに入るのはまだ早い。それよりも『まずは幹を太らせましょう』と奨励し、『無駄を削いでいくのは三十五歳からで十分』と助言する」。講談社エッセイ賞の、「貴様いつまで女子でいるつもりだ問題」より。これに荻原氏は、「昔の自分に教えたい」とつけたす。

　三十一になった自分は、勇気をだしてこう言いたい。「わかっていてもできないことがある」。そんな逃げの人生を、これからも続けていくつもりか私は。(日)

波多野貴文監督

サイレント・トーキョー

★東京を舞台とした爆弾テロの物語である。誰もが押井守監督の『機動警察パトレイバー2the Movie』を連想したことだろう。「これは、戦争だ。」というキャッチ・コピーを含めて、共通する要素が少なくない。

　しかし、だからといってこの映画が楽しめないというわけではない。

　現実の東京の風景の中で展開する爆弾テロというヴィジュアルは、それだけで凄いインパクトがある。特に、渋谷駅前の爆発シーンは見応えがあった。

　さらに、企画製作の時点では現職であった総理大臣の言動に、正面から異議申し立てをしているところにも心意気を感じた。

　クリスマス・イヴという限られた日時に限定しつつ、99分というソリッドな上映時間で、緊張感を持続しつつ、テンポ良く展開するところにも好感を持った。

そして何よりも、エンディング・ソングとしてジョン・レノン&オノ・ヨーコの名曲「ハッピー・クリスマス（戦争は終った）」がAwichの歌唱によって歌われることに感銘を受けた。この曲は、映画の予告篇にも使用されているので多くの人の耳に残っていると思われるが、この曲が選ばれた意味が劇中で明かされるところで、思わず涙腺がゆるんだ。

撮影が行われたのは前年であろうが、群衆シーンでは、誰もマスクをしていないことに、かなりの違和感を感じた。まるで別次元の東京を観ているみたいだ。コロナ禍の最中にある二〇二〇年に新作映画を観るということは、そのような特殊状況にあるのだなということを、あらためて感じた次第である。こんなことも、時が経てば解らなくなってしまうだろう。映画もまた、時代の空気の中にあり、それだからこそ、その時々の空気感を大切にしたいと思う。（八）

劇団旬組
農園パラダイス～愛しのアマゾネス

下北沢駅前劇場、20年10月14日～18日

★舞台は東京近郊の農村。というか、ベッドタウン化しているような場所。何といっても「小松菜」ののぼりから、それとわかる。

登場人物はほぼ女性ばかり。中心となるのは、農家の納屋のような場所、テーブルがあって作業ができるようになっている、そこに住む母娘。父親はすでに高いし、姉の園子はまだ結婚していない。妹の百合子は夫と別れ、子連れで戻っている。母親の早苗が農業を営む一方、娘の園子は映画会社に勤務する。40歳を目前に控えている。

祭りの前日、遠くで少ない男手で準備が進められている。祭りの巫女はまだ結婚しない姉が今年もやることになっている。同級生で未婚の男性、ネギ農家の秋男がいて、周囲は二人をくっつけようとする。でもその周囲の女性たちは、みんな離婚して（死別もいるけど）戻ってきている娘たちばかり。ただし、あきらめたわけではなく、この農村に調査に訪れた東京芸大建築学部研究員の夏生には興味がある。

全編、ほぼガールズトークの1幕の芝居は、女性だけが現代化した農村の一場だ。東京近郊だったものが、地下鉄開業とそこに乗り入れる私鉄の開業によって、ベッドタウン化し、都市が流れ込んでくる。そこに生きる女性にとって、農村における古い女性のジェンダーはもはや脱却してしまったものだが、男性はそこにとどまるがゆえに、離婚してしまう。出戻り女性のパラダイスになっているということだ。変われない男性を取り残したアマゾネスたちということになろう。お腹の大きな隣家の娘、葉子が子どもを産めば、女性たちみんなで育てるという。

作者の大森は、そもそもの着想はつくばエクスプレスが開通して変化した埼玉県八潮市に住む知人からの話がヒントになったという。そして、取材したのは、東京メトロ南北線と埼玉高速鉄道でつながる埼玉県鳩ケ谷市。

都市近郊の農村っていう設定が新しいって思った。都市と農村、過去と現在の交点では、男女のジェンダー観の違いが際立ち、女性の社会となってしまう。それだけで十分に、語ることができる舞台だった。とはいえ、最初の脚本にはなかった歌うシーンをいくつも挿入し、舞台の道具や衣装などの細部にこだわり、メリハリのある舞台に仕上げたのは、演出の力によるところが大きいのだろうな。作者は意外にも、火炎瓶が投げられる大学の中で優生保護法についての論文を書いていたという世代。それが時代とともに丸くなってきたのか、円熟というのか、それともとげをうまく演出が処理したのかはわからないけれども。

その上で、ラストの園子と秋男が残される深夜のシーンは、いらなかったんじゃないか、とも思った。中途半端にロマンチックラブなんかしなくていいよ。多分、ふたりがくっつくとしても、もっと違うコンテクストなんじゃないかな、と。（M）

春風亭一之輔・藤巻亮太二人会
芝浜と粉雪

人見記念講堂、20年10月4日

★緊急事態宣言中。戦時中もやっていた寄席が、閉まった。一之輔師匠が夜トリだった鈴本演芸場の興行もなくなった。

かわりに一之輔師匠、毎日YouTubeで生配信やっていた。時間も鈴本のトリとおなじ、20時15分開始。生配信だったが、アーカイヴも残してくれている。噂の「団子屋政談」も聴けた。途中までは古典の「初天神」で、子どもが父親との初詣では飴だの団子だの買ってといろんな手をつかって要求してたのに、お奉行さま相手だと途端にちぢこまっちゃってるのが面白かった。

一之輔師匠を連続で聴いてたら、ひさしぶりに生で聴きに行きたいとおもった。とはいえ一之輔師匠、NHK「プロ

フェッショナル」にも出たりして、わりと前から「チケットがとれない落語家」だ。行けそうな会をさがしていたら、こんな会にぶちあたった。「芝浜と粉雪」。こなあああーゆきいいいーねえ、くらい、音楽あんま詳しくない私だって知っている。レミオロメンの曲だ、ってことも知っている。藤巻亮太と言われると困るが、たぶんそのレミオロメンのひとなんだろう。

それぐらいの知識で出掛けていったら、すごかった。オープニングトークで二人並んで、一之輔師匠が開口一番、「今世紀最大のコンセプトのわからない会にようこそ」。ラジオ番組にゲストで出て以来、ふたりで飲みに行く仲なんだとか。

さいしょ、藤巻亮太がギターをもって、「日日是好日」、「雨上がり」なんてところを歌う。初めて聴く曲だったけれど、好みの曲だった。帰ってからYoutubeで聴きながらこれ書いてる。CDも買おうと思った。

やりにくいなあ、とこぼしてから、一之輔師匠は十八番「お見立て」に。

田舎者のお大尽が、配信でみたときのようにスサマジイ。ボォー、って陸蒸気みたいな声で泣く。

中入り後、いよいよ「芝浜」に。人情噺のラスト、夫婦がお酒を飲もうとするときに、さざめ雪が降ってくる。そして、藤巻亮太の「粉雪」。映画のエンディングのようで、すばらしかった。最初はコンセプト謎に感じてたけど、実にいいコラボレーションだった。(日)

加藤健一事務所 vol.108
プレッシャー ~ノルマンディーの空~

下北沢・本多劇場、20年11月11日~23日/京都府立府民ホールアルティ、12月5日/兵庫県立芸術文化センター阪急中ホール、12月6日

★有名なノルマンディー上陸作戦を描いた「史上最大の作戦」(The Longest Day)は、ジョン・ウエイン、ロバート・ミッチャム、ヘンリー・フォンダなど有名スターが多数出演した映画。この舞台『プレッシャー~ノルマンディーの空~』は、映画ではほんの脇役だった英空軍気象部スタッグ大佐をフィーチャーした物語である。

現代なら気象予報はAIやハイパフォーマンスコンピューター(HPC)によってかなりの精度でできるようになった。実は天気の予測と戦争は大いに関係している。1897年に無線電信が実用化され、1905年から10年頃にかけて洋上の船舶が観測した気象資料が天気図の作成に使えるようになった。そして1914年、飛行機と飛行船の実用は高層気象の研究に拍車をかけ、第二次世界大戦には電子工学と航空機が目覚ましく発達、そんなことを念頭におくとこの物語が俄然面白くなってくる。米英はノルマンディー上陸作戦に際して世界最高の技術と予報技術者を投入するが、それがスタッグ博士(加藤健一)であり、クリック大佐(山崎銀之丞)だ。

ストーリーはイギリス人・気象学者のスタッグ博士が招かれたところから始まる。空軍大佐の肩書きだが「飛行機に触ったこともない」とスタッグは言う。舞台中央に天気図、1944年6月2日。アイゼンハワー大将[注](原康義)が入ってくる。スタッグは入ってきた人物がアイゼンハワーとはわからず「写真の方が髪がふさふさしています」と言い、悪気はなかった発言に客席からはくすくす笑いが起こる。「君が新たなルールブックだ」とアイゼンハワーはスタッグに言う。これはかなりのプレッシャーだ。何しろ万単位の人命と戦争勝利がこの作戦にかかっている。そこへもう一人の気象予報士、アメリカ人のクリック大佐(山崎銀之丞)がやってくる。クリックの予報の的中率はかなりの高水準、それなりのプライドもある。一方のスタッグも膨大なデータを分析する能力に長けている。同じ天気図を見て予想は真っ向から対立、スタッグは「大荒れ」、クリックは「晴れる」。プライドと知識のぶつかり合いは必然、だが、目的は同じ。丁々発止のやり取りがおこなわれ、周囲の者たち、アイゼンハワーはもちろん、サマスビー中尉(加藤忍)、スパーツ大将(林次樹)マロリー大将(深見大輔)、ラムゼイ大将(新井康弘)ら、皆が作戦成功のプレッシャーに押しつぶされそうだ。

こんなおりにスタッグは身重の妻を残してきた。机に写真、子供が無事に生まれるかどうかが気がかり。と言うのは第

一子誕生の際、妻の血圧（プレッシャー）が問題になっていたからだ。それでも無情に時間がすぎていき、いよいよ決断の時がやってくる。

ノルマンディー上陸作戦にまつわる話を知っていれば、どうなったかはわかっているのだが、このやり取り、データを集めて天気図に反映させる作業などはかなりのドキドキ感。しかし、緊迫した場面ばかりではない。同じ連合軍だが、アメリカとイギリスはお国柄の違いがあって、最初の方でアイゼンハワーはフットボール（アメフト）とラグビーの話をする。ラグビーはイギリス発祥、フットボールはアメリカ、一般人から見ると似ているが、実は得点の取得方法や試合人数、パスの方など全く違う。またスタッグが地域の天候の特徴を語るくだりも面白く興味深い。「カンカンに照ってたかと思ったら夕方には嵐になる……」と変わりやすいイギリス海峡の気候を語るが、データ重視のクリックはそれでも「晴れ」を主張する。また電話工事に電気工（新井康弘）がやってきてハケるまで終始しゃべりっぱなし。独特の雰囲気も相まってここも客席からくすくすと笑いが起こる場面だ。舞台転換の合間に１９４０年代のジャージーな楽曲がかかり、アイゼンハワーがサングラスをかければ「アル・カポネかと思った」というスタッグの台詞やアイゼンハワーの「ナチスの野郎を震え上がらせる」と言うくだりは時代の空気を感じさせる。

電話でデータを集めて必死でメモをとる、天気図に加筆する。2幕の冒頭でプレッシャーに耐えきれなくなったスタッグが荷物をまとめて出ようとしたらサマスビー中尉（加藤忍）に説得される。そして運命の決断、アイゼンハワーが意を決して言う瞬間はドキドキ。

文化や考え方の相違、人間関係、気象、自然の摂理、戦争、意地とプライドが一つの部屋で渦巻く。「作戦成功の条件が揃う3日後、作戦決行予定日の天気を予測してくれ」という無茶ぶり要求に果敢に挑んだスタッグ、クリックたち。翻って現代でも完璧１００％的中は難しく、所詮、人間の手に及ばないのだ。天気は言うに及ばず、昨今のコロナ禍もしかり、次々と様々なことが明らかになっているが、撲滅どころか気温が下がって感染者数が増えてきている。物語の結果は先刻承知であるが、我々を取り巻く状況は先が見えない。上演時間は2時間50分（15分休憩込）だが、俳優陣の達者な演技で長さを感じさせない。また、タイトルの『プレッシャー』は、気象用語では「気圧」で、実に多くの意味が含まれている。（高）

[注]アイゼンハワー大佐は、のちのアイゼンハワー大統領

五代目金馬 金翁襲名披露興行

鈴本演芸場、20年5月1日〜10日

★みんな金翁師匠だいすきな空間だった。紙切りの林家正楽師匠の出番で、リクエストされたお題も、「金翁一門」、「金翁師匠」、「お笑い三人組」って金翁・金馬師匠関連のばっかりだった。

御年八十九歳の四代目金馬師匠が、息子の三遊亭金時に、「金馬」の名前をゆずるという。自分は「金翁」になるという。歳を召されて力づよい口調が、いいかたちにまるく柔らかい、私もだいすきな落語家である。ダブル襲名披露興行の、大初日は当直明けの日だったが、これは行かずばなるまいと勇んで行った。客席に遅れて入ったら、評論家の広瀬和生もいた。後ろ姿ですぐわかる。

披露口上の司会は、同い年で小さいころから友達だったという林家正蔵。金翁になる四代目金馬は、お笑い三人組として三代目江戸家猫八・一龍斎貞鳳とともにテレビで売れたときも、師匠の三代目金馬から「落語は死ぬまでできるんだから、落語の稽古をしなきゃだめだ」と言われたという。実際にこんなご高齢になっても、高座にあがってくれているすばらしさ。「金翁誕生」という演題で、先年脳梗塞で入院した際の話、リハビリ病院での騒動などを語り、たいへんに面白かった。ずっと聴いていたい、すっごく素敵な口調だ。

新しい五代目の金馬師匠は、「厩火事」。父親ゆずりの口調も見えながら、五代目らしさが光るいい噺家だ。この金馬師匠が、いまの金翁師匠のようになるまで、私は生きていられるのかなあ。（日）

亜樹直原作／オキモト・シュウ作画

神の雫 マリアージュ 神の雫最終章

講談社

★完結したので、あらためて。

主人公の神咲雫は、反発していた父親の神咲豊多香の訃報を受け取る。ワイン評論家でもある父親の膨大なワインコレクションを受け取るにあたって、父親が養子として迎えた遠峰一青との間で、神の雫をめぐる勝負をすることになる。それは、父親が残した書状から、神の雫とそれに従う十二使徒の13本のワインを特定するというもの。かくして。兄弟によるワインの勝負が行われる。

作品は一方で、父親への反発からワインの素人だった雫の成長の物語ともなっている。読者もまた、ワインについてさまざまなことを知ることができる。

　でも、何よりこの作品が画期的だったのは、ワインに対する評価のしかた。そこでは、ワインのガイドブックにあるような「ベリー系の香り」「チョコレートの香り」「おだやかなタンニン」など、決まった表現ではなく、そのワインが与えてくれる想像の世界が、展開される。確かに、決まった表現は、ワインについて誤解が少なくなるように伝えることができる。でもそれはワインを仕事にする人以外にはあまり意味がないこと。ワインを（他のお酒もそうだけど）飲んだときの感動は、そうした言葉では表せないもの。そうした表現のあり方を示してくれたことの意味は大きい。実際、音楽や絵画を評価するときにも、「Ａｍ７の和音が」とか「オペラレッドを広く使った」とか言わないよね。ワインもまた芸術を鑑賞するように味わえるということ。そしてそれは、実はけっこう、ワインに詳しくない人でも感じることを素直に言葉にすればいいということ。ワインの楽しみ方を拡大することにもなる。

　最終巻を読んであらためて思ったのは、作者たちが好きなワイン、あるいはこの作品で紹介されているワインは、完璧なものではなく、どこかバランスが悪く、個性と言い換えることができるもの。そこに魅力があるという。そのことにも強く同意する。

　ということで、16年間読んできたけれど、とりあえず無事に完結して良かった良かった。（M）

笹公人
念力レストラン
春陽堂書店

★タイトルに惹かれて手にとったら、とんでもない本だった。
　連作「無限コックリさん」から。「コックリさんが帰ってくれない放課後のゆうぐれの窓をよぎる零戦」。

　すごい、と思った。倉阪鬼一郎の怪奇俳句もだいすきだが、この短歌もたいへんに私の胸にひびいた。「オカルト短歌」というらしい。連作「567の世界」の、「メルカリは白い悪意に包まれてマスク一箱一万円也」もよかった。読みすすめてわかったこと。NHKドラマ「念力家族」の、原作者の先生なんだそうだ。おせえよ。私はもっとはやく笹公人の本を読んでいてもよかった。あれもすばらしく頭おかしいドラマでした。

　本書は、著者の二冊めのバラエティ本らしい。オカルト短歌のほか、師匠である岡井隆、大林宣彦などとの思い出をつづるエッセイ、「二年間にわたる浪人時代の鬱屈を思い出しながらひとりコツコツ書き溜めたという掌編小説・合格体験記パロディ」ってのも三篇ほどあって、なんだそれと思った。読んでみてさらになんだこれだった。

　笹公人の一冊目のバラエティ・ブック「念力姫」も読みたいなあとおもったら、既に古書価は高騰している。神奈川のしょぼい図書館には置いてない。ぜひそちらも、今後復刊など期待したいところだ。（日）

楢喜八作品集
『誰かが見ている』
こぶな書店

★楢喜八という名前を聞くと、年季の入ったSF&ミステリのファンなら、すぐにあの独特の作風のイラストを思い出すだろう。
　近年では『学校の怪談』シリーズのイラストで記憶している読者も、少なくないに違いない。

　グロテスクさとユーモアが程よくブレンドされ、そこにほのかな色気も漂う画風は、どれを見てもすぐに「あ、楢先生の絵だ」と解る明確な個性があるが、押しつけがましくないところが素敵である。カラーイラストもいいけれど、やはり銅版画のように緻密なタッチと、明暗のコントラストが際立つ白黒イラストが絶品だ。

　最初にその絵に衝撃を受けたのは、ウィリアム・ホープ・ホジスンの『異次元を覗く家』（ハヤカワSF文庫）のカバー・イラストと挿絵だった。以来、『ミステリマガジン』や『幻影城』『奇想天外』などの雑誌で、その画風に親しんで来た。その約五〇年にわたる画業が凝縮された、素晴らしい作品集である。

　一枚一枚のイラストに、世界観があり、物語がある。

　「works for BOOKS」というコーナーでは、諸先生方の書影に混じって、拙著『ゴジラの時代』の書影も掲載されているのも光栄だった。（八）

KARAS APPARUTU
ビリティスの歌
カラス・アパラタス、20年11月12日〜23日

★パンの笛に導かれ、官能と懊悩の赤と蒼の蛇状曲線に螺旋を絡めて、深みへと降りていく。勅使川原三郎のレースのス

カートを翻して踊る様は希臘の赤絵の壺のイメージのよう。チュニックのプリーツの佐東利穂子の希臘的な艶かしさ。桂冠詩人か、将又、希臘の異教の神々か。硬質な詩に変わりゆく楽興の時が、牧神の夢想へと誘う。ドビュッシーのパンの笛のレトリックが、ビリティスの歌と夢の後先に曳航するかのように導いていく。馥郁とした風情に官能が弧を描く。古風とモダンバレエ的動きが交錯する激しさとその夢想が妙なるダンスであった。勅使川原三郎の牧神然たる姿が想い出深い、陰影ある舞台であった。美しいダンスのひと時は、瞑想と官能、そして希臘的な古風な雰囲気に彩られた清新な時空を堪能した。(並)

マイケル・ドズワース・クック

図書室の怪 四編の奇怪な物語

山田順子訳、東京創元社

★四編収録の短編集。中心となるのは、全体の三分の二を占めるタイトル作。

炭鉱夫の家に生まれた主人公ジャックは幼い頃から読書の虫で、奨学金を得てオックスフォード大学に進学。大学では、万能の秀才で良家の子息のサイモンに気に入られ、読書が縁で親友となる。ジャックは卒業後中世史学者となるが、アシュコームの旧家ド・ベタンコート家の跡取りであるサイモンには、不幸が相次ぐ。若くして母を癌で失っていたが、父も急死。家を継ぐが、今度は妻ジニーが、結婚後二年もたずに先立つ。

自らの病のため彼の力になれず、後悔をしていたジャックに、突然彼から手紙が届く。図書室の蔵書目録を早急に改訂したいので、協力して欲しいという内容だ。アシュコームに赴いたジャックを迎えたのは、古の森に囲まれたいびつなつくりの大きな屋敷。意気阻喪したサイモンによると、ジニーは亡くなる前になにかに取り憑かれていたようだったという。画家であったジニーが残した一連の絵には恐怖にあえぐ十五世紀の騎士が描かれ、騎士は問題の図書室で書棚のひとつの書物を指さしていた。また彼女の手記には、恐ろしいものを見たことが記されていた。サイモンは、ジャックを呼び出したのはジニーに起こったことを解明して欲しいためだと打ち明ける。

著者はポオをはじめとするミステリ・怪奇小説の研究者。いわくありげな旧家、不気味な絵画、稀覯本の並ぶ図書室、秘密の手記などの道具立て、また作中ホームズやホジスンの心霊探偵カーナッキへの言及、中盤の展開にはポオへのストレートなオマージュもある。いかにも作者の経歴にふさわしく、ポオ、十九世紀末から二十世紀前半の英国怪談や黎明期探偵小説の時代への傾倒が強く感じられる作品だ。

現代作家である書き手が、近過去の英国を舞台にしながら、怪奇とミステリが交錯した世界を百年の時代を越えて再構築させた技量は驚くべきものだ。伏線など全体に精緻に構成された非常に完成度が高い作品である。特に本作のカギとなる主人公二人の対照的な生育過程にも、実際の英国の歴史が反映されているところには唸らせられた。また、古い書籍のディテールや保存に関するあれこれなど、随所に本に対する深い愛着が感じられるのも魅力だ。残りの三編のうち二編も本が重要なポイントとなっている。本好きなら何度となくニヤリとさせられる一冊だ。(放)

近藤聡乃

A子さんの恋人

エンターブレイン

★美大を卒業したA子さん、職業は漫画家。同級生のA太郎君と7年付き合った後、渡米し、3年間ニューヨークで暮らす。その時の恋人がA君。日本語の翻訳家。でも、A君がA子さんに結婚を申し込んだときに、決心がつかずに帰国。A君はニューヨークに取り残されてしまう。そこに現れたA太郎。それに、U子さんやI子さんやK子さんら女友達。とりあえず、三角関係がどうなるのか。

横糸となるのは、A子さんのデビュー作を描きなおすことができないでいること、A君は大江健三郎の『空の怪物アグイー』を翻訳中。A太郎は美大を卒業するも、そこにこだわることなく、店頭販売員で生計を立てる。

A君にプロポーズされたA子さんは答えを引き延ばし、日本でA太郎に復縁を迫られる。

焦点は、答えを先延ばしし続けるA子さんの結論なのだけれども、まあ、読んでいてイライラする人はいるだろうな。うちの娘とか。でも、A太郎と復縁することはないっていうことは、わかっている。一方、A君も日本にやってくるけれど、結論を得られない。

一方でどうどうめぐりの三角関係を読み進めていく、ということでもあるのだけれど、もう一つの落ち着く先っていうのは、クリエイターはクリエイターに引き寄せられるっていうことなんじゃないか。A子さんがクリエイターでいるためには、A太郎ではだめだったという。だからこそ、A子さんは自分が結婚しても自分でいられるのかどうか、自信が持てなかったし、だからずっと逡巡する。自分でいること、それはアルファベットではない自分の名前が示すものでもある。

シンプルな絵で描かれたこの作品は、ずっとシンプルな答えを目指してぐるぐるとまわってきた。それに、クリエイターが特別なものなのではなく、自分自身でいることが特別なことでもある。A太郎もU子もK子もI子もまた、それは同じだ。(M)

音楽座ミュージカル
SUNDAY

草月ホール、20年12月19日・20日

★原作は、アガサ・クリスティがメアリ・ウェストマコット名義で1944年に発表した長編小説『春にして君を離れ』。原作のタイトルはウィリアム・シェイクスピアの『ソネット集』第98番(Sonnet 98)の一節(From you have I been absent in the spring)から採られ、ロマンス小説に分類されているが、ミステリーの要素もある。なお2020年はクリスティ生誕130周年にあたる。
主人公はジョーン・スカダモア(高野菜々)、生まれてからずっとクレイミンスターという田舎町に住んでいる。父は海軍の将官。夫・ロドニー(安中淳也)とは恋愛結婚、ジョーンは現在もロドニーが自分を深く愛していると信じ、夫や子供のことは誰よりも知っていると自負している。

舞台が始まる前にゲッコー役の広田勇二が前説を行う。ここは初演と同じ。たいていの舞台の前説は本編と明らかに分断されているが、広田は前説を〝歌う〟。そして「自分だけは大丈夫と思ってるよね?」、この根拠のない自信は誰しもが持っている。「そして誰もいなくなった」と…。有名なクリスティ作品に引っ掛けている。そこからすーっと本編に入る。

主人公ジョーンが登場。「1938年、イングランド」とゲッコー。とかげなのだが、語り部的な立ち位置で、だがあくまでも〝的〟なのがポイント。始まって30分ぐらいで、キャラクターの考え、立ち位置、設定などがテンポよく提示される。

ジョーンは夫に尽くし、子供達もきっちり育ててきたと思っているが、どうも様子が違う。息子は「本当の気持ちを聞いてくれない」と歌う。娘は年の差婚。もちろん、母は大反対するも、娘は決行し、家を離れてバグダッドに。そこから数年後、娘から便りが届き、バグダッドへ。ジョーンにとっては人生初の長旅、家を長い期間、留守にするのも初めて。そしてバグダッドへ着き、用事を済ませて帰ろうとするが、その途中で…列車が動かなくなり、立ち往生する、というのがだいたいの流れ。
ジョーンの言葉の端々に彼女の〝根拠のない自信と幸せ〟が垣間見える。胸張って闊歩する。複雑な眼差しの夫、子供達。バグダッドからの帰路の途中で旧友に出会う。彼女の名はブランチ(井田安寿)、自由闊達で「人生はワインと一緒」と歌う。ここで流れる楽曲が1930年代風でダンスもジャズベースの振付で楽しい場面。「人を愛せない限りは本当の人生はわからない」という台詞が出てくる。列車が立ち往生し、運休、しかも砂漠。ここにとどまるしかないジョーン。することがないので様々なことを思い出す。ロドニーは農場経営が夢だった。しかし、妻に弁護士事務所に入った方が年収もいいと諭され、ロドニーは妻の言う通りにする。世間的にはロドニーは成功者、表面的にはいい夫婦だが、隙間風が吹く。そこへゲッコーが登場し、「蜃気楼が出ている」と言う。〝いい夫婦〟も実は蜃気楼のようなもの、と観客は気がつく。また、夫が弁護士として関わっている銀行家チャールズ・エドワード・シャーストン(新木啓介)は横領事件を起こして服役。その妻のレスリー(森彩香)は子供を抱えて夫を待つ。「夫の失敗は妻の責任」というジョーン、彼女の哲学ならレスリーはそういう評価になる。そしてバグダッドへ

の旅立ちの回想シーン、「ねえ、あなた」と声をかけるがロドニーは振り返らない。ゲッコーが歌う「砂は零れ落ちる」と。「一人ぼっち?私が?!」とジョーン。

２幕の冒頭、白い衣装のコロスが不穏な空気をはらみながら踊る。ジョーンは不安な表情を浮かべ、心がざわつき、苦しむ。そして女学校時代の回想シーン。それからチャールズが刑期を終えて出所。レスリーの生き様が描かれる。ジョーンとは対照的で、そのコントラストが秀逸。ロドニーは泣く。原作ではレスリーは１９３０年に死去している。回る盆を歩くジョーンとロドニー、近づきそうで近づかない、ジョーンはロドニーを追いかけるも距離は縮まらない。自分自身は良妻賢母と思っていたジョーン、それは幻。観客は１幕で気づき、２幕で確信する。

２幕の終わり近く、ようやく列車に乗るジョーン。隣に座っていた老婦人が「また、戦いが始まるんですって」と言う。ジョーンは（第一次世界大戦が）終わったばかりではないかと思う。老婦人は続けて言う「誰もが戦うの」、現代にとっても意味深な言葉だ。帰宅してジョーンは…。最後に歌う歌、「私が終わり、私が始まる」。クリスティらしさ、主人公の回想シーンはあたかもミステリーの迷路のよう。舞台では、その迷路を観客が五感でたどる。最終的な着地点はどこへ行くのか、そんなミステリーっぽい楽しみ方もできる。

初演よりもすっきり、スピーディな印象。稽古期間も長きに渡り、作品として洗練され、芸術的にもレベルアップ。観客に不思議な感情と思いを湧き上がらせる。自分とは?幸せとは?人生とは?様々な考え、思い、そして感じ方、観客の数だけ解釈が存在する。（高）

東京バレエ団
モーリス・ベジャール M

東京文化会館、20年10月24〜25日

★三島由紀夫没後50年の記念の年。三島由紀夫の人生をバレエで哲学的に絵解きするバレエの再演。三島由紀夫の人生に象嵌されたエロスとタナトス。モーリス・ベジャールのM、三島由紀夫のM、Mer（海のフランス語）Mからなる。イチ、ニイ、サン、シ（死）と三島由紀夫の分身が現れる。淫靡な三島由紀夫の別の顔と、聖セバスチャン的なナルシズムへの乾燥したエロティシズムが清新に響いていく。少年三島（平岡公威）を溺愛した祖母に曳かれ、『午後の曳航』、『鏡子の部屋』、『禁色』、『鹿鳴館』のイメージを逍遥していく。憂国のハラキリのイメージが展開して三島由紀夫の世界の登場人物たちと楯の会の同志たちを紐帯で結んでいくイメージは息を呑む。そうした輻輳したイメージがトリスタンとイゾルテのトリスタン和音に導かれてのエクスタシーを迎えると同時の桜吹雪。一陣の風のように全ては幻に。三島由紀夫のファンタスマをベジャールの視神者としての資質が面目躍如として発揮された作品である。海に始まり、海に終わる、全ては豊穣の海に始まり、幕が波濤の海になり、全てを呑み込み、最後は、またそこに帰趨する美学が美しかった。最後は、シャンソン『待ちましょう』で早世した天才を忍ぶのであった。黛敏郎の能楽をベースにした禁欲的な音楽も秀逸であった。横尾忠則のポスターデザインも白眉である。（並）

佐野広実
わたしが消える

講談社

★第66回江戸川乱歩賞受賞作。

主人公であり語り手でもある藤巻智彦は、元刑事で、軽度の認知障碍を患っている。

いつか本格的な認知症に陥ることを予期し、それがいつなのかを怖れつつ、それを隠して、ある男の身元を調査して行く。その対象となる男もまた、重度の認知症で、自分が誰かも解らなくなっている。それはまるで、未来の自分の後ろ姿を追い詰めて行くような、息苦しい行為でもある。

タイトルに「わたし」と謳っているが、文中に一人称の「わたし」は一切使われていない。カメラの主観ショットのみで構成された映画を観るような趣向であり、読み進むにつれて主人公と自分の視点が重なり合って、次々と明らかになる真相が、他人事とは思えなくなるという仕組みだ。

しかし作者は、テクニックに溺れることなく、複数の名前を持つ男の履歴を、丹念に解き明かして行く。一見、平凡で小さく見えた謎が、徐々に大きく深くなって行くところに迫力があり、その先に見えて来る真相にも、ある種の凄味がある。背景には、一九七〇年代の学生運動があり、原発誘致の問題や、阪神淡路大震災、東日本大震災のことも、効果的に盛り込まれている。

作者は、別のペンネーム（島村匠）で松本清張賞を受賞しており、些細な謎が社会の深淵を垣間見せてくれるところに、清張のDNAを確実に継承しているように思われた。

『小説現代』10月号には、スピンオフの

短篇「春の旅」が掲載されており、シリーズ化の意図も感じられるので、この特異な探偵の行く末を見守りたい気持ちになった。（八）

JACROW

夕闇、山を越える

サンモールスタジオ、20年10月22日〜11月8日

★田中角栄を主役とした演劇なのだけど、実は「闇の将軍」シリーズとして3本が一挙上演となっている。「夕闇、山を越える」はその第1話で再々演。初演は2016年でした。再演の第2話「宵闇、街に登る」と新作の「常闇。世を照らす」は観ていないので、レビューしようかどうか迷ったのだけど、以前から田中角栄再評価ということを言っているので、取り上げることにしました。

「夕闇、山を越える」の時間軸は、人気ある若手議員として、岸派、池田派、佐藤派から誘われ、佐藤派に合流した後、岸内閣で郵政大臣に就任するまで。

最初に舞台に登場した田中角栄は、モーニングにゴム長靴という姿。新潟の農村での演説。近代化に立ち遅れるという意味で貧しい農村における現実を何とかする、道路をひっぱってくる、そうした後の『日本列島改造論』につながる話を語り続ける。それをしょうがない息子だな、と見ているのが角栄の母親。

でも、その後の舞台は、ほぼ全編、神楽坂の料亭の座敷で展開されていく。

田中の政治思想は、羊羹のエピソードが良く表している。

「民主主義とはどういうものか。10人兄弟がいて、ここに羊羹がある。これを同じ大きさの10個に切って平等に分けるのは共産主義だ。民主主義はそうじゃない。適当な大きさに切って、一番大きいのを一番下の子どもにあげるんだ」

潤沢な資金でインフラが整備された都市部にお金を落とす必要はない。そうではない地方に、手厚くお金を落としていく。そのための大規模開発というのが、後の日本列島改造だった。目に見える成果でいえば、上越新幹線がある。東北新幹線だけではなく新潟にも新幹線を引っ張ったのは、田中角栄の力だと言われている。あるいは、電源交付金をつくり、柏崎刈羽原発の地元にお金を落とす。

こうした思想を持つ田中角栄に対し、「所得倍増論」を掲げる池田隼人と、田中の人気を利用したい岸信介が、自分の派閥に取り込もうと説得する。しかし、田中はなかなか首を縦にふらない。池田派の大平正芳は、香川という地方出身議員で田中の友人として説得にあたる。憲法改正を目指す岸派には福田赳夫もいて、こちらはわりと冷ややかに。

田中自身は、政治思想は池田に近いことを自任するも、選ぶのは、佐藤栄作の派閥。そこであれば、そのあとの首相の目もある、という愛人で芸子の円弥の助言として描かれる。佐藤には、地元で自ら経営する長岡鉄道を救ってもらった恩義が田中にある、という。

羊羹の話に戻る。たぶん、安倍晋三だったら、「身体が小さい末っ子は一番小さいのでいい」って思ってるんじゃないか、とか、菅義偉だったら「まず自分で羊羹を買ってくればいい」とか思っているんじゃないか、とか、そんなふうに思う人は少なくないんじゃないかな。60年前、70年前の自民党から現在まで残っているのは、岸信介の妖気だけかもしれない、とも。あるいは、池田の宏池会が今はどうなっているのか。そうしたことも含め、2020年においてもなお、舞台にかけられるべき芝居だと思う。

一方で金権政治家と言われる田中だが、舞台ではエリートという背景を持たないがゆえの、そこに頼るしかないものとして、しばしばお金を渡すシーンが描かれる。

ラスト、演説する田中角栄に金の雨が降る。オカダカズチカかよ、とつっこみたくなる。（M）

三浦一壮・木村由

渡り蝶

アトリエ第Q藝術、20年11月14日

★「渡り蝶」とは、国境を越え活動を重ね、新しい表現を切り開こうとするダンス・アーティストのことを意味しているのかもしれない。三浦一壮は戦前の半島で育ち、戦後日本で活動を重ね、ヨーロッパや南米へ舞踏をもたらした。木村由はNYCでEiko & Komaの下で踊りを学び、国際的に活動を重ねてきた。

コロナ禍の最中、成城学園前にあるアトリエ第Q藝術で行われたパフォーマンスは丸田美紀の箏と香村かをりによる韓国伝統楽器の演奏で行われた。足元に広がる枯葉を踏みしめながら老年の男と熟年の女がゆっくりと踊っていく。その身体表現は格差社会や貧困問題が社会問題となっている現代日本の中で弱者への慈しみを思わせる持ち味がある。特に三浦は幼少時にみた原風景やアーティストとして訪れた国外の国々の社会問題と向かい合うことが多かった。三浦の抽象表現からは能に通じる味わいが、木村の舞踏からはエロスと情感が立ち上が

る。交差する二人の肉体の息遣いや空気の振動に前衛音楽が絡んでいく。

厳しい社会状況の中で、二人の表現は舞踏から抜け出し、21世紀の矛盾と貧困の中の身体表現としての外殻を形作ろうとしている。マイムでも舞踏やコンテンポラリーダンスでもない、はたまたパフォーマンスでもない、21世紀舞踊といえる肉体からの新時代の離陸がまさに始まろうとしている。

三浦は数年前に舞踊界に帰還した。彼は大野慶人と共に及川廣信にマイムを学んだ一期生だが、いち早く独立しスタジオVAVを立ち上げ矢野英征や佐々木満を輩出した。呼吸法をベースとした身体技法を開発している。木村は日本の舞踏シーンと一定の距離を置きながら新時代を模索してきた。日本初の舞踏から、国境を移動する新時代の身体表現へ、二人の歩みが新潮流の起点となろうとしている。(吉)

劇団ひとりぼっちユニットあんよはじょうず

夜べ啼いてくれ、僕の腕の中。

オメガ東京20年10月7日〜11日

★冒頭、一人の男優が登場し、長いセリフをまくしたてる。特別に意味があるわけじゃない。そこに登場するウエイター。場所はカフェのようだ。でも、何を注文してもないと言われる。飲み物も食べ物もない。じゃあ何があるのか。そこに登場するメイドのような姿をした双子の手をつないだ女性たち。手をつないでいないと、二人は意識を保てない。お客は手を放して意識を失った方の女性と寝ることができる。それが提供される商品。

という形ではじまる。お嬢様と僕、自分を探す少年、そういった登場人物が繰り広げる舞台に、特別な意味があるわけではなく、その動きとセリフを楽しむことで、時間が過ぎていく。

この舞台において、特別なことは、登場する俳優のすべてが、ゾンビのようなメイクをしていることだ。

そこで、冒頭のたたみかけるようなセリフ。その演出そのもの、脚本そのものは何も目新しいものではない、と思う。むしろ、小劇場においてはノスタルジックな気にさせるものだ。けれども、演じているのはゾンビ。それは、かつて演じられていた芝居が、ゾンビによって中身がからっぽのまま再び演じられるような、そんな風景となってくる。

手をつないでいないと、意識を保てないような、そんな危うい世界が展開される80分間である。ゾンビのような俳優は、でもそうではなく、舞台の上で生きている。(M)

燐光群

拝啓天皇陛下様 前略総理大臣殿

座・高円寺、20年11月13日〜22日

★舞台は終戦後から始まる。元兵士のヤマショウが陸軍で一緒だったムネさんを訪ねてくる。しかし出てきたのはアキコという女性。彼女は夫とともに、ムネさんの書いた「拝啓天皇陛下様」という本が好きだという。そこはムネさんの家ではなかった。アキコの夫は近畿財務局に勤務する公務員である。

ということで、この作品では2つの時間が交錯する。一つは、森友学園に国有地を払い下げたときの不正を隠そうとする近畿財務局職員たちの物語。そして、ヤマショウの入隊後、初年兵からの兵士としての物語。それは棟田博の著書「拝啓天皇陛下様」の世界でもある。

ヤマショウは教育を受けておらず、身寄りもない兵士。軍隊にいる限りは食事が保証されるので、ずっと軍隊にいたいと思っている。そのために、天皇陛下に手紙を書こうとする。でも、天皇に手紙を書いたら不敬罪に問われると言われる。軍隊という理不尽な社会は、そのまま、理不尽な財務局の社会に映しだされる。

終盤、学術会議の任命拒否が取り上げられる。政府は、学術会議から提案された人事案に基づき、任命することになっている。政府が任命するとはいえ、そこに政府が干渉することはない、はずだったが、現在の政府は6名を拒否している。

では、内閣総理大臣はといえば、天皇が任命することになっている。同じ論理であれば、天皇が任命を拒否できる。だから、拒否してください、と天皇陛下に手紙を書く。今は不敬罪がない時代だ。

社会派の劇団である燐光群は、政治的問題を舞台に取り上げる。そうした形で演じられるということには、大きな意味があるだろう。そうした形であっても、抵抗を残していくことには、未来につながる価値がある、と思う。

ただ、その上であえて言えば、全体が消化しきれていない脚本だったし、演出もどうしてもおざなりなんじゃないかと思えてしまう。「拝啓天皇陛下様」の内容を語り続けるアキコの熱演はすごいけれども、でもそこまで言葉だけである必要があったのか。訳者の身体というのをもっと信じてもいいんじゃないか、と思う。もっとすっきりした脚本にできただろう

し、言葉以上に訳者の演技が語るような舞台にできたと思うのだけれども。(M)

パトリック・ボカノウスキー
天使/L'ANGE

★ピラネージの幻想の牢獄を思わせる、マニエリスティックな映像美。光の充溢と闇の充満そして、互いにそれらが激しく交錯する。

特筆すべきは、やはりエロスという観念を孕みながら、階段を上がる天使が美しい。その動態的瞬間の美しさ。イメージと観念の海のなかをひたすらに曳航する船の如くに。カラヴァジオスキばりの溶暗のなかをオブセッショナルなイメージがとめど無く流れる。妻の現代音楽家のミシェール・ボカノウスキーによる音楽も、オブセッショナルに反復する、弦楽器で痛覚を刺激する。

人形を刺す剣士。吊るされた人形。道化の男の入浴。自嘲気味の道化。意味ありげな使用人と男の平板な日常。フェルメールの絵画世界。落ちて割れるツボから溢れるミルク。差異と反復の不条理とその不気味さ。無制限の反復。シュールなイメージの断片的な連続と交差。カフカのような官僚的なタスクを続ける図書司書たち。方形の枠に囚われた女性を襲う男たち。遠近法を取る画家とモデル。欲望の流れとイメージの湧出は、非対称的に差延され続ける。

そして全ては光に還っていく。『天使/L'ANGE』は、映画の原基、フランス語のLumiere(ひかり)、つまりは光学についての映画に他ならないのだ。または意味という病からの無意味という完全な根拠性への救済についての映画である。

最後の溶明が象徴的である。全てのその無意味とも言えるオブセッションから救済される暗示は光と安息である。『アンダルシアの犬』の再来とも称さられる、伝説の実験映画は、今後も清新に伝説であり続けるであろう。(並)

遊戯空間
フクシマの屈折率

上野ストアハウス、20年12月3日～6日

★「詩×劇」という取組みで、ストーリーがある演劇、というのとは少し違う。和合の詩を舞台上で訳者が叫び、ナレーションがそのテキストをつなげていく、という構成。ナレーションは和合への手紙という体裁をとっている。篠本がこれまで取り組んできたシリーズでもある。といっても、初めて観たのだけれど。

和合は福島県在住の詩人。2011年以降、その福島県の風景が詩として描かれている。そこにはどうしても、福島から遠く離れた身には感じられないでいるものがある。もうすぐ10年もたつというのに、それはむしろどこかで忘れられ、放棄されたもののようになっている。和合の新しい詩集「QQQ」もまた、そんな言葉がそこにある。

篠本による演出は、黒いビニールの衣装をまとった1名の男性と、白いビニールの衣装をまとった8名の女性により、さまざまな形で動き回りながら、詩の言葉を叫んでいくというもの。言葉が身体を持つ、そのことによるリアルさが、表現されているというものだ。そして、二人の音楽家による、チェロやキーボードの演奏。同時に、その演出には、どうしてもサミュエル・ベケットの影響を感じてしまう。具体的には、ベケットの「クワッド2」。それを演劇といっていいのかどうかわからないけれど、「クワッド」においては、4色の衣装を着た4人のダンサーが四角形をさまざまな組み合わせになるように動く。しかし「クワッド2」では、4人とも白い衣装を着て、1つしかない組み合わせだけを動く。そこには、ジル・ドゥルーズ言うところの「消尽した」世界がある。

では、福島は消尽した世界なのか。そこに終末の一部をつくり出してしまったということなのか。そういったことを感じさせる演出であるにもかかわらず、それでも福島で人々は生きているし、これからも生きていく。そうした時間に回収されていく。

私たちに立ち止まることを求める舞台だったと思う。

ちょっと残念なのは、役者の力量がばらばら過ぎたかな、ということ。和合の詩も時に言葉が先行してしまいがちなので、そこはもっと深く進むこともできたんじゃないかな、とも思わなくもないな。(M)

劇団印象
エーリヒ・ケストナー 消された名前

下北沢駅前劇場、20年12月9日～13日

★最初にあやまっておくと、この芝居、劇場で観ることができませんでした。ごめんなさい。満席で入れませんでした。ということで、後日、ネットで配信されたものを視聴した上でのレビューです。でも、映像として観るのも悪くないな。お茶を飲みながら、途中休息もはさめるし。

ケストナーはドイツの作家。「飛ぶ教室」はすごく有名だし、あとは「ふたりの

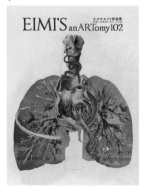

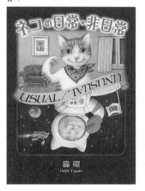

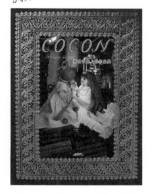

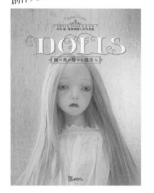

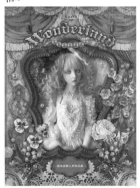

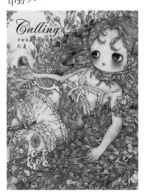

ロッテ」とか「エミールと探偵たち」とか。児童文学だけじゃないんだけど。

物語は1922年から1945年まで。ケストナーが作家になる前から、終戦までということになる。ナチスに批判的でユダヤ人の血をひくケストナーだが、国民的作家であるということから、収容所には送られることなく、偽名で映画「ほらふき男爵の冒険」のシナリオも書いている。一方で、大人向けの作品は焚書に遭っており、自分でその焚書を見に行ったとか。偽名でのシナリオ執筆を除けば、ナチス政権下では作品を書くことを禁じられていたという。

ケストナーと彼と生涯をともにするルイーゼロッテ・エンデルレ、彼の友人で虐殺される俳優の友人やプロパガンダ映画の監督となる友人、そしてプロパガンダ映画でもあるベルリンオリンピックの映画監督となるレネ・リーフェンシュタールらが登場し、時代の流れの中で彼らが翻弄され、あるいは生き残っていく場面が、役者陣の安定した演技によって描かれていく。

鈴木の意図は明白で、昨年のあいちトリエンナーレや今年の日本学術会議に見られるように、芸術家の表現や学問そのものに対して政府・行政がダメ出しするようなファシズム的なものが見られるようになった現在に対し、100年近く前からの20年間のドイツを舞台に、実際になされたファシズムによる表現規制を描くことは、現在において意味がある、ということ。また、この劇の中で、ファシズムを支えてきたことがポピュリズムであり、例えばユダヤ人への人々の嫌悪が描かれる。そうしたことが、最小人数の役者によって表現されているということも、物語をわかりやすいものにしている。

冒頭、1922年のカフェのシーンで、ケストナーはジャーナリスト志望の少女エンデルレ、そして後にダンサーとしても女優としても失墜し、映画監督として一瞬とはいえ成功するリーフェンシュタールと出会う。舞台は結果として、ケストナー以上にこの二人の女性の存在感が強いものとなった。

ケストナーはカフェで少女に対し、「政治的なことを書くよりも、半径5メートルのことを書きなさい」と助言する。そしてラストシーン、オーストリアで終戦を迎える場面で、リーフェンシュタールはケストナーに向かって、女性である自分が、政権のためでなくてどうして表現が可能だったのかを問う。ベストセラー作家だったケストナーが、亡命もせず沈黙によって抵抗できたとして、女性のリーフェンシュタールにはそれは可能ではなかった。この最後近くの場面、この劇全体において、ケストナー以上にリーフェンシュタールの存在感を大きなものにしている。

鈴木がどこまで意図したのかはわからないが、人々が簡単に抑圧する側にまわるように、男性が女性を抑圧する、そうした社会構造においては、ケストナー自身もまた、加害者側に身を置くことになる。

ちょっと予定調和っぽいラストシーンではあるのだけれど、どう考えても戦争が終わっただけで、何も解決していない現在があるんだよな。（M）

追悼　升水絵里香

★コンテンポラリーダンスの升水絵里香がまさにこれからという時に他界した。芸術的な感覚の豊かなダンサーだった。

現代アートシーンとの接点が深い才能で、チアガール出身として3331 Arts Chiyodaではアート・チアとして活動をすることもあった。私が3331にいくと受付やカフェで仕事をしていることもあったのも懐かしい思い出だ。しっかりとした振付に基づく作品を演出や美術を交えながら上演することができる才能で、代表作に「カクシンハン」（横浜ダンスコレクションEX2013コンペティションⅡ最優秀新人賞受賞）や「PLAY☆GIRL」（2014）、三島由紀夫によるテキスト「行動学入門」にインスピレーションを得た「行動と爆発」（2015）がある。米田沙織とのダンスデュオ〈ヨネエリ〉として発表した「嗜好品」（2013）も印象深い。derondeoron「DODODO」のPVにこの二人が踊る姿が残されている。升水は後にこのバンドに振付けこともあった。

さらに現代美術の坂間真実とのコラボレーションとして寺山修司制作のラジオドラマ「コメット・イケヤ」の世界観をオマージュしたcostume&dance作品として「comet」（2014）も発表し坂間の白い衣装とパフォーマンスをしている。3331千代田芸術祭 スカラシップ受賞者展Vol.5では〝Pepper と人間〟チームの1人としてロボットとのパフォーマンスでGolden Art Hack Award賞を受賞した。アートシーンで活動をするのみならず、チアガールとして野球場で活動をすることもあったようだ。

やがて2010年代後半になってくるとBankart1929で活動を重ねるようになる。一連の成果が実を結ぶであろう新作を心待ちにしていたところ、あまりに突然で早すぎる悲報が入り立ち尽くした。ここに冥福を祈る。（吉）

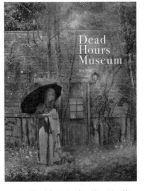

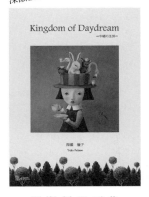

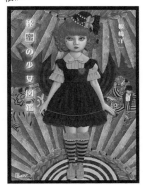

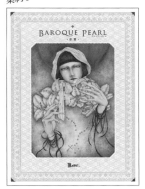

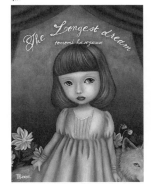

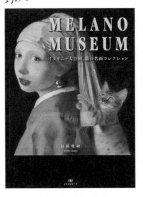

芳賀一洋 作品集「錠前屋のルネはレジスタンスの仲間」
978-4-88375-331-4／A5判・224頁・並製・税別2222円
●パリの街並みや日本の昭和的風景などを精巧なミニチュアで再現した驚異の作品群。その40作以上を郷愁あふれる写真に収めた作品集。

北見隆 作品集「本の国のアリス～存在しない書物を求めて」
978-4-88375-223-5／A5判・64頁・ハードカバー・税別2750円
●本そのものが、「アリス」の物語の、愉快な舞台《ワンダーランド》に！ 本の形をした"ブックアート"を中心に、不思議な物語に満ちた作品集!!

菊地拓史 オブジェ集「airDrip」
978-4-88375-229-4／A5判・64頁・ハードカバー・税別2750円
●「夢と現の境を揺蕩う、幻視の錬金術師」—手塚眞。菊地拓史が贈るオブジェと言葉のブリコラージュ。その世界を本で表現した一冊。

◎杉本一文の本

「杉本一文『装』画集～横溝正史ほか、装画作品のすべて」
978-4-88375-287-4／A4判・128頁・カバー装・税別3200円
●横溝正史といえば、杉本一文。数多く手がけてきた装画作品の中から、横溝作品を中心に約160点を精選して収録した待望の画集!!

「杉本一文銅版画集」
978-4-88375-286-7／A5判・128頁・カバー装・税別2500円
●幻想とエロスの桃源郷——杉本一文のもうひとつの顔、銅版画の代表作を装画作品から蔵書票まで約200点収録！

◎幻想系・少女系

スズキエイミ 作品集「Eimi's anARTomy 102」
978-4-88375-358-1／B5判・64頁・ハードカバー・税別2750円
●"美の本質は肉体、肉体の本質は死"。名画などを巧みに組み合わせて作り上げられた、解剖学的でシニカルな美の世界！

たま 画集「Calling～少女主義的水彩画集VI」
978-4-88375-357-4／B5判・52頁・ハードカバー・税別2750円
●ダーク＆キュートなたまの少女画集第6弾！ 切り取って楽しめる「折り込み塗り絵」や中野クニヒコによる立体作品も収録！

たま 画集「Fallen Princess～少女主義的水彩画集V」
978-4-88375-221-8／B5判・48頁・ハードカバー・税別2750円
●お姫様系、エロちっく系、食べ物系など、たまならではのダーク＆キュートな秘密の乙女の楽園がたっぷり！ 待望の画集第5弾！

森環 画集「愛よりも奇妙～ Stranger than love」
978-4-88375-264-5／B5判・64頁・ハードカバー・税別2750円
●なんて奇妙な、ワンダーランド！「ボローニャ国際絵本原画展」入選など、不思議な世界観で人気の画家の幻想的な鉛筆画集！

椎木かなえ 画集「同じ夢～ Same Dream ～」
978-4-88375-252-2／A5判・64頁・ハードカバー・税別2750円
●闇に住まう人の、いびつな愛と、不穏な夢。奇妙で秘儀的な心象風景が、観る者を夢幻の世界へ導く、椎木かなえの初画集!!

安蘭 画集「BAROQUE PEARL～バロック・パール」
978-4-88375-213-3／A5判・72頁・ハードカバー・税別2750円
●哀しみや痛みなどを包み込み、いびつだからこそ心を灯す、安蘭の"美"。耽美画家・安蘭の約10年の軌跡を集約した待望の画集！

こやまけんいち「少女たちの憂鬱」
978-4-88375-096-2／A5判・64頁・ハードカバー・税別2800円
●痛みと遊ぶ少女たちを繊細に描く。女の子たちは完全すぎて、傷つけないではいられない。鋏で、サクリと。—西岡智（西岡兄妹）

◎小説・コミック・評論・エッセイ

◎ナイトランド・クォータリー（ホラー＆ダーク・ファンタジー）

ナイトランド・クォータリーvol.23 怪談（KWAIDAN）—Visions of the Supernatural
978-4-88375-425-0／A5判・192頁・並製・税別1700円

ナイトランド・クォータリー vol.22 銀幕の怪異、闇夜の歌聲
978-4-88375-418-2／A5判・192頁・並製・税別1700円

妖（あやかし）ファンタスティカ2 ～書下し伝奇ルネサンス・アンソロジー
978-4-88375-380-2／A5判・160頁・並製・税別1364円

◎ナイトランド叢書（TH Literature Series）いずれも四六判

クラーク・アシュトン・スミス「魔術師の帝国《3 アヴェロワーニュ篇》」
安田均他訳／978-4-88375-409-0／320頁・税別2400円

クラーク・アシュトン・スミス「魔術師の帝国《2 ハイパーボリア篇》」
安田均他訳／978-4-88375-256-0／272頁・税別2300円

クラーク・アシュトン・スミス「魔術師の帝国《1 ゾシーク篇》」
安田均他訳／978-4-88375-250-8／256頁・税別2200円

E&H・ヘロン「フラックスマン・ロウの心霊探究」
三浦玲子訳／978-4-88375-361-1／272頁・税別2300円

E・H・ヴィシャック「メドゥーサ」
安原和見訳／978-4-88375-339-0／272頁・税別2300円

M・P・シール「紫の雲」
南條竹則訳／978-4-88375-336-9／320頁・税別2400円

キム・ニューマン「《ドラキュラ紀元一九一八》鮮血の撃墜王」
鍛治靖子訳／978-4-88375-327-7／672頁・税別3700円

キム・ニューマン「ドラキュラ紀元一八八八」
鍛治靖子訳／978-4-88375-311-6／576頁・税別3600円

エドワード・ルーカス・ホワイト「ルクンドオ」
遠藤裕子訳／978-4-88375-324-6／336頁・税別2500円

アルジャーノン・ブラックウッド「いにしえの魔術」
夏来健次訳／978-4-88375-318-5／320頁・税別2400円

E・F・ベンスン「見えるもの見えざるもの」
山田蘭訳／978-4-88375-300-0／304頁・税別2400円

サックス・ローマー「魔女王の血脈」
田村美佐子訳／978-4-88375-281-2／304頁・税別2400円

A・メリット「魔女を焼き殺せ！」
森沢くみ子訳／978-4-88375-274-4／272頁・税別2300円

◎TH Literature Series

石神茉莉「蒼い琥珀と無限の迷宮」
978-4-88375-365-9／四六判・320頁・カバー装・税別2400円

図子慧「愛は、こぼれるqの音色」
978-4-88375-345-1／四六判・256頁・カバー装・税別2200円

朝松健「邪神帝国・完全版」
978-4-88375-379-6／四六判・384頁・カバー装・税別2500円

朝松健「朽木の花～新編・東山殿御庭」
978-4-88375-333-8／四六判・320頁・カバー装・税別2400円

朝松健「アシッド・ヴォイド Acid Void in New Fungi City」
978-4-88375-270-6／四六判・256頁・カバー装・税別2200円

朝松健「Faceless City」
978-4-88375-247-8／四六判・352頁・カバー装・税別2500円

友成純一「蔵の中の鬼女」
978-4-88375-278-2／四六判・304頁・カバー装・税別2400円

橋本純「百鬼夢幻～河鍋暁斎 妖怪日誌」
978-4-88375-205-8／四六判・256頁・カバー装・税別2000円

ケイト・ウィルヘルム「翼のジェニー～ウィルヘルム初期傑作選」
安田均他訳／978-4-88375-241-6／256頁・税別2400円

◎TH Art series

◎新刊（2020.8以降の新刊は、p.195以降参照）

北見隆 装幀画集「書物の幻影」
978-4-88375-398-7／B5判・96頁・ハードカバー・税別3200円
●赤川次郎、恩田陸、中島らも、津原泰水…あのワクワクは、この絵とともにあった！ 40年の装幀画業から、約400点を収録した決定版画集！

高田美苗 作品集「箱庭のアリス」
978-4-88375-393-2／B5判・64頁・ハードカバー・税別2700円
●混合技法によるタブローから銅版画まで、少女をモチーフとした夢幻世界を描き続ける高田美苗の軌跡を集約した、待望の作品集！

たま(絵) 最合のぼる(文・写真・構成)「夜間夢飛行～暗黒メルヘン絵本シリーズ2」
978-4-88375-392-5／B5判・64頁・カバー装・税別2255円
●《暗黒メルヘン絵本シリーズ》第2弾は少女主義的水彩画家・たまが登場！「残酷で愛らしい、手加減なしの毒入り絵本です」—林美登利

黒木こずゑ(絵) 最合のぼる(文・写真・構成)「一本足の道化師～暗黒メルヘン絵本シリーズ1」
978-4-88375-370-3／B5判・64頁・カバー装・税別2255円
●妖しい世界へいざなう、絵と写真によるヴィジュアル物語！ アンデルセンなどの童話を元に生まれた《暗黒メルヘン絵本シリーズ》第1弾！

森環 画集「ネコの日常・非日常」
978-4-88375-388-8／四六判・64頁・ハードカバー・税別2200円
●ファッション大好き、読書も好きで…ほんとにネコって、不思議！ そんなネコのくらしをのぞいてみた、かわいくてちょっぴり奇妙な画集！

◎写真集

美島菊名 写真作品集「HOPE」
978-4-88375-308-6／B5判・64頁・ハードカバー・税別2750円
●少女よ あなたは 世界を変える——少女の無垢と欲望を、インパクトあるヴィジュアルで表現してきた美島菊名、初の写真作品集！

珠かな子 写真集「いまは、まだ見えない彗星」
978-4-88375-371-0／B5判・64頁・ハードカバー・税別2700円
●私にとってセルフポートレートは、〝可愛さと強さの脅迫〟だ。女の子は強くなれる、そう願っている——珠かな子、待望の写真集！

村田兼一 写真集「月の魔法」
978-4-88375-354-3／B5判・96頁・ハードカバー・税別3200円
●禁忌を解く魔法——月乃ルナをモデルに生み出された、マジカルで濃密なエロスに満ちたおとぎの世界。

村田兼一 写真集「天使集」
978-4-88375-328-4／B5判・96頁・ハードカバー・税別3200円
●天使というタナトスの闇に浮かぶ、エロスの残像。天使や人鳥を受難の女性を見守る死の影として配置した村田ならではの禁断の世界。

村田兼一 写真集「少女観音」
978-4-88375-259-1／B5判・96頁・ハードカバー・税別3200円
●幼少の頃から仏像に魅了されていた村田が長年温めていたテーマが、ついに写真集に！ モデルの慈愛のオーラが魅惑的な一冊！

村田兼一 写真集「パンドラの鍵」
978-4-88375-166-2／B5判・48頁・ハードカバー・税別2800円
●禁忌のエロスを探求し続ける写真家・村田兼一が特殊モデル七菜乃の無垢な心と身体を秘密の鍵で解放する—撮り下ろし写真集！

谷敦志 写真集「D. P Collage Series」
978-4-88375-283-6／A4判・64頁・ハードカバー・税別3800円
●妖しく溶け合う、肉体とオブジェ。異型の写真家・谷敦志が、女体のコラージュによって生み出した極北の美の世界。A4サイズの豪華版！

谷敦志 写真集「Flowers and Nudes」
978-4-88375-284-3／A4判・64頁・ハードカバー・税別3800円
●透き通るような静けさをまとう、ヌードと花。進化し続ける孤高のアーティストの「今」が詰まった、最新写真集！ A4サイズの豪華版！

谷敦志 写真集「アンビバレンス」
978-4-88375-148-8／A5判・64頁・ハードカバー・税別2800円
●ダークでカオティック、フェティッシュでアヴァンギャルド、そして最高にスタイリッシュ！ 異型の写真家の処女写真集！！

堀江ケニー 写真集「恍惚の果てへ」
978-4-88375-139-6／A5判変型・96頁・カバー装・税別2200円
●澄んだ空気感の中で恍惚の果てへ導かれる—湖や廃墟で撮った、堀江ケニーならではの幻影的作品を集めた待望の写真集！

◎人形・オブジェ作品集

神宮字光 人形作品集「Cocon」
978-4-88375-378-9／A5判・64頁・ハードカバー・税別2700円
●ビスクなどで作られた愛おしい人形達がさまざまなシチュエーションの中で遊ぶ、かわいくも、ときにシュールでミラクルな世界！

田中流 写真集「Dolls ～瞳の奥の静かな微笑み」
978-4-88375-373-4／A5判・96頁・カバー装・税別2300円
●数多くの人形に接してきた写真家・田中流が、28人の人形作家の作品を撮影し、現代の創作人形の潮流をも浮き彫りにした写真集！

清水真理 人形作品集「Wonderland」
978-4-88375-364-2／B5判・64頁・ハードカバー・税別2750円
●肉体と霊魂、光と闇、聖と俗…それらの狭間で息づく、人形たちのワンダーランド。多彩な活躍を続ける清水の近年の作品の魅力を凝縮！

ホシノリコ 作品集「蒼燈のばら」
978-4-88375-326-0／B5判・64頁・ハードカバー・税別2750円
●艶かしく息づく球体関節人形、幻想的な物語奏でるオブジェ。ホシノの10年の歩みをまとめた待望の作品集！ 写真＝吉田良、田中流

森馨 人形作品集「Ghost marriage～冥婚～」
978-4-88375-236-2／B5判・64頁・ハードカバー・税別2750円
●妖しい美しさと、哀しいエロスを湛えた、森馨の球体関節人形。その蠱惑的な肢体を写真家・吉成行夫が撮影した、闇の色香ただよう写真集！

森馨 人形作品集「眠れぬ森の処女(おとめ)たち」
978-4-88375-108-2／A5判・64頁・ハードカバー・税別2800円
●聖なる狂気、深淵なる孤独、硝子の瞳が孕むエロス。独特のエロスに満ちた、秘密の玉手箱のような球体関節人形写真集！

清水真理 人形作品集「Wachtraum(ヴァハトラウム)～白昼夢」
978-4-88375-217-1／A5判・64頁・ハードカバー・税別2750円
●映画「アリス・イン・ドリームランド」に提供した人形（田中流撮り下ろし）や、吉成行夫撮影の吸血鬼シリーズなど満載の人形作品集。

林美登利 人形作品集「Night Comers ～夜の子供たち」
978-4-88375-288-1／A5判・96頁・ハードカバー・税別2750円
●異形の子供たちは、夜をさまよう——「Dream Child」に続く、人形・林美登利、写真・田中流、小説・石神茉莉のコラボ、第2弾！

与偶 人形作品集「フルケロイド FULLKELOID DOLLS」
978-4-88375-265-2／A5判・68頁・ハードカバー・税別2750円
●園子温推薦！ 多くの人の心に突き刺さっている、凄みのある作品たち。20年の作家生活をここに総括。横4倍になる綴じ込み2枚付！

木村龍 作品集「光速ノスタルジア」
978-4-88375-245-4／B5判・96頁・ハードカバー・税別3500円
●ボックスアートから彫像的作品、球体関節人形、絵画などまで、妖美で奇矯、かつ純真な世界を濃密に凝縮した、待望の初作品集！！

No.77 夢魔～闇の世界からの呼び声
A5判・224頁・並装・1389円(税別)・ISBN978-4-88375-340-6
●不穏さに満ちた夢の世界へようこそ。mizunOE、飴屋晶貴、亜由美、林良文、タイナカジュンペイ、「メアリーの総て」と『フランケンシュタイン』の悪夢、《夢》は現実を超えるか～古代記紀神話から『君の名は。』まで、ラース・フォン・トリアー「ヨーロッパ」、『エルム街の悪夢』、『鏡の国の孫悟空』、『ルクンドオ』ほか。

No.76 天使／堕天使～閉塞したこの世界の救済者
A5判・224頁・並装・1389円(税別)・ISBN978-4-88375-330-7
●天使や堕天使から発した想像力。村田兼一、ホシノリコ、『ベルリン・天使の詩』、ボカノウスキー『天使』がいたころ、天使と日本人、イスラムの堕天使たち、「天使の玉ちゃん」と〈失われた子供時代〉、『デビルマン』飛鳥了、熊楠の天使／天子と男色ほか。ジャ・ジャンクー論(藤井省三)、アジアフォーカス2018レポなども。

No.75 秘めごとから覗く世界
A5判・256頁・並装・1389円(税別)・ISBN978-4-88375-316-1
●秘めごとが生む物語。ステュ・ミード、中井結、宮本香那、『檸檬』『四畳半襖の裏張り』などに見る秘めごとの諸相、文学における「告白」、J・T・リロイの事情、自販機本の原稿書きが「映画芸術」の編集長に教えられたこと ほか。小特集としてマッケローニと映画「スティルライフオブメモリーズ」、追悼・ケイト・ウィルヘルム。

No.74 罪深きイノセンス
A5判・224頁・並装・1389円(税別)・ISBN978-4-88375-309-3
●無垢への信奉とそれが持つ残酷さ。美島菊名、村田兼一、蟲川ギニョール、Hajime Kinoko、ドストエフスキーと無垢なるもの、わたなべまさこ『聖ロザリンド』と萩尾望都『トーマの心臓』、『悪童日記』と『フランケンシュタイン』、『小さな悪の華』と『乙女の祈り』、少女ポリアンナ、村上華岳、うろんな少年たち ほか。

No.73 変身夢譚～異分子になることの願望と恐怖
A5判・224頁・並装・1389円(税別)・ISBN978-4-88375-299-7
●miyako(異色肌ギャル)インタビュー、トレヴァー・ブラウン×七菜乃、別人化マニュアル、変身譚としてのギリシア神話、バルテュスと鏡～少女の変身を映すもの、変装から変身へ～怪盗から見る映画史、女性への抑圧が生み出す変身～『キャット・ピープル』とその系譜ほか。

No.72 グロテスク～奇怪なる、愛しきもの
A5判・224頁・並装・1389円(税別)・ISBN978-4-88375-289-8
●林美登利～異形の子供に惜しみのなく注がれる愛情、立島夕子～瀬戸際から発せられた生命の賛歌、たま～可愛らしい少女の中に秘められた不気味な何かを暴く、黒沢美香～既成の価値観に収まらない名前のない景色の豊満さ、畔亭数久とその時代、謎のバンド ザ・レジデンツ ほか。

No.71 私の、内なる戦い～"生きにくさ"からの表現
A5判・224頁・並装・1389円(税別)・ISBN978-4-88375-273-7
●生きにくさから生まれてきた表現—。渡辺篤(現代美術家)～ひきこもり体験からアートへ／若林美保(ストリッパー)インタビュー／与偶(人形作家)～人形によって人に何かを与え、それが自身の〝生〟も支えている／石塚桜子(画家)～一筆一筆に感じられる、祈りのような叫び ほか。

No.70 母性と、その魔性～呪縛が生み出す物語
A5判・224頁・並装・1389円(税別)・ISBN978-4-88375-260-7
●母性による呪縛がなにをもたらし、どんな物語を生んだのか—。「母がしんどい」などで共感を呼ぶマンガ家・田房永子や、ラブドールを妊娠させた作品が話題になった菅実花のインタビューのほか、「三島由紀夫の同性愛と母性の不在」など、神話や文学等多様な見地から俯瞰します。

No.69 死想の系譜～いま想う、死と我々の未来
A5判・240頁・並装・1389円(税別)・ISBN978-4-88375-251-5
●死を想うことで育まれる想像力。釣崎清隆×笹山直規によるメキシコ死体合宿レポ、LOVSTARのエッセイ漫画「死体愛好家」、「死の舞踏絵画からブリューゲル、ボス、そしてヴァニタス」、「ショーペンハウアーの『自殺について』」、「ボルタンスキー巡礼」、「SFにみる近未来の死生観」ほか。

No.68 聖なる幻想のエロス
A5判・208頁・並装・1389円(税別)・ISBN978-4-88375-244-7
●エロスとは、幻想だ。木村龍、村田兼一、甲秀樹、七菜乃、林良文などの作品を幻想のエロスの見地から解題・紹介したほか、「戦争とエロティシズム」、カナザワ映画祭「昼下がりの前衛的エロ映画特集」ルポ、「イケメンゴリラから日活ロマンポルノまで」など、さまざまなエロスを逍遥。

No.67 異・耽美～トラウマティック・ヴィジョンズ
A5判・240頁・並装・1389円(税別)・ISBN978-4-88375-234-8
●トラウマを植え付けるほどの強度を持つ「異・耽美」＝「異端・美」を特集。対談・沙村広明×森馨、インタビュー[林良文、劇団態変・金満里、舞踏家ケンマイ]、図版構成[森馨、衣、真条彩華、安蘭、夢島スイ、七菜乃×GENk他]、写真物語・一鬼のこ、『禁色』とその周辺ほか。

No.66 サーカスと見世物のファンタジア
A5判・208頁・並装・1389円(税別)・ISBN978-4-88375-230-0
●サーカス・見世物には光と影がつきまとう。われわれを惹きつける、夢と禁忌の国。「映画 少女椿」、道化的知性は復権するか、現代道化考、らくだ・ランカイ屋・オリンピック、見世物としての公開処刑、舞踏と見世物考、フランスのサーカス、奇異なるものへの憧憬ほか。

No.65 食と酒のパラダイス！
A5判・224頁・並装・1389円(税別)・ISBN978-4-88375-222-5
●食と酒で愉しむアート＆フィクション！現代海外アーティストによる食をモチーフにした一風変わった作品を数多くピックアップ。また、フィクションに登場する奇妙な食や酒の光景を解題＆紹介。料理研究家・上田淳子インタビューもあり。他に国際人形展「Fusion Doll」レポ等も。

No.64 ヒトガタ／オブジェの修辞学
A5判・224頁・並装・1389円(税別)・ISBN978-4-88375-216-4
●ヒトガタとオブジェのはざまについて考える。対談・三浦悦子×吉田良、映画「さようなら」～石黒浩教授インタビュー、綾乃テン、上原浩子、清水真理、菊地拓史×森馨、伽井丹彌、七菜乃、敗者の人形史、生人形の系譜、ゴーレム伝説、人造美女、レム＆クエイ兄弟版「マスク」比較ほか。

No.63 少年美のメランコリア
A5判・224頁・並装・1389円(税別)・ISBN978-4-88375-208-9
●短い期間の輝きでしかない少年の美には、メランコリア＝憂鬱がつきまとう。図版＆紹介[七戸優・甲秀樹・neychi・カネオヤサチコ・神宮字光・清水真理]、「ベニスに死す」、タルコフスキーの少年、グレーデン男爵とタオルミナ、阿修羅像と『少年愛の美学』、維新派「透視図」ほか。

No.62 大正耽美～激動の時代に花開いたもの
A5判・240頁・並装・1389円(税別)・ISBN978-4-88375-201-0
●好景気に米騒動、関東大震災…激動の大正時代を、耽美を切り口に俯瞰する。図版構成[橘小夢、高畠華宵]、異国への憧憬/谷川渥、大正の幻想映画、大正オカルトレジスタンス、鈴木清順・大正浪漫三部作とパンタライの時代、大正年表など。

No.61 レトロ未来派～21世紀の歯車世代
A5判・232頁・並装・1389円(税別)・ISBN978-4-88375-193-8
●スチームパンクと、アナクロな未来を幻視する。小説・映画等の厳選40作品紹介「エッジの利いたスチームパンク・ガイド」、二階健ディレクション「STEAM BLOOD」展、造形作家・赤松和光、歯車・オートマタ・西部劇映画、日本のアニメにおけるスチームパンク表現の特質など満載。

No.60 制服イズム～禁断の美学
A5判・240頁・並装・1389円(税別)・ISBN978-4-88375-181-5
●「座談会・学校制服のリアルとその魅力」森伸之×西田藍×りかこ×武井裕之、小林美佐子～制服は社会に着せられた役割、村田タマ～少女に還るためにセーラー服を着る、すちうる～小学生にも化けるセルフポートレイト、現代の制服ヒーロー・ヒロインたちなど満載。ヨコトリレポも。

◎ExtrART（エクストラート）〜異端派ヴィジュアルアート誌

file.27◎FEATURE：死を想い、生を描く
A4判・112頁・並装・1200円（税別）・ISBN978-4-88375-430-4
●亀井三千代、伊東明日香、村上仁美、ある紗、田中童夏、キジメッカ、多賀新、東學、山本竜基、髙瀬実穂子、北見隆、後藤麦×今大路智枝子

file.26◎FEATURE：リアルを紡ぎ出す
A4判・112頁・並装・1200円（税別）・ISBN978-4-88375-417-5
●戸泉恵徳、建石修志、山中綾子、田川弘、中島綾美、吉田有花×宮崎まゆ子×きゃらあい、蝿田式、四学科松太、萌木ひろみ×生熊奈央、寺澤智恵子ほか

file.25◎FEATURE：ヒトガタは語る
A4判・112頁・並装・1200円（税別）・ISBN978-4-88375-408-3
●三浦悦子、Mekkedori、ヒロタサトミ、垂狐、田野敦司、日隈愛香、横倉裕司、羅入、成田朱希、サワダモコ、山本有彩、塙興子、遊（アトリエ夢遊病）ほか

file.24◎FEATURE：幽玄を垣間見る
A4判・112頁・並装・1200円（税別）・ISBN978-4-88375-395-6
●上田風子、高田美苗、濵口真央、奥田鉄、土田圭介、南花奈、白野有、武田海、村山大明、日影眩、神宮字光、黒木こずゑ×最合のぼる

file.23◎FEATURE：秘めた、この思い
A4判・112頁・並装・1200円（税別）・ISBN978-4-88375-385-7
●池田ひかる、新宅和音、谷原菜摘子、野原tamago、井桁裕子、朱華、日野まき、菊地拓史・森馨、田中流、渡邊光也、千葉和成、TOKYO 2021 美術展 ほか

file.22◎FEATURE：隠されていた"美"
A4判・112頁・並装・1200円（税別）・ISBN978-4-88375-372-7
●蛭田美保子、スズキエイミ、椎木かなえ、たま、Kamerian.、ディナ・ブロツキー、井上洋介、生熊奈央、衣（はとり）、垂狐、ベルリン・悪魔の山 ほか

file.21◎FEATURE：うつろう、イメージ
A4判・112頁・並装・1200円（税別）・ISBN978-4-88375-360-4
●菅澤薫、大河原愛、有坂ゆかり、大塚咲×七菜乃、夜乃雛月、ニコライ・バタコフ、亜由美、櫻井紅子、吉田有花×ある紗、大島哲以 ほか

file.20◎FEATURE：夢幻の国を逍遥する
A4判・112頁・並装・1200円（税別）・ISBN978-4-88375-346-8
●佐久間友香、木村了子、中村キク、永井健一、長谷川友美、P.ファーガソン、池島康輔、須川まきこ、立島夕子、こやまけんいち、松下まり子 ほか

file.19◎FEATURE：その存在の、ミステリアス
A4判・112頁・並装・1200円（税別）・ISBN978-4-88375-338-3
●藤井健仁、棚田康司、モリケンイチ、後藤温子、中井結、トロイ・ブルックス、ホシノリコ、新竹季次、中川ユウヰチ、宮本香那、江村玲 ほか

file.18◎FEATURE：イノセンスが見る夢
A4判・112頁・並装・1200円（税別）・ISBN978-4-88375-323-9
●美島菊名、Risa Mehmet、泥方陽菜、雨宮沙月、月夜乃散歩、ローズ・フレイマス-フレイザー、松永賢、勝野眞言、高松ヨク ほか

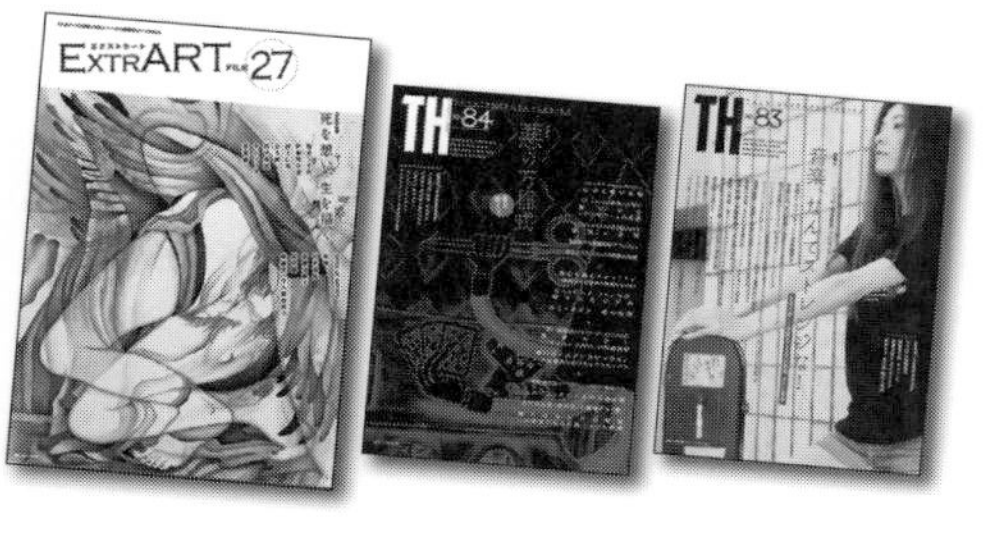

◎トーキングヘッズ叢書（TH Seires）

No.84 悪の方程式〜善を疑え!!
A5判・224頁・並装・1389円（税別）・ISBN978-4-88375-421-2
●「悪」を意識することは、この世の「善」に対して疑いを差し挟むことだ——ダークナイト・トリロジーにみる悪の本質、〈アート〉と〈革命〉は常に悪である〜テロ的アートの系譜、「黒い幽霊団（ブラック・ゴースト）」には悪意がない、警官を蹴るチャップリン、悪いヤツはだいたいイケメン〜少女漫画におけるモラルとエロス、娼婦と聖性ほか満載!

No.83 音楽、なんてストレンジな!〜音楽を通して垣間見る文化の前衛、または裏側
A5判・224頁・並装・1389円（税別）・ISBN978-4-88375-412-0
●音楽は文化の結節点だ。パンクや電子音楽、ノイズなどから、クラシックまで、音楽をめぐる、少々ストレンジなイマジネーション! 恍惚のアヴァンギャルド音楽偏愛史、パンクとポストパンクの思想的地下水脈、イスラムにおける音楽、近代日本の音楽の闇、ワーグナーの共苦と革命、バッハのもとに本当にニシンは降ったのか他

No.82 もの病みのヴィジョン
A5判・224頁・並装・1389円（税別）・ISBN978-4-88375-402-1
●「病み」＝「闇」のヴィジョン。人形作家・与偶トークイベントレポ、梅毒をめぐる幾つかの逸話と謎、舞踏病と死の舞踏、「吸血鬼ノスフェラトゥ」とペストのパンデミック、草間彌生の小説『すみれ強迫』、美人薄命の文化史、病と日本人、舞踊家・土方巽の〈病み〉、澁澤龍彦と病、病弱な少年、「ジョーカー」、「ベニスに死す」ほか

No.81 野生のミラクル
A5判・208頁・並装・1389円（税別）・ISBN978-4-88375-389-5
●野生からわれわれは何を学び、何を表現の糧にしてきたか。ケロッピー前田インタビュー〜野生を取り戻してテクノロジーを乗りこなせ、管理された野生、粘菌、牧神、人豚、八化けタヌキ、シュルレアリスムのアフリカ、スクリーンの変身人間、キム・ギヨンが描く〝オス〟と〝メス〟、異類婚姻譚、動物フォークロア、映画『ZOO』ほか

No.80 ウォーク・オン・ザ・ダークサイド〜闇を想い、闇を進め
A5判・224頁・並装・1389円（税別）・ISBN978-4-88375-376-5
●新たな想像力は闇から生まれる。［図版構成］濵口真央、C7、新宅和音、紺野真弓、宮本香那、萌木ひろみ、谷原菜摘子。タスマニアの美術館MONA、書肆ゲンシシャの驚異のコレクション、日本の闇を感じさせるゲゲゲスポット紀行、闇の文学史〜連鎖する自死、萩尾望都が描き始めた「楽園の裏側」、カタコンブという世界の裏ほか。

No.79 人形たちの哀歌
A5判・240頁・並装・1389円（税別）・ISBN978-4-88375-363-5
●［図版構成］田中流写真作品（人形＝日隈愛香・SAKURA・ホシノリコ・舘野桂子）・清水真理・野原tamago・神宮字光、現代の〝生き人形〟〜中嶋清八・井桁裕子・衣・森馨・佐藤久雄、菅実花とリボーンドール、ロボット・アンドロイド演劇の一〇年、映画『オテサーネク』と『マジック』ほか。追悼・遠藤ミチロウなども。

No.78 ディレッタントの平成史〜令和を生きる前に振り返りたい私の「平成」
A5判・256頁・並装・1389円（税別）・ISBN978-4-88375-350-5
●私たちが感じ取ってきた「平成」を振り返る。TH的・平成年表、極私的平成の三十年間（友成純一）、平成ゾンビ考〜「終わりなき日常」から「サバイバル」へ、舞踏の平成、アニメ『どろろ』に見る内実の変容、死体ビデオと90年代悪趣味ブーム、SNSという「ネオ世間」の出現、IT盛衰、「今日の反核反戦展」、酒見賢一論ほか。

トーキングヘッズ叢書（TH series） No.85

目と眼差しのオブセッション

編　者　アトリエサード
編集長　鈴木孝（沙月樹 京）
編　集　岩田恵／望月学英・徳岡正肇
協　力　岡和田晃

発行日　2021年2月11日

発行人　鈴木孝
発　行　有限会社アトリエサード
東京都豊島区南大塚 1-33-1 〒170-0005
TEL.03-6304-1638 FAX.03-3946-3778
http://www.a-third.com/
th@a-third.com
振替口座／ 00160-8-728019
発　売　株式会社書苑新社
印　刷　株式会社平河工業社
定　価　本体 1389 円＋税
ISBN978-4-88375-433-5 C0370 ¥1389E

出版物一覧

http://www.a-third.com/

ご意見・ご感想をお寄せ下さい。
Web で受け付けています。
新刊案内などのメール配信申込も
Web で受付中!!

アトリエサード HP

AMAZON（書苑新社発売の本）

●Facebook　http://www.facebook.com/ateliertthird
●編集長 twitter　https://twitter.com/st_th

A F T E R W O R D

■コロナ禍にあって、もはやマスクをすることが常識になっている昨今、口元が封じられ目だけが露出し、目で語る時代が来た――というわけでもなく、テレビで透明なフェイスガードをつけてタレントが喋っているところを見ると、やはり口元の動きという記号は大切なのかもね。でも今回の特集は「目」。しかもトラウマティックな。しかもなぜか寺山修司の名前があちこちの原稿に出てきたりして、その世界観はいまだに影響を持ち続けているってことですね。次はExtrARTが3月下旬、THが4月末です！（Ｓ）

★弦巻稲荷日記一COVID19で人と生身で出会うチャンスは減ってしまっているけど、それでも素敵な出会いが増えている。今回、初演を見たジャガーの眼を紹介したいと思い実現したので、達成感のある特集になった。擬態美術協会がミホリトモヒサになって初めて本文記事に。以下次号（め）

■展覧会・個展や上映・上演等の情報は、編集部あてにお送りください（なるべく発売の1カ月半前までに。本誌は1・4・7・10の各月末発売です）。

■絵画等の持ち込みは、郵送（コピーをお送りください）またはメール（HPがある場合）で受け付けています。興味を持たせて頂いた方は、特集や個展など、合うタイミングでご紹介させて頂きます。

■巻末の「TH特選品レビュー」では、ここ数ヶ月の文学・アート・映画・舞台等のレビューを募集中。1本400字以内で、数本お送り下さい。採用の方には掲載誌を進呈します（原稿料はありません）。THの色にあったものかどうかも採否の基準になります。投稿はメール（th@a-third.com）でOK。

■詳しくはホームページもご覧ください。

※応募の際には、本名・筆名・住所・TEL・E-mail・年齢・職業・趣味の傾向等簡単な自己紹介・本書のご感想を必ずお書き添え下さい。

※恐れ入りますが、原則的に採用の方にのみご連絡を差し上げています。ご了承ください。

アトリエサードの出版物の購入のしかた・通信販売のご案内

● TH series（トーキングヘッズ叢書）の取扱書店は、http://www.a-third.com/ へ。定期購読は富士山マガジンサービス及び小社直販にて受付中！（www.a-third.com のトップページにリンクあり） ●書店店頭にない場合は、書店へご注文下さい（発売＝書苑新社と指定して下さい。全国の書店からOK）。●ネット書店もご活用下さい。

●アトリエサードのネット通販でもご購入できます。

■各書籍の詳細画面でショッピングカートがご利用になれます。■郵便振替 / 代金引換 / PayPal で決済可能。

■インターネットをご利用になれない方は、郵便局より郵便振替にて直接ご送金いただいても結構です（送料の加算は不要！ 連絡欄に希望書名・冊数を明記のこと）。入金の通知が届き次第お送りいたします（お手元に届くまで、だいたい 1 週間～10 日ほどお待ち下さい）。振込口座／00160－8－728019　加入者名／有限会社アトリエサード

■また TEL.03-6304-1638 にお電話いただければ、代金引換での発送も可能です（取扱手数料 350円が別途かかります）